←O GUIA DO HERÓI PARA←
INVADIR O CASTELO

CHRISTOPHER HEALY

O GUIA DO HERÓI PARA INVADIR O CASTELO

Ilustrações
Todd Harris

Tradução
Silvia M. C. Rezende

1ª edição

Rio de Janeiro-RJ / Campinas-SP, 2014

Editora: Raïssa Castro
Coordenadora editorial: Ana Paula Gomes
Copidesque: Anna Carolina G. de Souza
Revisão: Raquel de Sena Rodrigues Tersi
Capa: Amy Ryan
Projeto gráfico: André S. Tavares da Silva

Título original: *The Hero's Guide to Storming The Castle*

ISBN: 978-85-7686-319-9

Copyright © Christopher Healy, 2013
Todos os direitos reservados.
Edição publicada mediante acordo com HarperCollins Children's Books, divisão da HarperCollins Publishers.

Ilustrações de capa e miolo © Todd Harris, 2013

Tradução © Verus Editora, 2014
Direitos reservados em língua portuguesa, no Brasil, por Verus Editora. Nenhuma parte desta obra pode ser reproduzida ou transmitida por qualquer forma e/ou quaisquer meios (eletrônico ou mecânico, incluindo fotocópia e gravação) ou arquivada em qualquer sistema ou banco de dados sem permissão escrita da editora.

Verus Editora Ltda.
Rua Benedicto Aristides Ribeiro, 41, Jd. Santa Genebra II, Campinas/SP, 13084-753
Fone/Fax: (19) 3249-0001 | www.veruseditora.com.br

CIP-BRASIL. CATALOGAÇÃO NA FONTE
SINDICATO NACIONAL DOS EDITORES DE LIVROS, RJ

H344g

Healy, Christopher
 O guia do herói para invadir o castelo / Christopher Healy ; ilustração Todd Harris ; tradução Silvia M. C. Rezende. - 1. ed. - Campinas, SP : Verus, 2014.
 il. ; 23 cm.

 Tradução de: The Hero's Guide to Storming The Castle
 ISBN 978-85-7686-319-9

 1. Ficção infantojuvenil americana. I. Harris, Todd. II. Rezende, Silvia M. C. III. Título.

14-10480   CDD: 028.5
                                 CDU: 087.5

Revisado conforme o novo acordo ortográfico

Impressão e Acabamento: Yangraf

Para Noelle

◀ SUMÁRIO ▶

Mapa dos Treze Reinos 9

Prólogo: Coisas que você não sabe sobre os heróis 11

PARTE I INVADINDO O CASAMENTO

1. O herói tem pés estreitos 19
2. O herói é carnívoro 41
3. O herói não se recorda do que fez de tão especial 53
4. O herói não aprecia uma boa comédia 66
5. O herói chora em casamentos 79
6. O herói tem um guarda-roupa luxuoso 95

PARTE II DESVENDANDO O PLANO

7. O herói não faz ideia do que está acontecendo 107
8. O vilão reforma tudo 117
9. O herói faz planos à medida
   que as coisas vão acontecendo 130
10. O herói não aceita não como resposta 147
11. O herói se irrita com dois pesos e duas medidas 163

12. O herói não tem senso de direção 179
13. O vilão alimenta os peixes 192
14. O herói inicia novas tradições 197
15. O herói vai a um baile 210
16. O herói esquece a letra das músicas 233
17. O vilão só quer se divertir 247
18. O herói tem amigos nos altos escalões 253

PARTE III INVADINDO O CASTELO

19. O vilão está no controle 267
20. O herói age como palhaço 276
21. O herói é lançado por terra 288
22. O herói odeia frutos do mar 294
23. O herói sabe contar 304
24. O herói sente cheiro de rato 315
25. O vilão vira o polegar para baixo duas vezes 322
26. O herói conta tudo tim-tim por tim-tim 333
27. O herói convida o vilão para se juntar a ele 340
28. O vilão vence 356
29. O herói não sabe para onde ir 375
29½ O vilão derrama uma lágrima 388

AGRADECIMENTOS 391

MAPA DOS TREZE REINOS

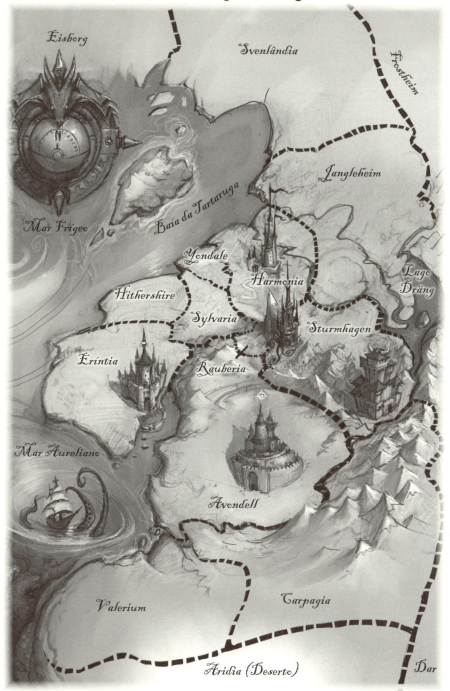

⇜ PRÓLOGO ⇝

COISAS QUE VOCÊ NÃO SABE SOBRE OS HERÓIS

Um herói de verdade toca flauta.
Um herói de verdade sempre carrega um pente de sobrancelha.
Um herói de verdade exala um leve aroma de melão.

Será que alguma dessas coisas é verdadeira? Depende do herói sobre o qual se estiver falando, claro. Mas você pode encontrar todas essas definições de "herói" — e muito mais — no manual de instruções de como se tornar um herói, escrito pelo príncipe Duncan, do reino de Sylvaria. O título original escolhido por Duncan era *O guia do herói para salvar o seu reino*, mas ele chegou à conclusão de que era específico demais. Por isso acabou mudando para *O guia do herói para tudo no mundo todo*. Mas isso gerou o problema inverso. Então, acabou optando por *O guia do herói para se tornar um herói*.

Agora, você deve estar se perguntando quem é esse tal príncipe Duncan e o que o torna um especialista em heróis. Ao que respondo dizendo que talvez você não tenha lido o livro anterior a este. Talvez seja melhor dar uma olhada nele antes.

No entanto, mesmo que você já saiba quem é o príncipe Duncan, talvez ainda esteja se perguntando o que o torna um especialista em heróis. E essa é uma boa pergunta. Duncan é um ex-Príncipe Encantado, obviamente, mas tem cerca de um metro e meio de altura, se distrai com esquilos e tem a tendência de trombar com paredes. Isso se parece com um "herói" para você? Não que qualquer um dos companheiros dele da Liga dos Príncipes se encaixe em sua definição de herói: o príncipe Gustavo tem problemas para controlar a agressividade; o príncipe Liam se irrita facilmente com princesas mimadas; o príncipe Frederico coleciona colheres e considera a "sujeira" seu maior inimigo. E, mesmo assim, a Liga dos Príncipes conseguiu salvar não um, mas *cinco* reinos dos planos diabólicos de uma bruxa malvada.

Fig. 1
Duncan, autor

Isso por acaso faz deles heróis? Duncan certamente pensa que sim, como se pode constatar na introdução de seu livro.

Olá! Sou o príncipe Duncan, de Sylvaria. Talvez você se lembre de mim de algumas das canções dos bardos, como A história da Branca de Neve ou Cinderela e a Liga dos Príncipes. Apesar de o meu nome não ter sido mencionado na primeira, e a segunda estar repleta de fatos incorretos. Por exemplo, eu não escapei do rei Bandido por meio da mágica do "anel voador", como sugere a canção, mas simplesmente caí do telhado.

Pelo menos uma coisa é certa: eu sou um herói. Mas sabia que antigamente eu não tinha a menor noção de que era um? É sério. Na verdade, eu me achava um fracassado. Ao menos era isso que todos me diziam. Mas, depois que entrei para a Liga dos Príncipes ao lado dos meus grandes amigos Liam (o príncipe da Bela Adormecida), Frederico (o da Cinderela) e Gustavo (o da Rapunzel), enganei trolls, derrotei o gigante, domei o dragão e acabei com a bruxa malvada, qual-era-mesmo-o-nome-dela?, sem derramar uma única gota de suor. Porque transpirar é nojento.

— Trecho de *O guia do herói para se tornar um herói*, de autoria do príncipe Duncan, de Sylvaria, também conhecido como Príncipe Encantado (o da *Branca de Neve*)

É certo que a descrição de Duncan dos acontecimentos omite alguns detalhes. Mas pelo menos seu relato é mais preciso que a versão contada na famosa canção de um bardo sobre aquele episódio com a bruxa (citada anteriormente por Duncan) que tornou a Liga popular:

Ouçam, meus queridos, uma história de arrepiar,
Sobre um bando de príncipes, outrora de encantar.
Era uma vez a bela Cinderela que a todos reuniu
Para juntos a poderosa bruxa enfrentar.
A malvada velha sem nome a todos nós, bardos, prendeu
E as nossas melodiosas oitavas ameaçou silenciar.
Deixar o mundo sem música! Era a sua meta final.
Mas Cinderela acabaria com aquele jogo do mal.
Para a missão ela sabia quais aliados convocar:

Liam, Frederico, Duncan e Gustavo.
Nenhum era covarde de tremer ou estremecer
Pois da ousada Liga dos Príncipes todos faziam parte.
Com a dama como líder partiram os heróis
Rindo e sorrindo por entre florestas sem sóis.

— Da canção *Cinderela e a Liga dos Príncipes*,
de Penaleve, o Melífluo, bardo real de Harmonia

Praticamente nada disso está correto.

Não que isso importe. Embora Penaleve de fato tenha transformado os ex-Príncipes Encantados em heróis famosos com esse pequeno verso, ele rapidamente desmoralizou todos eles com sua nova canção, habilmente intitulada de *O vexame da Liga dos Príncipes*.

A comemoração desses poderosos guerreiros
Acabou de repente, para grande tristeza deles mesmos.
Pois o rei Bandido (que umas palmadas merecia levar)
Nas costas deles a estátua da Liga foi roubar.
Bandido fez dos príncipes seus brinquedos,
Mas de um menino de dez anos o que se podia esperar?

— Da música *O vexame da Liga dos Príncipes*,
de Penaleve, o Melífluo

Essa última é basicamente verdadeira. Enquanto os príncipes colhiam os louros por terem vencido a bruxa, Deeb Rauber, o jovem rei Bandido, humilhou o grupo ao roubar descaradamente o monumento erguido em homenagem à vitória deles.

A Liga dos Príncipes sumiu do mapa depois disso. Oficialmente, nunca chegaram a se separar, mas acharam por bem se manter distantes dos holofotes por um período. Gustavo resolveu dar um tempo em Sturmhagen, apesar de seus irmãos continuarem levando a fama pelos feitos heroicos *dele*. Duncan voltou para sua cabana na floresta, em Sylvaria, para trabalhar em seu livro (uma escolha que muito agradou sua esposa, Branca de Neve). E Liam, ainda fugindo de sua noiva nervosa, Rosa Silvestre, seguiu para Harmonia, lar de seu amigo Frederico — e da noiva dele, Ella (também conhecida como Cinderela).

Mas não se preocupe. Não demorou muito para que os príncipes se reunissem mais uma vez e colocassem o destino do mundo todo em risco. É esse o tipo de coisa que eles fazem.

Tudo começou em Harmonia, onde um momento de distração de um príncipe desencadeou uma série de eventos que obrigará a Liga toda a enfrentar um arriscado desafio — um desafio no qual vidas e calças serão perdidas. E, caso você esteja de fato em dúvida se os nossos heróis conseguirão cumprir esta missão, talvez seja melhor nem dar uma olhada no título do capítulo 28.

Fig. 2
Estátua, roubada

PARTE I

INVADINDO O CASAMENTO

◆ 1 ◆

O HERÓI TEM PÉS ESTREITOS

*O caminho para se tornar um herói será repleto de perigos,
riscos e adversidades. Mas tudo valerá a pena no final,
quando alguém escrever uma canção incorreta sobre você.*
— O GUIA DO HERÓI PARA SE TORNAR UM HERÓI

Frederico nem sempre foi um caso perdido. É verdade que durante a maior parte de sua vida seus criados removeram a casca de suas torradas, e uma vez ele desmaiou só de *pensar* que tinha uma farpa espetada no dedo (na realidade, era farelo de biscoito). Mas então ele entrou para a Liga dos Príncipes e se manteve firme diante de bandidos, gigantes, trolls e bruxas. E, se você tivesse visto ele se jogar sob uma pilastra de mármore desmoronando só para salvar a vida de um amigo, chegaria à conclusão de que ele superara seu Medo de Tudo. Mas, apenas dez meses depois daquela experiência de quase morte, lá estava Frederico, correndo feito louco pelos corredores do palácio real e berrando como um leitão assustado.

— Você não pode correr para sempre — gritou seu perseguidor. — Já posso ouvir você ofegar.

— Sei disso — Frederico respirou com dificuldade. O pálido e esguio príncipe se enfiou em um canto, agachou atrás de um enorme vaso de cerâmica e escondeu a ponta da espada atrás de um imbé verde e viçoso. — Aha! — gritou ele, espiando por entre as folhas. — Ganhei.

O príncipe Liam se deteve diante da imensa planta ornamental, abaixou a espada e balançou a cabeça. Sua longa capa vinho esvoaçou em suas costas.

— Frederico — disse ele. — Você sabe que, se fosse uma luta de verdade, eu poderia facilmente cortar essa planta e alcançar você. É um arbusto, não um escudo de ferro.

— Creio que tecnicamente o imbé seja uma árvore, mas reconheço seu argumento — disse Frederico, levantando e ajeitando o cós da calça enfeitado com ouro e o colarinho do paletó de veludo azul-bebê (seu "traje de exercícios"). — Porém isso não é uma luta de verdade. E, neste caso, o imbé é um local perfeitamente seguro para se esconder. Por isso, eu diria que levei a melhor.

— Não, não levou — retrucou Liam. — Você venceu porque mudou as regras. Sabia que eu não atacaria a planta, porque não quero ouvir outro sermão do seu pai por ter "estragado uma folhagem real". Mas, durante esses exercícios de treinamento, não sou *eu mesmo*; faço o papel do bandido. Um cara malvado que quer ferir você. Como vai aprender a se defender se não levar essas lutas a sério?

— Ele tem razão, Frederico — disse Ella, noiva do príncipe Frederico e também aluna de esgrima do príncipe Liam, e que se apressara em disparada pelo corredor para testemunhar o momento final do "duelo" entre os dois. Ela balançou a cabeça. — Você não podia nem ter saído da sala de treinamento.

— Mas não há lugar para se esconder na sala de treinamento — argumentou o príncipe.

— Essa é a ideia — disseram ao mesmo tempo Liam e Ella, então se olharam e riram.

— Observe — disse Ella a Frederico. — É isso que você aprende quando se dedica. — Rapidamente, ela sacou o florete que pendia na lateral de seu corpo e avançou sobre Liam.

— Opa! — exclamou Liam. Ele foi pego de surpresa, mas ergueu sua espada bem a tempo de se defender do ataque de Ella. — Boa velocidade — disse, revidando o ataque.

— Obrigada — respondeu Ella, bloqueando o golpe com habilidade.

Espadas ressoavam enquanto a garota e Liam se sucediam nos ataques. Mas Liam era mais rápido e começou a fazê-la recuar rumo ao corredor.

— Cuidado com a lamparina! — berrou Frederico. — Foi a minha bisavó que fez! Bem, ela comprou. Um criado comprou, na verdade... — Sua voz ficou para trás.

Ella estava encurralada contra a parede. Mas, quando Liam balançou a espada, ela mergulhou por baixo da arma e saiu deslizando de joelhos pelo piso de mármore encerado, saltando para ficar em pé vários metros adiante.

— Belo movimento — elogiou Liam, com uma sobrancelha erguida. — Eu acho que não conseguiria deslizar tão longe com um único movimento.

— Graças a essa calça — disse Ella, apontando para a calça de cetim drapeado. — Eu mesma que fiz. — Ela deu uma cambalhota em direção a Liam, e sua trança castanha girou no ar. Liam deu um salto, apanhou um candelabro e o agitou de um lado para outro para se proteger dos ataques.

— É cristal de verdade! — gritou Frederico.

Liam aterrissou bem atrás de Ella.

— Buuuu! — disse ele.

Ella deu um chute na altura do abdômen de Liam que o fez cambalear até trombar na parede oposta.

— Cuidado com a tapeçaria — alertou Frederico. — Narra a história do criado de minha bisavó comprando a lamparina.

— Desculpe — disse Ella a Liam. — Eu machuquei você?

— Ha! — exclamou Liam com um sorrisinho. — Bons reflexos. Você progrediu bastante.

Ella ajeitou a tapeçaria, puxou um fio solto e então avançou sobre Liam desferindo uma série de golpes, todos aparados por ele com destreza.

— Um grande progresso, talvez — disse ele. — Mas não em todos os aspectos.

Quando a energia de Ella começou a dar sinais de enfraquecimento, Liam decidiu que era hora de uma pequena exibição. Ele executou uma manobra com um giro ágil, a capa esvoaçando em suas costas. Ella agarrou a capa assim que esta passou flutuando à sua frente, fazendo-o perder o equilíbrio. Liam caiu de joelhos, e Ella, rindo, tocou o peito dele com a ponta da espada.

— Parece que finalmente eu venci — disse ela.

— Não é justo — interferiu Frederico. — Não acabamos de combinar que neste momento ele não é o príncipe Liam? Ele está fazendo papel de bandido. Você não pode usar a capa dele contra ele mesmo.

— Um vilão pode usar capa — disse Ella.

— Claro — acrescentou Liam. — Muitos usam.

— Quem? Ninguém nunca viu — falou Frederico. — Agora você também vai dizer que os vilões sempre elogiam enquanto tentam matar o adversário? E que se exibem com piruetas exageradas no meio de uma batalha? Assuma que você não estava levando essa luta a sério, Liam. Não acho que esteja julgando Ella e eu do mesmo modo.

Ella se aproximou de Frederico e pousou o braço musculoso em torno dos ombros ossudos dele.

— Pare com isso, Frederico — disse alegremente. — Não fique com ciúme.

— Ciú... humm, o quê? Ciúme? — gaguejou Frederico. — Por que você diria uma coisa dessas? Ciúme de quem?

Há meses, Frederico vinha tentando ignorar o fato de que Liam e Ella pareciam ter sido feitos um para o outro. Eles tinham os mesmos interesses (monstros, espadas, monstros com espadas). Gostavam dos mesmos passatempos (salvar pessoas, subir nas coisas, fazer flexões do nada). Tinham o mesmo espírito ousado e valente. Mas Ella deveria ser a noiva de *Frederico*. Ela era a Cinderela que se tornara amada por causa das canções e histórias dos bardos, e Frederico era o Príncipe Encantado por quem ela havia se apaixonado naquele famoso baile. Mas ele também era o homem cuja vida era tão entediante que Ella o abandonara em busca de aventuras.

Foi a jornada de Frederico para reatar com Ella que, em primeiro lugar, acabou levando à fundação da Liga dos Príncipes. Ele queria impressioná-la com seus atos heroicos — e conseguiu. Mas, naquela aventura, também acabou a apresentando a seu amigo Liam. E agora que tanto ela quanto Liam viviam no palácio real com ele, nenhum dos dois partilhava dos interesses de Frederico (artistas, bolinhos, artistas que decoravam bolinhos) ou de seus passatempos (colheres adornadas, poesia, bordados). Mesmo assim, Frederico queria que Ella reparasse nele. De todas as mulheres que ele tinha conhecido — e dúzias faziam fila para dançar com ele no baile real todos os anos —, nenhuma chamara tanto sua atenção quanto Ella. Nenhuma mulher que ele conhecera em qualquer outro lugar. Bem, na verdade, houve uma outra... mas Frederico não sabia se um dia voltaria a vê-la.

— Só estou dizendo que você não precisa ficar com ciúmes das minhas habilidades de espadachim — explicou Ella. — Aprendi rápido. Mas você também vai melhorar. Tenho certeza disso.

— *Eu* não tenho tanta certeza — disse Frederico. — Olha, talvez eu nunca venha a me tornar um bom duelista. Mas tudo bem. Venho dizendo isso a vocês há meses: não sou um cara de espadas. Mas isso não significa que não posso ser útil. A *inteligência* é minha arma. As *palavras* são a minha munição. Você me ajudou a perceber isso, Liam.

— Você tem toda razão — disse Liam. — Ninguém é melhor do que você para escapar de uma briga na base da conversa. Mas, se um inimigo não lhe der a oportunidade de soltar o verbo, você precisa saber se defender.

— É aí que você permite que a sua *lâmina* conduza a conversa — disse Ella entre dentes.

Tanto Frederico quanto Liam ficaram boquiabertos.

— E pensar que eu fiquei preocupado quando ela partiu sozinha para a floresta — disse Frederico.

Liam deu um cutucão no braço de Frederico.

— Vamos lá, vamos tentar outra vez — disse ele. — Veja, estamos vivendo como eremitas aqui há quase um ano. Tenho certeza de que a canção *O vexame da Liga* já foi esquecida pela maioria das pessoas.

— A cozinheira estava cantando essa música hoje no café da manhã — comentou Frederico.

— Eu disse a *maioria* das pessoas — argumentou Liam. — A questão é que já está na hora de sairmos e começarmos a nos redimir. E, se você pretende se aventurar comigo de novo, preciso me certificar de que sabe se virar em uma briga. Usando a espada.

Liam se colocou em postura de esgrima e esperou Frederico fazer o mesmo.

— Devíamos pelo menos voltar para a sala de treinamento — disse Frederico. — Acho que este corredor já viu ação suficiente por hoje.

(Aquela tinha sido, sem sombra de dúvida, a experiência mais emocionante já presenciada por aquele corredor. Antes disso, o maior suspense que ocorrera ali foi quando dois criados saíram à procura de uma abotoadura desaparecida. Levou quarenta e sete segundos para que a encontrassem.)

— Você se preocupa demais, Frederico — disse Liam.

Frederico suspirou e ergueu a espada.

— Tudo bem, mas quero declarar que... *opa!*

Liam começou a desferir vários golpes rápidos contra Frederico, e, para surpresa geral, o príncipe conseguiu se proteger de todos eles. Ele tinha um sorriso eufórico no rosto enquanto girava a espada de um lado para o outro para se defender de cada um dos ataques do amigo. E então seu pai apareceu.

— O que é que está acontecendo aqui? — vociferou o rei Wilberforce à medida que avançava a passos largos pelo corredor.

O som daquela voz grave e profunda quebrou completamente a concentração de Frederico.

— Pai! — exclamou ele, virando a cabeça exatamente no momento errado. A ponta da espada de Liam talhou a bochecha de Frederico. O príncipe gritou, largou a arma e levou a mão ao rosto, cobrindo o ferimento.

— Me desculpe! — ofegou Liam.

— Você está bem? — perguntou Ella, se apressando até o noivo.

O rei caminhou até eles furioso, dúzias de medalhas de metal balançavam em seu peito a cada passada pesada.

— O que vocês fizeram com o meu filho?

— Foi um acidente — bradou Liam.

— Foi apenas um arranhão, pai — falou Frederico. Ele verificou a ponta dos dedos, aliviado ao ver apenas um pontinho vermelho. Se houvesse um pouco mais de sangue, ele provavelmente teria perdido a compostura, o que ele *não* desejava que acontecesse na presença do pai. — E, sinceramente, isso nunca teria acontecido se o senhor não tivesse gritado e me distraído.

— O que fiz para merecer tamanho desrespeito? — perguntou o rei Wilberforce, parecendo alarmado. — Eu, o soberano deste reino, que ao ver meu único filho sendo atacado por um desordeiro ordenei que a violência cessasse. Mereço o desprezo por isso?

— *Um desordeiro*, pai? — indagou Frederico. — Liam vive conosco há quase um ano.

— Sei quem ele é — desdenhou o rei. — Um suposto Príncipe Encantado exilado por seu próprio povo, odiado por todos pelo modo como tratou sua Bela Adormecida. Um homem a quem ofereci, contra a minha melhor intuição, nada além de hospitalidade. E um desordeiro que retribui minha gentileza tirando um bife do meu filho.

— Vossa Alteza — disse Liam. — Agradeço toda a gentileza com a qual me tratou. E, como já tentei explicar antes, os boatos sobre Rosa Silvestre e mim não são verdadeiros. Ela espalhou todas aquelas mentiras para que eu voltasse atrás, pois me recusei a casar com ela. E certamente o senhor sabe que nunca tive a intenção de ferir Frederico. Eu estava apenas...

— Ah, sei bem que provavelmente não era sua *intenção* feri-lo — disse Wilberforce. — Mas isso é problema seu. Você acha que Frederico pode fazer coisas que ele simplesmente não pode. Colocar meu filho em perigo parece ser um passatempo para você. Vai negar que você quase fez com que ele fosse morto naquele fiasco com aquela bruxa infeliz?

Liam não disse uma única palavra. Nem Frederico, que, se fosse uma tartaruga, teria naquele momento escorregado alegremente para dentro do casco.

Fig. 3
Rei
Wilberforce

O rei olhou para os três por cima do nariz.

— Não haverá mais brincadeiras de espada dentro deste palácio — declarou. — Ou em qualquer outro local dentro da propriedade, estamos entendidos?

— Mas, pai... — iniciou Frederico.

— Majestade — interveio Liam. — Frederico está quase ficando... — Ele não conseguiu dizer "bom". — Ele está melhorando. Com mais treinamento, ele poderia...

— Não haverá mais treinamento! — repreendeu Wilberforce. Seu bigode perfeitamente aparado se curvou durante sua fala, e uma gota de saliva respingou em uma fita de seda violeta sobre seu peito, deixando um pontinho molhado do tipo jamais visto antes em nenhum rei de Harmonia. — Não abuse, erintiano, ou não hesitarei em revogar o convite que graciosamente estendi a você. Se eu vir você, ou *qualquer* um dos três, com uma arma na mão, você será expulso. Não apenas do meu palácio, mas de todo o reino de Harmonia. — Wilberforce deu meia-volta e caminhou pisando firme pelo corredor. — Frederico, vá para a enfermaria imediatamente — acrescentou enquanto se afastava. — Certifique-se de que esse corte horroroso não deixará cicatriz.

Frederico baixou os ombros e sentou na beirada do vaso do imbê.

— Desculpe — disse ele.

— Você não tem do que se desculpar — respondeu Ella, se sentando ao lado dele. Ela passou o braço em volta do noivo e lhe deu um apertão. — Você não fez nada de errado. E, ei, sempre que precisar de ajuda com o velho rei resmungão, é só pedir.

— Obrigado, Ella — agradeceu Frederico, recostando a cabeça no ombro dela. — Você é muito gentil.

Liam desviou o olhar. Sentindo o desconforto do amigo, Frederico se pôs de pé.

— Só estou envergonhado por tudo que aconteceu — disse ele. — Vou para a cama mais cedo. Divirtam-se. — E saiu correndo pelo corredor, deixando Ella e Liam sozinhos.

Liam abriu a porta dupla de vidro e saiu em uma adornada sacada de mármore.

— Eu não devia estar aqui — disse, soltando lentamente o ar enquanto observava o sol se pondo rapidamente. — Abusei da hospitalidade.

— Mas você não pode voltar para Eríntia — disse Ella, se juntando a ele no lado de fora.

Ela olhou para Liam sob o brilho quente das lanternas sendo acesas ao longo dos jardins do palácio, logo abaixo. Sua imagem de herói era quase ridiculamente perfeita: tez bronzeada, olhos verdes penetrantes, queixo anguloso, uma bela capa *e* brilhantes cabelos negros, ambos flutuando atrás de seu corpo com a brisa de fim de primavera. Ele estava parado, como costumava ficar, com as mãos nos quadris e a cabeça virada, como se estivesse aguardando um escultor invisível terminar de esculpir sua estátua. Era o tipo de coisa sobre a qual Ella adorava provocá-lo, mas ela estava preocupada demais para brincar.

— Quer dizer, você continua não querendo se casar com Rosa Silvestre, certo?

— Precisa mesmo perguntar? — respondeu Liam. A princesa Rosa Silvestre de Avondell, de quem ele estava noivo desde os três anos de idade, possivelmente era a pior pessoa que ele já tinha conhecido (e Liam conhecia muita gente perversa, incluindo a bruxa que quis explodi-lo ao vivo diante de uma plateia). Mas nenhuma pessoa no reino de Eríntia (exceto sua irmã mais nova, Lila) parecia preocupada com a felicidade dele. Todos pensavam apenas nas minas de ouro de Avondell, às quais Eríntia passaria a ter acesso depois do casamento de Liam e Rosa Silvestre. O povo de Eríntia já era rico o bastante, mas sempre estivera em segundo lugar em relação a Avondell. E, quando se é ganancioso e mesquinho como a maioria dos erintianos, o segundo lugar nunca é bom o bastante. — Não faço a menor ideia de quando vou poder pisar na minha terra natal novamente. Tenho procurado me manter o mais distante possível de Avondell. Não vou permitir que a família de Rosa Silvestre ou a minha me forcem a casar com ela.

— Para onde você vai, então? — perguntou Ella. E começou a fazer o que sempre fazia quando ficava ansiosa: limpeza.

— Sabe, eles têm criados para fazer isso — disse Liam quando viu que ela estava raspando fezes de passarinho da balaustrada.

— Desculpe, mas é difícil se livrar dos velhos hábitos — comentou ela, então se virou para olhar nos olhos dele. — Fique aqui.

— As coisas ficaram meio estranhas, você não acha? — indagou ele timidamente.

— Como assim? — Ella perguntou de volta, apesar de saber muito bem a que ele estava se referindo.

Liam suspirou.

— Qual é a situação aqui? Presumo que você e Frederico ainda vão se casar.

Ella olhou para os criados que trancavam os portões do palácio três andares abaixo.

— Honestamente, ele e eu não falamos sobre isso há um bom tempo. É uma pergunta meio bizarra para ser feita durante o almoço: "Ei, lembra quando você me pediu em casamento e eu aceitei? A proposta ainda está de pé?" Não sei, talvez eu não tenha perguntado porque não tenho certeza de qual resposta quero ouvir.

— Entendo — comentou Liam. — Vocês ainda estão noivos. Assim como Rosa Silvestre e eu.

— Ah, pare com isso — disse Ella, estreitando os olhos. — Não é *como* você e Rosa Silvestre. Eu amo o Frederico. Ele é um amigo querido e um ser humano maravilhoso.

— Sei disso — Liam se apressou em dizer. — Também gosto muito daquele sujeito. É por isso que a última coisa que quero fazer é magoá-lo. — Liam se virou e ergueu os olhos para as estrelas que começavam a despontar no céu azul-celeste. — Já decidi. Partirei amanhã de manhã.

— Mas... — começou Ella. Havia tantas coisas que queria dizer a Liam e tantas outras que sentia que não podia dizer. — Mas tínhamos tantos planos. Pretendíamos expulsar as corujanas que infestam o oeste de Cardorraso; rastrear o Espectro Cinzento em Flargstagg; acabar com as gangues de duendes que dominam o leste de Cardorraso...

— Sim, *você e eu* tínhamos planos — concordou Liam. — Você acha mesmo que Frederico um dia estará pronto para atividades perigosas como essas?

— Mas...

— Não se preocupe. Voltarei para o casamento.

Ella voltou para dentro do palácio. Não podia permitir que Liam fosse embora desse jeito, mas, por outro lado, sabia que ele era nobre demais para interferir no relacionamento de Frederico com o pai — ou no relacionamento de Frederico com ela. *Sozinha, nunca vou conseguir convencê-lo a ficar*, pensou. *Ele precisa ouvir isso de Frederico.*

Em seu quarto muito majestoso, Frederico se encontrava sentado em uma confortável poltrona diante de sua penteadeira, a cabeça inclinada para trás enquanto Reginaldo, seu criado pessoal de longa data, esfregava no ferimento em seu rosto uma substância pegajosa que ele disse se tratar de tintura de cardo-tomilho.

— Você realmente precisa passar esse negócio? — perguntou Frederico. — É grudento. Nunca gostei de coisas grudentas. Estou certo de que você se lembra daquele incidente com o algodão-doce.

— O unguento vai ajudar na cicatrização, milorde — disse o alto e elegante criado. — Mas desconfio de que esse pequeno arranhão não seja a maior de suas preocupações neste momento.

Frederico olhou o velho amigo nos olhos.

— Por que meu pai é tão cruel? — perguntou. — Achei que já tivesse provado a ele que sou capaz. Mas, ainda assim, ele me trata como se eu fosse criança. Insiste em me manter trancafiado, amedrontado.

Reginaldo se sentou na beirada da luxuosa cama de dossel de Frederico.

— Que importância tem isso? O *senhor* sabe perfeitamente do que é capaz. Assim como seus amigos. E lady Ella.

Frederico balançou a cabeça.

— Não estou tão certo quanto a Ella. Ainda não acho que ela esteja muito impressionada comigo. Como poderia estar quando Liam...

— Quando Liam o quê? — perguntou Reginaldo.

— Nada — respondeu Frederico e distraidamente começou a borrifar uma água de colônia. — O fato é que Liam está tentando me transformar em um herói de verdade, então, *naturalmente*, meu pai não o suporta. É apenas uma questão de tempo para Liam ser expulso. Meu pai fará de tudo para garantir que eu não destrua sua imagem real perfeita.

— O rei não é *tão* mal assim — disse Reginaldo com simpatia.

— Você está falando do homem que me manteve sob controle quando eu era criança contratando um tigre de circo para me aterrorizar.

— Tem razão — concordou Reginaldo. — Mas o que estou tentando dizer é que os *motivos* do rei podem não ser tão cruéis quanto o senhor imagina. Já está na hora de saber a verdade sobre o que aconteceu com sua mãe.

— Eu já sei. Ela morreu quando eu era bebê — disse Frederico. — Uma crise fatal de alergia a pó. Isso pode ser hereditário, por isso lavo minhas mãos quinze vezes ao dia.

— Não, Frederico. Essa é a história que seu pai levou a público — contestou Reginaldo. — Aventura pode não ser bem-vinda nos corredores deste palácio atualmente, mas nem sempre foi assim. A rainha Anaberta costumava prender uma espada nas costas e sair em busca de um tesouro perdido atrás do outro.

— Você não pode estar falando sério — disse Frederico, tentando digerir aquilo. — *Meus* pais? *Aventureiros?* Pelo menos isso explicaria como meu pai ganhou todas aquelas medalhas.

— Ha! — Reginaldo não conseguiu segurar o riso. — Seu pai condecorou a si mesmo com todas aquelas medalhas. Não significam nada. Você já leu o que está gravado nelas? Uma é pelo campeonato de amarelinha. Não, a sua mãe era a única aventureira da família. O rei odiava isso. Mas nem mesmo as objeções dele conseguiram deter a rainha Anaberta. Logo após seu nascimento, ela ouviu falar de uma lenda sobre um patinho de ouro maciço que, supostamente, estava escondido nas ruínas de um templo antigo, no deserto de Dar. Ela desejava aquela imagem de valor inestimável para você.

— Eu gosto de patinhos — disse Frederico em um tom amargo.

— Ela recrutou um pequeno grupo de soldados, partiu para Dar e nunca mais voltou.

— Nunca mais voltou? Isso quer dizer que é possível que ela ainda esteja viva? — perguntou Frederico cheio de esperança.

— Infelizmente, não. Um dos soldados voltou mancando semanas depois, o único sobrevivente. Ele contou como eles acidentalmente caíram em uma armadilha e o templo todo veio abaixo, soterrando o grupo. Ele só conseguiu escapar porque estava carregando a bagagem de sua mãe e, por isso, vinha mais atrás. Sua mãe nunca viajou com pouca bagagem.

— Não posso acreditar nisso — falou Frederico. — Parece uma das histórias de Sir Bertram, o Pomposo.

— *Não* parece uma história de Sir Bertram — disse Reginaldo. — As "aventuras" de Sir Bertram giram em torno de temas como escolher meias e adicionar a quantidade certa de pimenta a um cozido. Sua mãe perdeu a vida! Enquanto caçava um tesouro. Em uma armadilha camuflada em antigas ruínas. Estou certo de que a morte dela está ligada à atitude superprotetora de seu pai. Ele não quer perdê-lo do mesmo modo.

— Uau — disse Frederico. — Agora, estou me sentindo meio culpado.

— Não se sinta — Reginaldo acrescentou rapidamente. — O senhor precisa viver sua própria vida e fazer as coisas do seu jeito. Afinal, o sangue de sua mãe corre em suas veias. O senhor precisava saber disso, e já estava na hora de finalmente conhecer a história toda.

Uma batida à porta os interrompeu.

— Frederico? — Era Ella.

Reginaldo abriu a porta para que ela entrasse.

— Boa noite, milady. Eu já estava de saída. — O criado se despediu de Frederico com um aceno formal e saiu.

— Feche a porta e venha até aqui — sussurrou ansiosamente Frederico. Ele estava tremendo de pé na beirada da cama.

— O que foi? — ela perguntou, curiosa para saber o que o deixara naquele estado.

— Minha mãe morreu tentando roubar um patinho de ouro para mim!

— Minha nossa. Isso é... Sinto muito, nem sei o que dizer.

— Acabei de descobrir — ele continuou. — Ela era uma aventureira, uma heroína de verdade. A *minha* mãe, você consegue acreditar nisso? É fascinante. Sabe, provavelmente é por isso que gosto tanto de gente como você e Liam.

— Liam! Foi por causa dele que vim falar com você. Ele vai partir amanhã!

— Amanhã? Mas para onde ele vai?

— Para lugar nenhum. Vai sair vagando pelo mundo ou algo assim. Ele acha que abusou de sua hospitalidade.

— Bem, talvez para o meu pai. Mas definitivamente não para mim. Preciso lhe contar a nova revelação sobre minha mãe. Isso poderá ajudá-lo a entender por que meu pai age daquele jeito.

— Vamos — disse Ella, puxando Frederico pela mão. E eles se apressaram de volta para a sacada onde ela tinha deixado Liam.

◆●▶

Talvez eu possa morar com Gustavo, pensou Liam, enquanto observava da sacada um pedaço escuro da lua. *Não, a quem estou tentando enganar? Ele cortaria todas as minhas capas enquanto eu estivesse dormindo.*

Um súbito estalo o desviou de seus pensamentos. Ele olhou para a esquerda e viu algo brilhando na balaustrada da sacada. Ao examinar mais de perto, constatou que se tratava de um gancho de metal de várias pontas.

— O quê...?

Liam espiou por cima da balaustrada. Uma corda descia até o jardim, mas não havia ninguém pendurado a ela. Ele pousou a mão na espada, mas, antes que tivesse tempo de sacá-la, foi golpeado na cabeça por um curto e pesado porrete.

Ella e Frederico surgiram na porta da sacada bem a tempo de ver de relance um homem encapuzado escalando uma corda até o topo do telhado do palácio. O invasor levava Liam, inconsciente, sobre o ombro.

— Liam! — gritou Ella, e correu para a sacada para agarrar a corda do invasor. — Solte ele — continuou gritando enquanto chacoalhava a corda para frente e para trás.

— Pare com isso — resmungou o estranho quando suas botas escorregaram da parede. Por uma fração de segundo, ele ficou pendurado, mas logo em seguida conseguiu se apoiar. Ele encarou Ella lá embaixo. — Pense bem. Você não vai querer que eu deixe seu amigo cair de uma altura dessas.

Em um segundo, ele estava na beirada do telhado e desaparecia de vista.

— Frederico, segure firme a corda — ordenou Ella. — Vou atrás dele.

— Eu deveria chamar os guardas — argumentou Frederico, mas mesmo assim segurou a corda. Ella estava na metade da escalada até o telhado quando o raptor chutou o gancho que a prendia. Ella, a corda e o gancho de ferro caíram em cima de Frederico.

— Porcaria — resmungou Ella. — Vamos pegá-lo do outro lado! — A garota se pôs de pé com um pulo e sacou o florete. Mas foi detida no meio do caminho pelo rei Wilberforce e quatro guardas reais.

— Brincadeira de espada. Eu sabia — disse o rei. — Assim que ouvi o barulho, disse a mim mesmo: "Lá vão eles mais uma vez". Eu sabia que desobedeceriam às minhas ordens, mas, francamente, esperava que conseguissem aguentar mais que vinte minutos.

— Ninguém aqui está brincando, Vossa Alteza — disse Ella apressada. — Isso é pra valer. Liam acabou de ser raptado.

O rei Wilberforce riu.

— Eu honestamente duvido. Não acontecem crimes dentro das muralhas do palácio real de Harmonia.

— Nós vimos, pai — insistiu Frederico. — Um homem encapuzado acabou de pegar Liam e escalou até o telhado usando uma corda.

— Ah, então ele é um raptor alado? — o rei abriu um sorriso sarcástico.

— O senhor o está deixando escapar — berrou Ella.

— É sério, pai, por favor, mande os guardas aos portões! — implorou Frederico. — Talvez você ainda consiga deter o criminoso antes que ele saia do território do palácio!

Wilberforce soltou uma longa e demorada bufada.

— Se significa tanto assim para você. — O rei se voltou para os guardas. — Vocês dois, saiam em busca de algum rastro dessa mágica criatura alada.

Uma dupla de guardas se curvou em reverência e saiu marchando.

— E nós vamos para este lado — Ella disse ao se virar para a direção oposta.

— Detenham-na — ordenou Wilberforce, e os dois guardas restantes entraram na frente de Ella, bloqueando a passagem.

— O que está fazendo, pai? — perguntou Frederico.

— Se estiver acontecendo algo perigoso, meus homens cuidarão disso. Nenhum de *vocês* se envolverá. E, para me certificar, os dois passarão a noite confinados em seus respectivos aposentos. Guardas, levem estes dois para o aposento deles e fiquem de guarda do lado de fora até amanhã pela manhã.

Ella pensou em tentar dominar os homens. Mas sabia que isso só iria piorar ainda mais as coisas. Relutante, ela embainhou a espada enquanto os guardas empurravam ambos pelo corredor.

— Ele usava capa — disse Ella enquanto caminhavam.

— Quem? — perguntou Frederico.

— O raptor. Ele era um vilão de capa. Está vendo? Eu estava certa.

— Na verdade, tinha capuz. Então, tecnicamente era um capote. Ella suspirou.

O rei Wilberforce observou os dois desaparecerem ao dobrar o corredor. Então, fechou e trancou as portas da sacada. *Isso veio a calhar*, pensou ele. *Com aquele erintiano longe, tenho um aborrecimento a menos.*

◄ • ►

Frederico estava cabisbaixo sentado em sua cama. Seu pai vencera mais uma vez. *Por que me transformo em uma criança indefesa toda vez que aquele homem fala mais alto?*, pensou. *Como ele consegue fazer isso comigo?* Ele se assustou com o barulho de sua janela sendo aberta.

— Você vem? — perguntou Ella, enfiando a cabeça para dentro.

Frederico se levantou com um salto e se apressou até ela.

— Onde você está se apoiando? — perguntou.

— No peitoril.

— Mas é muito estreito!

— Não aja como se nunca tivesse ouvido falar em ficar na ponta dos pés, Frederico. Vejo você se escondendo atrás das cortinas todas as vezes em que Liam sugere uma corrida. E então, você vem?

— Para onde?

— Encontrar Liam. Já descobri quem o levou.

— Desconfio que meu pai esteja por trás disso — disse Frederico com pesar.

— Não, foi Rosa Silvestre! — Ella deixou escapar, piscando sem parar enquanto as palavras escorregavam de sua boca em ritmo acelerado. Ela não poderia parecer mais ligada nem se tivesse bebido um barril inteiro de cerveja carpagiana extraforte. — Sei quem é o raptor; juntei todas as pistas. O capuz, a barbicha grisalha, a voz sussurrante, como se tivessem acabado de matar o bichinho de estimação dele. Foi exatamente assim que Lila descreveu Rúfio, o Soturno, o caçador de recompensas. E para quem Rúfio, o Soturno, trabalha?

— Ro... — Frederico ia respondendo.

— Rosa Silvestre! Exatamente! — gritou Ella (e então levou o dedo à boca para silenciar a si mesma). — Rosa Silvestre ainda está determinada a se casar com Liam, e nós precisamos ir a Avondell para impedir o casamento. E então, você vem?

— Agora? — perguntou Frederico. — Não podemos esperar até amanhã de manhã e sair pela porta da frente?

— Você acha mesmo que seu pai vai nos deixar partir?

— Não, você tem razão. — Ele respirou fundo. — Certo, vamos. Acho que estou pronto para partir.

Ella franziu o cenho ao notar como Frederico estava vestido: um conjunto amarelo-claro com cordões azul-royal cruzados no peito e dragonas com franjas nos ombros.

— Você vestiu um traje formal? — perguntou. — Sabendo que ficaria trancado no quarto a noite toda?

— Isso me ajuda a relaxar.

— Faça como quiser — disse Ella.

— Foi o que fiz — Frederico riu.

— O que você fez?

— Vesti meu... Esqueça.

— Certo, vamos cair fora — disse Ella. — Mas pegue sua espada.

— Sabe — Frederico tentou se evadir —, como eu falei, não lido muito bem com espada.

— Pegue sua espada — repetiu Ella.

Ele prendeu a arma ao cinto juntamente com um saquinho de moedas e uma bolsa com material para escrita, então passou pela janela e juntou-se a Ella no peitoril. Ele hesitou um pouco ao ver as lanternas acesas três andares abaixo.

— Também não lido muito bem com altura.

Ella colocou a mão sob o queixo de Frederico, erguendo o rosto dele para que seus olhos se encontrassem.

— Você é meu herói, Frederico. Você consegue fazer isso.

— Claro que consigo. Tenho pés estreitos.

Enquanto os dois se equilibravam ao longo do peitoril, Frederico se deu conta de que finalmente estava fazendo o que Ella sempre quis: partindo em uma aventura com ela.

E ela me convidou, pensou ele. *Não saiu correndo para salvar Liam sozinha. Ela me quis ao seu lado. Talvez ainda reste alguma esperança para nós.* Os dois foram se movendo de lado até alcançarem a sacada onde ocorrera o rapto. Como Ella esperava, a corda do caçador de recompensas ainda estava jogada por lá. Ela lançou ao topo do telhado o gancho de várias pontas, que enroscou na lateral de uma chaminé.

— Vamos?

Subir até o telhado, correr pelas muralhas, descer até o jardim atrás do palácio e pular os portões demorou muito mais do que Ella tinha imaginado — Frederico se movia na velocidade de um bebê aprendendo a andar que calçou sapatos pela primeira vez. Quando finalmente conseguiram deixar o território do palácio, o sol já estava despontando.

— Estou tão cansado — disse ele, desmoronando no gramado.

— Bem — disse Ella, se sentando perto dele —, precisamos fazer uma pausa e arquitetar um plano, de qualquer modo.

— Ah, eu *tenho* um plano — disse Frederico. Ele puxou dois pergaminhos e uma pena da bolsa. Rapidamente escreveu dois bilhetes, enrolou-os e se levantou. — Vamos seguir para a cidade e contratar um mensageiro para entregar isto. Está na hora de reunir a Liga dos Príncipes novamente.

◆ 2 ◆

O HERÓI É CARNÍVORO

Meras palavras não podem derrotar um herói de verdade.
A menos que emanem algum tipo de Feitiço
Mortal Instantâneo. A magia é assustadora.
— O GUIA DO HERÓI PARA SE TORNAR UM HERÓI

Seis meses antes do rapto de Liam, o príncipe Gustavo explodiu. Não literalmente. Apesar de ter causado uma bela confusão. Veja bem, Gustavo não compartilhava das preferências musicais de seus dezesseis irmãos mais velhos. Eles adoravam, por exemplo, *Os dezesseis príncipes heroicos de Sturmhagen*. Essa canção tinha *de tudo*: uma bruxa malvada, cinco bardos raptados, dezesseis heróis jovens e fortes. A única coisa que não tinha era Gustavo, o décimo sétimo irmão e o caçula dos príncipes de Sturmhagen — o que era uma pena, uma vez que Gustavo era na verdade o único que tinha participado do resgate dos bardos. Não precisa nem dizer que Gustavo não gostava da música. Assim como não era fã da canção *O vexame da Liga dos Príncipes*, outra que seus irmãos não se cansavam de ouvir. Após passarem um ano inteiro caçoando dele por ter fracassado ao tentar salvar Rapunzel, ficaram muito satisfeitos por ter um novo motivo para provocar o irmão.

E como o provocaram. Nunca deixaram Gustavo esquecer que o rei Bandido — que agora o mundo todo sabia se tratar de um garoto de dez anos — conseguiu roubá-lo na presença de cerca de mil pessoas. O príncipe Sigurdo (o sétimo irmão) respingou papinha de bebê em Gustavo. Osvaldo (o quinto) o atemorizou com gritos de "Não olhe para baixo! Tem um bebê engatinhando atrás de você!". Alvar (o terceiro) chegou a colar um cartaz nas costas de Gustavo no qual se lia "PROPRIEDADE DO REI BANDIDO. SE ENCONTRAR, FAVOR DEVOLVER AO BAÚ DE BRINQUEDOS". Toda vez que algo assim acontecia, Gustavo cerrava os dentes, resmungava coisas que ninguém conseguia entender e saía pisando duro — o que, para ele, era um enorme sinal de autocontrole. Apesar de seu um metro e noventa e cinco de altura e dos bíceps do tamanho de melancias, ele era o menor membro da família. Seus irmãos mais velhos o provocaram durante a maior parte da vida, e no passado Gustavo reagia às brincadeiras desferindo socos no ar, atirando móveis e, às vezes, até com uma boa e velha cabeçada. Mas ele mudara no último ano. Gustavo agora era uma pessoa mais madura. Tinha jurado que não permitiria que seus irmãos levassem a melhor.

Mas ele estava se enganando. Gustavo não era capaz de jurar que não teria mais acessos de raiva, assim como um vulcão não podia prometer que não entraria mais em erupção. Foi no dia da festa de aniversário de seus irmãos (dos dezesseis, uma vez que tinham nascido em dois grupos de óctuplos com exatamente um ano de diferença, fazendo assim aniversário no mesmo dia) que Gustavo por fim perdeu a calma.

O reino todo estava presente na grande celebração que aconteceu no imenso pátio de pedra em frente ao castelo de Sturmhagen. Faixas de FELIZ ANIVERSÁRIO foram penduradas por todos os lados, havia bandas tocando, vendedores de comida oferecendo coxas de peru e ovos de avestruz, e todo o povo de Sturmhagen dançava alegremente em trajes de couro e pele. Todos os aniversariantes, desde Henrique (o primeiro) a Victor (o décimo sexto), estavam sentados ao longo da mesa de honra, disposta sobre o palco central. Apenas Gustavo sentava sozinho a uma mesinha redonda para uma pessoa, colocada para ele no canto do pátio. Atrás de todos os convidados. Sob uma calha pingando. Perto de um barril fedorento com um aviso de FAVOR DESCARTAR AQUI OSSOS E RESTOS QUE NÃO PUDEREM SER MASTIGADOS.

Gustavo assistiu com tristeza enquanto seus pais, o rei Olaf e a rainha Berthilda, conduziam um desfile de confeiteiros até o palco. Os confeiteiros carregavam um bolo de aproximadamente dois metros e meio por um e meio, pesando mais de trinta quilos e enfeitado com mi-

Fig. 4
Gustavo,
comemorando

niaturas de marzipã dos dezesseis príncipes. A sobremesa colossal foi colocada sobre uma plataforma ao lado do palco para que todos pudessem admirá-la.

Então, Lero Lira, o bardo real de Sturmhagen, foi anunciado. O músico rechonchudo subiu ao palco usando sua calça verde justinha de sempre, túnica solta com gola dourada e uma boina com pena. Curvou orgulhosamente o corpo para frente em uma reverência exagerada e anunciou, sob uma salva de palmas, que, em homenagem ao aniversário dos rapazes, entoaria seu grande sucesso *Os dezesseis príncipes heroicos de Sturmhagen*.

Enquanto Lero dedilhava seu alaúde e entoava ("Ouçam bem, queridos amigos, a mais bela história que vou contar/ sobre dezesseis belos príncipes — sete mais nove sem pôr nem tirar"), Gustavo decidiu que estava farto de ser ignorado. Ele se pôs de pé, chutou o barril de restos contra um entretido trio de fãs que dançava e abriu caminho por entre a multidão. Ele subiu no palco e ficou cara a cara com o bardo (ou umbigo com cara, na verdade, já que Lero Lira não era muito alto). Um tenso silêncio se abateu sobre o lugar.

— Ninguém mais quer ouvir esta canção, Cabeça de Pena — declarou Gustavo. — Cante uma que fale de mim. — Em sua pesada armadura forrada de pele, os ombros erguidos e os longos cabelos loiros caindo sobre o rosto, Gustavo sem sombra de dúvida era uma figura imponente. Mas o roliço Lero era destemido.

— Ah, *A canção da Rapunzel*? Aquela em que você levou uma surra de uma velhinha e a garota teve de salvá-lo? — perguntou Lero sarcasticamente. Em seguida se virou para a plateia. — Quem quer ouvir a música da Rapunzel?

Uma porção de gente ergueu as mãos e gritou.

— Você sabe de que música estou falando — rosnou Gustavo. — Aquela em que sou um herói.

— Ah. Você está falando daquela música em que você foi o pequeno ajudante da Cinderela — Lero franziu a testa exageradamente. — Não costumam pedir muito essa canção. É um pouco inverossímil, eu acho.

Os irmãos de Gustavo caíram na risada. Assim como a maior parte da plateia.

— Vamos detonar — sussurrou Gustavo. Se não conseguia fazer as pessoas gostarem dele, talvez pudesse ao menos fazer com que o odiassem. Qualquer coisa era melhor do que ser motivo de chacota.

Gustavo avançou abruptamente, segurou a boina de Lero Lira pelas beiradas e a puxou para baixo, até os ombros do bardo. A boina rasgou ao meio quando a cabeça de Lero explodiu pelo buraco aberto no tecido brilhante. Então, Gustavo segurou o bardo pelos fundilhos da calça e o ergueu com apenas uma mão. Em seguida, se abaixou um pouco e encheu a outra mão com um punhado do bolo de aniversário cheio de cobertura — e esfregou na cara de choque de Lero, antes de soltá-lo de barriga no chão.

Enquanto suspiros horrorizados e vaias ressoavam de todos os lados, Gustavo sorria e limpava as mãos.

— Quem sabe agora — declarou ele — vocês demonstrem um pouco mais de respeito pelo poderoso príncipe Gustavo.

Ele deu meia-volta, escorregou em um monte de glacê e caiu de cara no bolo gigante. Enquanto Gustavo se levantava cambaleando lentamente, repleto de cobertura desde as enormes botas de ferro até os cabelos, escandalosas gargalhadas ressoavam por todo o pátio.

◆ ● ◆

O rei Olaf deu uma nova incumbência a Gustavo depois disso, uma que convenientemente o manteria longe do castelo de Sturmhagen por uns tempos.

— Vá dar uma olhada nos trolls — ordenou o rei. — Precisamos de um embaixador entre eles, e já que, por culpa sua, tivemos de dar um pedaço de nossas terras a eles, você deve assumir a função.

— Com prazer — disse Gustavo. Minutos depois, estava montado em seu imenso cavalo cinza, Dezessete, rumo às terras dos trolls.

Quando se aproximou do vasto pântano próximo à densa e selvagem floresta de pinheiros de Sturmhagen, Gustavo subitamente se viu rodeado do que pareciam imensas montanhas disformes de couve estragada. Mas aquilo não eram pilhas cambaleantes de vegetais, e sim criaturas vivas — de dois metros e meio de altura com pelos verdes eriçados, mãos com enormes garras, grandes e assustadores dentes e, algumas delas, com um ou dois chifres. Ou três. Eram os trolls! E eles estavam cercando o príncipe.

Gustavo saltou do cavalo e esperou, com seu pesado machado de guerra em punho. Coberto como estava com sua pesada armadura com acabamento de tufos de pelos de javali e urso, apenas sua sombra já seria uma visão assustadora para a maioria dos humanos. Para a maioria dos monstros também. Mas os trolls não pareciam estar com medo.

Muito tempo se passara desde que Gustavo estivera entre os trolls, e estava careca da última vez que o viram, por isso a maioria das criaturas não reconheceu o humano loiro de cabelos longos. Apenas um o reconheceu: um troll de um único chifre conhecido como sr. Troll (todos os outros trolls eram chamados simplesmente de Troll, um costume que dificultava ou facilitava a chamada na escola dos trolls, dependendo do ponto de vista).

— Príncipe Homem Bravo! — exclamou o sr. Troll, chamando alegremente Gustavo por seu "nome troll". — Troll muito feliz por Homem Bravo ter voltado! — O monstro lançou os braços peludos ao redor de Gustavo e, para desgosto do príncipe, o ergueu do chão em um abraço de urso.

— Chega, chega — resmungou o príncipe, e o sr. Troll o colocou de volta no chão. Os outros trolls, ao notarem que se tratava do amado príncipe Homem Bravo, se aproximaram com gritos e urros de alegria. Gustavo não conseguiu conter o sorriso. Tudo bem que os trolls eram monstros, mas estavam felizes em vê-lo. E a sensação era muito boa.

— Trolls nunca agradeceram Homem Bravo por ter dado as terras dos trolls — disse o sr. Troll com sua voz abafada e grave.

— É, tudo bem — disse Gustavo. — Vocês já deram um nome ao lugar?

— Sim — respondeu o sr. Troll. — Trolls chamaram o lugar Terras Troll.

— Eu devia ter imaginado — comentou Gustavo. — Então, hum, estou aqui como embaixador.

— Isso muito bom — disse o sr. Troll. — Troll não sabe o que é. Mas parece elegante. Por isso Troll feliz por você.

— Sinceramente — começou Gustavo —, também não sei ao certo o que significa. Mas sou um grande herói, então suponho que possa ensinar a vocês, trolls, uma coisa ou outra enquanto estiver por aqui.

O sr. Troll ficou muito animado.

— Príncipe Homem Bravo veio ajudar trolls — explicou ele a seus companheiros monstros. — Ele ensinar trolls todos os tipos de coisas fantásticas!

Os trolls vibraram.

— Sim, claro — disse Gustavo, cruzando os braços e balançando a cabeça. Ele estava reconquistando sua velha autoconfiança. — Sou muito bom em todos os tipos de coisas. Caçar, pescar...

Vários monstros pararam de rir e encararam Gustavo de maneira ameaçadora.

— Ha-ha! — exclamou o sr. Troll. — Homem Bravo brincando. Homem Bravo lembra que trolls são vegetarianos.

— Ah, sim — murmurou Gustavo. — Como pude esquecer?

— Homem Bravo vai ensinar trolls como cultivar vegetais — anunciou o sr. Troll como se tivesse sido algo previamente combinado.

— Vocês estão nestas terras há meses — disse Gustavo. — Ainda não plantaram *nada*?

Ele inspecionou o ambiente ao redor. O campo estava completamente vazio, exceto por algumas toscas casinhas de madeira erguidas pelos trolls e uma enorme pedra com um galho preso a ela (para a qual um troll solícito apontou e chamou de "arado").

— Não, nada — respondeu o sr. Troll. O monstro baixou os olhos envergonhado (pelo menos Gustavo achou que ele estivesse envergonhado; era difícil dizer em se tratando de uma criatura cuja cara parece coberta de matéria em decomposição). — Trolls não sabem cultivar. Por isso trolls ainda roubar comida dos humanos.

— Vocês ainda estão roubando comida? — perguntou Gustavo perplexo. — Nós demos estas terras a vocês para acabar com os saques de comida. Vocês querem começar uma guerra?

— Não. Trolls só querem comer. Por isso Homem Bravo precisa ensinar trolls plantar vegetais.

Gustavo fez uma pausa. Ele não sabia nada sobre cultivo. Embora, francamente, também não soubesse nada sobre caça ou pesca. Mas ensinar a plantar era melhor do que voltar para casa.

— Muito bem, trolls — disse ele. — Vamos plantar.

Gustavo ensinou aos monstros tudo que sabia sobre cultivo de vegetais. Passou dia após dia nos campos, compartilhando todo o conhecimento que tinha sobre como preparar a terra, semear e regar bem as plantas. E, depois de trabalharem meses sob a tutela do príncipe, as criaturas partiram para a colheita da primeira safra — composta por exatamente duas batatas. Cada uma delas do tamanho aproximado de um amendoim.

Peço licença para reiterar que Gustavo não sabia nada sobre cultivo.

— Que tal ensinar vocês a lutar em vez de plantar? — sugeriu.

Os trolls receberam a nova proposta com entusiasmo. E foi então que Gustavo começou a se divertir de verdade. Ele montou um programa de aulas (martelar o inimigo, lançar objetos pesados, surras para iniciantes, e assim por diante), e os trolls se mostraram excelentes alunos. Na verdade, eles eram guerreiros natos e nem precisavam de aulas — mas arrasaram nas aulas de Gustavo.

Uma tarde, o príncipe e os trolls estavam sentados juntos na casa que os trolls haviam construído para o professor deles (cinco toras precariamente escoradas umas nas outras cobertas por palhas soltas).

— Troll acha Homem Bravo melhor lutador que fazendeiro — disse o sr. Troll.

— Acho que temos algo em comum, então, Folhoso — falou Gustavo.

O troll soltou uma risada áspera e gutural.

— Talvez Homem Bravo melhor troll que humano.

— Sabe, tem muitas coisas que aprecio sobre vocês, trolls — disse Gustavo. — Vocês sabem como dar um bom soco, não têm medo de nada e não ligam para bugigangas e cacarecos. É por isso que tenho suportado viver entre vocês, monstros, há meses. Mas ainda acho que sou um bom humano. Além do mais, estou morrendo de vontade de comer carne.

— Troll entende. Troll também não gosta viver com humanos. Casas de humanos têm muitas partes; deixa Troll claustrofóbico. — Através das "paredes" da casa de Gustavo, eles viram os outros trolls chegando para a próxima aula. — Mas Homem Bravo inspirar Troll. Troll será primeiro herói troll. Trolls sempre vilões nas músicas dos Homens Violinhas. Troll querer que Homens Violinhas escrevam música sobre Troll resolver o problema.

— Outra coisa que temos em comum — comentou Gustavo.

— Como? — resmungou o troll.

— Esqueça — disse Gustavo. — Está na hora da aula. — Ele se levantou, bateu a cabeça contra uma tora e derrubou a casa toda. Era a quarta que caía naquela semana. O sr. Troll começou a recolher as toras para reconstruí-la, mas Gustavo disse a ele para deixar pra lá. Os dois seguiram para o campo para se juntar aos outros trolls.

— Muito bem, peludos — anunciou Gustavo. — A aula de hoje é sobre briga. Todo mundo batendo no vizinho.

Dúzias de monstros enormes começaram a se atacar, trombando o corpo peludo uns contra os outros e se atracando com suadas e molhadas chaves de braço.

— Muito bom — disse Gustavo, entrando de cabeça na briga.

Foi então que um mensageiro apareceu. Era um sujeitinho magro com treze anos de idade e uma falha nos dentes, usando um casaco de lã grosso, gorro de lã, cachecol verde de tricô, bermuda e botas de couro de cano alto. Ele nem se abalou com a luta barulhenta a sua frente. Tirou um pedaço de papel enrolado de dentro da bolsa, pendurada na lateral de seu corpo, e limpou a garganta.

— Com licença — disse com a voz falhando. A briga parou de repente, e todos os combatentes ofegantes olharam para o mensageiro. — Estou à procura do príncipe Gustavo. Qual de vocês é o príncipe Gustavo?

Gustavo inclinou a cabeça.

— Sou o único aqui que não tem espinafre saindo pelos poros, e você precisa perguntar quem sou eu?

— Perdão, senhor, Vossa Alteza, senhor — disse o mensageiro. — Mas tenho instruções específicas para entregar esta mensagem somente ao príncipe Gustavo. Estive no castelo de Sturmhagen, mas o príncipe

Gustavo não estava lá. Disseram que, se eu quisesse encontrá-lo, teria de vir até aqui. Então o senhor é o príncipe Gustavo?

— Me dá o bilhete — disse Gustavo.

O mensageiro sacudiu a cabeça.

Gustavo bufou.

— Sim, eu sou Gustavo. Agora me dê o bilhete, Capitão Certinho.

O mensageiro rapidamente se aproximou de Gustavo e entregou a carta.

— Aqui está, senhor, Vossa Alteza, senhor — disse ele. — Creio que o senhor estava sendo sarcástico ao se referir a mim como capitão, mas, só para esclarecer, não sou capitão. Não passo de um simples mensageiro. Meu nome é Esmirno.

— Sinto muito — disse Gustavo. Então desenrolou a carta e leu. Seus olhos iam se arregalando à medida que lia tudo o que Frederico escrevera.

— Caraca! O sr. Capa foi raptado. Ei, Garoto Recado, volte e diga ao Trancinhas para não fazer nenhuma besteira antes de eu chegar. Diga que estou indo para lá.

— Certo — disse Esmirno. — Só que o meu nome é Esmirno.

— Tanto faz — falou Gustavo.

— E, quando disse Trancinhas, creio que o senhor tenha se referido ao príncipe Fre...

— Isso mesmo! Você entendeu direitinho. Agora, vá.

Fig. 5
Esmirno

Mas, quando ele terminou de falar, o mensageiro já tinha desaparecido.

— Homem Bravo tem de ir, hein? — perguntou o sr. Troll.

— O dever me chama, Peludo do Pântano — disse Gustavo. Apesar de nunca ter admitido a ninguém, há meses ele esperava notícias de seus velhos amigos. Ficou um pouco irritado por ter de salvar justamente Liam, mas a ideia de uma expedição de verdade fez seu sangue ferver de um modo que há tempos não sentia. — Mas não se preocupem. Eu voltarei. Você ficará encarregado das aulas enquanto eu estiver fora.

— Ha-ha, excelente — disse o sr. Troll. — Troll dar aula de como dar surra com troncos de árvore.

— Boa ideia — falou Gustavo. Ele recolheu seus pertences o mais rápido que pôde, montou em Dezessete e saiu galopando pela longa estrada rumo a Avondell.

◆ 3 ◆

O HERÓI NÃO SE RECORDA DO QUE FEZ DE TÃO ESPECIAL

Por mais difícil que seja acreditar, algumas pessoas podem não gostar de você. Essas pessoas são conhecidas como vilãs. Todos os demais vão gostar de você.
— O GUIA DO HERÓI PARA SE TORNAR UM HERÓI

— **M**uito bem, pessoal, vamos recomeçar — o príncipe Duncan chamou a atenção de todos.

Branca de Neve e ele tinham retornado para sua casa de campo na floresta de Sylvaria logo após a debandada da Liga dos Príncipes. E, desde então, Duncan vinha trabalhando dia e noite em seu guia para aspirantes a aventureiros. Depois de suas façanhas com a Liga, ele acreditou ser a pessoa perfeita para escrever tal manual. Infelizmente, Duncan teve dificuldades para lembrar *por que* fizera todas aquelas coisas. Para ajudá-lo a descobrir os motivos por trás de seus próprios atos, ele fez com que os anões locais interpretassem seus feitos, para que assim pudesse reviver tudo do ponto de vista de um espectador. Os anões não ficaram nada felizes com isso.

— Desde o primeiro ato — repetiu Duncan. Vestindo sua pomposa pantalona vermelha e amarela, paletó verde de feltro e colarinho branco de babado engomado, ele estava sentado em uma pequena cadeira em seu quintal, pronto para testemunhar a encenação da tentativa de fuga dele e de Liam do fortemente vigiado acampamento dos bandidos. Tinha uma pena em mãos, pronto para tomar nota. — Isso significa que devem começar de novo.

Respirando pesadamente, dois anões com ares de cansaço se arrastaram de trás de um arbusto.

— Vocês deveriam estar correndo — comentou Duncan.

— Imagine a cena mais acelerada — resmungou Frank, o primeiro anão. Os anões de Sylvaria eram notoriamente mal-humorados por natureza, mas esses em particular tinham passado o dia todo na companhia de Duncan e estavam ainda mais mal-humorados que o normal.

— Você poderia ao menos *fingir* que está correndo? Isso me ajudaria a visualizar melhor a cena — disse o príncipe. — Afinal, o que estão fazendo aqui hoje é em nome do aprimoramento de todos os heróis.

Flik, o segundo anão, simplesmente puxou as abas do gorro e fingiu que não ouvia nada.

— Muito bem. Prossigam — falou Duncan. — Hum, que entre o bandidão!

Um terceiro anão, Frak, apareceu, se arrastando lentamente atrás dos dois primeiros. Ele ergueu o punho com certa indiferença para Flik e Frank.

— Não esqueça sua fala — sussurrou Duncan.

— Vou pegá-los, príncipes — disse Frak numa voz monótona. Então parou para remover um besouro da barba.

— Ah, não — recitou Flik sem emoção. — Estamos cercados.

Mais dois anões, Frid e Ferd, que representavam o exército bandido inteiro, entraram pelo lado oposto, saindo de trás de um caramanchão de madeira. Duncan mordeu o lábio inferior de emoção.

— Não se preocupe... Liam — disse Frank para Flik. — Eu... príncipe Duncan... tive uma ideia. Me atire contra ele.

Com um único braço, Flik empurrou Frank, que arrastou os pés na direção de Frak, agitando os braços como um maluco e resmungando:

— Oh, estou voando. — Ele parou e encarou Duncan. — Certo, você pegou tudo? — perguntou. — Terminamos?

Duncan se recostou na cadeira e coçou o queixo.

— Eu *ainda* não sei por que fiz aquilo — disse ele. — Hummm. "Me atire contra ele." Por que diabos isso pareceu uma boa ideia naquele momento? Precisamos tentar de novo. Talvez de trás para frente agora.

— Não. Estou fora — disse Frank. Ele e os outros anões foram saindo.

— Certo, ótima ideia, Frank — concordou Duncan. — Podemos todos fazer um intervalo. A propósito, boas vibrações, Frak. E, Flik, sua fala foi boa, mas da próxima vez talvez você pudesse tentar soar um pouco mais heroico. Vamos nos encontrar aqui dentro de, digamos, dez minutos? Zé Pimentinha! — A última frase foi Duncan se distraindo ao avistar um esquilo que subitamente resolveu nomear como Zé Pimentinha. Inventar nomes para animais aleatórios era apenas uma das esquisitices e passatempos que fizeram de Duncan um excluído durante a maior parte de sua vida. Na verdade, até o ano anterior, não havia ninguém além de Branca de Neve que ele pudesse chamar de amigo. Mas ter entrado para a Liga dos Príncipes mudou isso. Frederico, Liam e mesmo Gustavo (até certo ponto) pareciam gostar de Duncan de verdade. Ele passara de um amigo para vários em um curto espaço de tempo. O que incontestavelmente tinha sido um avanço positivo em sua vida social, mas também lhe deu uma falsa noção de popularidade. Ele achava que era um superstar. E, uma vez que nunca tinha ido muito além do próprio jardim, Duncan nunca topou com nenhum dos cidadãos de Sylvaria que costumavam contar piadas sobre sua pessoa e se referir a ele como "príncipe Dumbo".

— Não me importo se isso vai aborrecer a Branca de Neve; precisamos pôr um ponto-final nisso — resmungou Flik para Frank enquanto contornavam uma cerca viva em busca de um pouco de privacidade. — Estou começando a perder os últimos resquícios de autoestima que ainda me restam.

— Não se trata apenas dessa encenação sem sentido — afirmou Frank. — Tudo que ele faz me dá nos nervos. Ainda não sei por que respondemos a estes nomes idiotas que ele inventou para nós.

— Tão irritante — concordou Flik. — Apesar de achar que tenha sido um progresso em relação ao tempo em que a Branca Neve não nos chamava por nome nenhum. Ela simplesmente se referia a nós por traços de nossa personalidade.

— Ei, pelo menos Duncan lhe deu um nome diferente. Os *dois* me chamam de Frank, quase igual a *franco*. Um traço da minha personalidade!

— Todos vocês ganharam nomes melhores que o meu — berrou Forqueto, o outro anão que se escondera de Duncan dentro de uma carriola perto dali.

— Precisamos escolher nossas batalhas com sabedoria — disse Flik. — Podemos suportar o lance dos nomes. Mas esse negócio de encenação precisa acabar. Vamos falar com a Branca de Neve!

Os anões encontraram Branca de Neve sentada à mesa de piquenique, no outro extremo do jardim, trançando um colete de pétalas de girassóis. Pequenina, ela praticamente nadava dentro de um volumoso vestido rosa enfeitado com dúzias de fitas violeta.

— Bom dia, rapazes — disse ela alegremente. Branca de Neve era a única pessoa que parecia capaz de fazer os próprios olhos brilharem quando bem entendesse. — Estão se divertindo?

— Não, não estamos — disse Frank. — Precisamos que fale com o Duncan por nós. Diga a ele para parar de nos obrigar a fazer essa encenação ridícula para ele.

Branca de Neve sacudiu a cabeça (e então ajeitou a grinalda de margaridas sobre os cabelos negros).

— Enquanto Duncan estiver trabalhando em seu livro, ele não vai sair vagando por aí, e isso é *bom* — afirmou ela. — Meu marido não se perde há dez meses, um novo recorde, por sinal, e, se vocês pararem com esse teatrinho das recordações, é bem provável que ele saia vagando pela floresta e tente convencer alguns ursos a participar.

— Mas ele está tão insuportável desde que começou a achar que é um herói — disse Frank. — Não vai me dizer que isso também não te irrita?

— Ah, não diga bobagens! — exclamou Branca de Neve. — Duncan está mais autoconfiante agora, e eu gosto disso.

— Foi culpa do Duncan termos perdido nosso dragão! — se queixou Flik.

Naquele instante, um chamado ecoou do portão do jardim.

— Abram caminho para a família real de Sylvaria!

Branca de Neve pulou de seu assento e se apressou até o local onde Duncan ainda estava sentado, ponderando sobre o passado.

— Dunky, sua família está aqui — disse ela.

Duncan se levantou e fez uma careta.

— Ah, não. Eles, não. Não aqui. Eles vão me envergonhar na frente dos anões — reclamou.

Branca de Neve posou as mãos nos ombros de Duncan e olhou nos olhos dele.

— São seus pais e suas irmãs. Comporte-se.

Os ombros de Duncan desmoronaram.

— Mas agora eu sou popular — disse ele. — E eles são tão... pouco populares.

Veja bem, a rainha Apricotta (que recebeu o nome em homenagem à fruta preferida de sua mãe, o abricó) e o rei Rei (cujos pais gostavam de simplificar as coisas) eram evitados pelas pessoas que eles supostamente governavam. E a situação das irmãs adolescentes de Duncan, as gêmeas Mavis e Marvella, não era muito melhor. As duas meninas transformaram a esquisitice em uma forma de arte (dançar com música imaginária, passear com grilos na coleira, cheirar os cabelos uma da outra o tempo todo). Obviamente, Duncan era tão impopular quanto o restante da família, mas ele não percebia, e era por isso que nos últimos meses vinha recusando todos os convites para visitá-los no castelo. Mas ele não podia evitar sua família para sempre.

— Em primeiro lugar, quem se importa com o que pensam os anões? — disse Branca de Neve. — Em segundo, você não pode ter certeza de que sua família vai fazer algo que o deixará envergonhado.

— Ah, Duncan! — chamou o rei Rei. — Onde você está? Quero que experimente esta ervilha que encontrei embaixo de minha cama.

O rei — que anunciara ele mesmo a chegada da família real, pois seus servos não quiseram viajar com eles — adentrou o jardim usando sua coroa acolchoada favorita e um longo manto com estampa de zebra. Uma gralha azul deu um rasante e roubou a pequena ervilha que o rei segurava entre o polegar e o indicador.

— Ah, que pena — comentou o rei Rei.

Então ele abriu os braços e pediu um abraço. Branca de Neve empurrou Duncan em direção ao rei.

— Oi, pai — disse o príncipe enquanto seu pai o envolvia em um abraço apertado.

— Filho — disse alegremente o rei Rei. — Você cresceu. Ou talvez eu tenha encolhido.

O HERÓI NÃO SE RECORDA DO QUE FEZ DE TÃO ESPECIAL

A rainha Apricotta se pôs ao lado do marido. Seus cabelos ruivos estavam presos em um longo rabo de cavalo que balançava sobre o vestido prateado quando ela andava.

— Ora, ora! Como é bom vê-la, minha nora — disse a rainha. — Oh, rimou! Que engraçado. Acho que eu deveria dizer mais ora, ora.

— Boa tarde, Vossa Alteza — respondeu Branca de Neve com uma reverência. — Para vocês também, Mavis e Marvella.

As gêmeas de ombros caídos e cabelos muito pretos estavam logo atrás da mãe, usando blusas cobertas de penas e asas artesanais presas às costas. O nariz delas estava pintado de amarelo.

— Somos corujas — disseram as garotas em coro.

— Fantástico — comentou Branca de Neve, pois foi a melhor coisa que ela conseguiu falar naquele momento. — Alguém gostaria de um chá?

— Chá! — gritou o rei, enquanto finalmente soltava Duncan.

— Chá! — ecoou a rainha.

— B! — gritou Mavis

— A! — gritou Marvella.

— Ok — disse Branca de Neve.

— P, X! — adicionou Marvella, supondo que Branca de Neve tivesse mudado o jogo de uma para duas letras por vez.

— D, A! — disse Mavis.

— B, K! — disse o rei.

Duncan se aproximou de Branca de Neve e sussurrou:

— Isso pode demorar um tempinho.

— Ah, os anões estão aqui — apontou alegremente a rainha Apricotta. — Eles são engraçados.

— *Anãos* — corrigiu Frank.

O rei Rei se agachou diante de Frak.

— Mostre-me como vocês chamam os passarinhos. Vocês grasnam muito bem.

— Ele está agachado — reclamou Frak aleatoriamente.

— Sei imitar um corvo. Quer ouvir? — perguntou o rei. Ele ficou de pé e estufou o peito. — *Craw! Craw!*

— Aprendi uma música que fala sobre anões — anunciou a rainha.

— *Anãos* — corrigiu Frank.

— Acho que é mais ou menos assim — continuou Apricotta. — Anões, anões, anões, anões! Anões, anões, anões, anões!

As gêmeas começaram a puxar penas das fantasias uma da outra e a soprá-las na direção de Frid e Ferd.

Duncan sussurrou novamente para Branca de Neve:

— Não sei se as coisas estão indo bem ou não.

Flik se aproximou de Frank e apontou para o portão do jardim. Havia outra pessoa parada ali.

— Pode deixar que eu cuido disso — disse Frank, e, de bom grado, fugiu da confusão.

Esmirno, o mensageiro, esperava na entrada do jardim. Frank olhou desconfiado para ele.

— Com licença, senhor — disse Esmirno. — Estou à procura do príncipe Duncan.

— Ele está ocupado — disse Frank. — O que você quer?

— Tenho uma mensagem para o príncipe Duncan. — Ele ergueu a carta.

— Passe aqui — falou Frank.

— Recebi ordens estritas para que a mensagem seja entregue apenas ao príncipe Duncan.

— Ah, sim, sou eu mesmo — disse Frank. — Eu sou o príncipe Duncan.

— Então, aqui está, senhor, Vossa Alteza, senhor — Esmirno passou-lhe a carta.

Os olhos do anão se iluminaram enquanto ele lia a carta de Frederico.

— Ei, garoto, espere aqui — disse ele, e então se virou de volta ao jardim.

— Sim, senhor, Vossa Alteza, senhor — disse o mensageiro. — E meu nome é Esmirno.

Frank parou.

— Foi Duncan que lhe deu esse nome, não foi?

— Pensei que o *senhor* fosse Duncan, senhor, Vossa Alteza, senhor — falou Esmirno com uma pontinha de medo.

— Não, mas vou buscá-lo. — Frank saiu correndo.

Esmirno engoliu em seco. *Minha segunda missão e já estraguei tudo*, pensou.

Frank voltou minutos depois com Duncan e Flik.

— O que está acontecendo, Frank? — perguntou Duncan enquanto os anões o empurravam na direção do portão.

— Leia isto — disse Frank. E colocou a carta nas mãos do príncipe.

— Perdão, senhor, Vossa Alteza, senhor — disse Esmirno. — Pensei que o outro cavalheiro fosse o senhor.

— Sério? — perguntou Duncan, erguendo os olhos. — Mas eu sou famoso.

— Leia logo — Frank o encorajou.

Duncan terminou de ler a carta e perguntou:

— Isso significa o que eu acho que significa?

— Conhecendo você, provavelmente não — respondeu Frank. — Isso significa que um de seus amigos Príncipe Encantado foi raptado. E você precisa ajudar a resgatá-lo.

— Foi mais ou menos isso que eu pensei que fosse — disse Duncan sentindo-se um tanto feliz consigo mesmo.

— Então vá — disse Frank. E entregou uma pequena bolsa a Duncan. — Tenho certeza de que dentro dessa mochila tem tudo de que você vai precisar.

— Bem, não sei muito bem como chegar em Avondell — confessou Duncan. — Apesar de ter certeza de que consigo descobrir.

— Ah, não — disse Flik. — Não queremos que você se perca e acabe andando em círculo e voltando para cá.

— É por isso que você vai com esse rapaz aqui — Frank apontou para Esmirno.

— Ah, hum, sim, senhor, Vossa Alteza, senhor — disse o mensageiro. — Meu nome é Esmirno. Posso levá-lo até lá. Mas sou muito rápido. Espero que consiga me acompanhar.

Flik se lançou até o estábulo e voltou trazendo um cavalo com manchas marrons e brancas.

— Ah, Papavia Jr.! — exclamou Duncan. — É um cavalo muito rápido. Certamente conseguirei acompanhá-lo com meu cavalo, sr. Esmirno.

— Apenas Esmirno, senhor, Vossa Alteza, senhor. E não tenho cavalo.

— Não tem cavalo? — questionou Duncan enquanto Flik e Frank o suspendiam para que montasse Papavia Jr. — Vai demorar uma eternidade andando.

— Eu não, senhor, Vossa Alteza, senhor — respondeu Esmirno. — Tenho estas botas especiais. São chamadas botas sete léguas.

— Sete ligas? — indagou Duncan. — Nós, príncipes, só temos uma. Os membros de todas as sete ligas têm de usar essas botas elegantes?

— Eu disse léguas, uma medida de distância, senhor, Vossa Alteza, senhor. Equivale a pouco mais de seis quilômetros. Com estas botas, meus passos ficam mais longos. Mas posso ir mais devagar para o senhor me acompanhar.

— Isso é demais — disse Duncan. — E, por favor, fale-me sobre o restante de seu traje. Nunca pensei em usar bermuda com cachecol e gorro, mas admito que a combinação é bem encantadora.

— Bem, as botas me fazem correr rápido — respondeu Esmirno —, o que deixa minhas pernas muito quentes, por isso preciso usar bermuda. Mas, quando me movimento em alta velocidade, o vento resfria a parte superior do meu corpo. Por isso uso lá na parte de cima. O conjunto funciona bem quando estou correndo. Apesar de sentir certo desconforto quando estou parado. Como agora. — Ele tirou o gorro e soltou os cabelos pingando de suor.

— Vocês podem conversar sobre moda no caminho — disse Frank impacientemente. — Estão perdendo tempo. Vão logo.

— É, antes que a Branca de Neve veja — adicionou Flik.

Duncan franziu o cenho.

— Ah, a Branca de Neve. É melhor eu falar com ela sobre isso antes de partir.

— Não dá tempo; seu amigo corre perigo — falou Frank. — Pode deixar que falamos com a Branca de Neve. Não se preocupe.

— Tem certeza? — indagou Duncan. — Mas e se...

— Isso é coisa de herói, lembra? — disse Frank. — O mundo precisa de você. Ou algo assim. Ela vai entender. Agora, vá.

— Bem, você *tem* razão sobre as minhas responsabilidades como herói — disse Duncan. — Mas...

— Vá! — vociferou Frank.

— Tudo bem — concordou Duncan. — Mostre o caminho, sr. Esmirno.

Esmirno avançou um passo e foi como se tivesse desaparecido no ar.

— Hum? Nem vi para que direção ele foi — disse Duncan impressionado.

Esmirno reapareceu.

— Perdão, senhor, Vossa Alteza, senhor. Preciso lembrar de ir mais devagar. Vamos tentar outra vez. — Ele saiu correndo a uma velocidade impressionante, mas dessa vez Duncan ao menos conseguia vê-lo.

— Adiante, Papavia Jr.! — gritou Duncan, e disparou atrás do mensageiro.

Frank esfregou as mãos uma na outra. Conseguira se livrar de Duncan. E a família real estava deixando Branca de Neve tão atordoada que provavelmente demoraria horas até que ela se desse conta de que o marido havia desaparecido. Frank e Flik fizeram algo raro para anões sylvarianos: eles sorriram.

◆ 4 ◆

O HERÓI NÃO APRECIA UMA BOA COMÉDIA

Nunca é cedo demais para começar a ser um herói. Pratique duelar com uma mão, assim você nunca terá de soltar seu cobertorzinho.
— O GUIA DO HERÓI PARA SE TORNAR UM HERÓI

— Gostou de seu novo trono? — perguntou a princesa Rosa Silvestre. Com o ar convencido e superior de sempre, ela estava de pé sobre o tapete vermelho de sua sala de audiência real cheia de estátuas, no palácio de Avondell. A princesa usava um vestido cravejado de rubis e sapatos revestidos de safira. Seus braços estavam cobertos por longas luvas de seda pouco mais brancas que sua pele alva, e uma tiara de diamantes estava enfiada em uma elevação de cabelos castanho-avermelhados, presa no topo da cabeça. Ela cruzou os braços e lançou um sorriso satisfeito para Liam, sentado diante dela em um enorme trono folheado a ouro e com assento de veludo.

— Eu apreciaria mais se não estivesse algemado a ele — respondeu Liam. Algemas de ferro prendiam seus tornozelos aos pés do trono. — É sério. Meus pés estão adormecendo. A gente não podia soltar um pouco estas algemas?

— Sinto muito se seus pezinhos estão dodói, Valentão. — Rosa Silvestre abafou o riso. — Melhor ir se acostumando. De que outra forma poderei me certificar de que você não vai tentar fugir antes do casamento?

— Não estou entendendo nada disso — falou Liam. — Você obviamente me odeia. Então por que iria querer ficar presa a mim pelo resto da vida?

— Já não falamos sobre isso, amorzinho? — indagou ela. — É o destino. Você foi prometido a mim quando não passávamos de bebezinhos. E, quando algo me é prometido, sou capaz de tudo para conseguir.

Liam não tinha como argumentar contra os fatos. Quando Rosa Silvestre era apenas um bebê e ele tinha só três anos de idade, os pais deles concordaram que um dia os dois se casariam. Mas Rosa Silvestre acabou passando a maior parte da infância se escondendo da maldição de uma fada malvada, e, quando Liam a despertou de seu sono encantado e finalmente a conheceu, descobriu que ela não passava de uma pirralha mimada. Eventualmente, ele desistiu do casamento — e, ao fazê-lo, acabou se tornando alvo do desprezo dos *dois* reinos.

— Mas eu ainda não entendi por que você *quer* se casar comigo. Você passou o último ano espalhando mentiras sobre mim e destruindo minha reputação — disse Liam amargamente. — Seu povo me despreza. Você acha que eles ficarão felizes em me ver ao seu lado?

— Eles se sentirão como eu disser para se sentirem — falou Rosa Silvestre. — Sou como uma deusa por aqui. E, além do mais, ninguém está preocupado com a sua preciosa reputaçãozinha. Você só está aqui de enfeite.

O comentário lhe deu nos nervos (não a parte do enfeite, mas a parte sobre a reputação).

— Você tentou tirar tudo de mim por pura maldade — disse ele friamente. — Mas não importa o que as pessoas possam pensar, eu sei quem sou. Vivo para ser um herói, desde que eu tinha três anos e salvei a vida dos *seus pais*.

Rosa Silvestre caiu na gargalhada.

— Ah, sim, claro. Aqueles dois assassinos profissionais que você derrotou quando não passava de um garotinho — disse ela. — Aquela história nunca lhe pareceu... hum, você sabe... um tanto duvidosa?

— Veja bem — disse Liam —, se vai mesmo tentar me obrigar a casar com você, por que prolongar isso? Por que não chama logo um sacerdote para celebrar o casamento e acaba logo com tudo?

Rosa Silvestre balançou a cabeça sem poder acreditar.

— Sou uma princesa, querido. E não uma princesa qualquer. Sou herdeira do trono do reino mais rico do continente. Terei um casamento real à altura: carruagem de platina puxada por uma dúzia de cavalos brancos, banda marcial com noventa e oito componentes, salva de tiros de canhões, arranjos de dez metros de altura com flores que a maioria pensou que estivessem extintas, saquinhos de tule com aquelas amêndoas rosas e brancas; absolutamente *tudo*!

— E o noivo algemado? — perguntou Liam.

— Por que não? — Rosa Silvestre respondeu com desprezo. — Estarei tão maravilhosa que a maioria dos convidados nem vai olhar para você. Sério, olhe para a gente, um ao lado do outro. — Ela se sentou no trono ao lado de Liam e fez uma pose régia. — Venerem-me, súditos — ordenou.

Dúzias de servos e guardas parados em silêncio ao longo das paredes revestidas de mármore de repente despertaram com suspiros de surpresa e murmúrios de admiração. Muitos levaram as mãos ao peito ou se abanaram. Alguns fingiram desmaiar.

Um homem não fez nada.

— Hein, Rúfio? — Rosa Silvestre chamou sua atenção. — Não ouvi um "ai" ou "oh" saindo desse seu capuz medonho.

Rúfio, o Soturno, o mais famoso caçador de recompensas vivo, estava imóvel entre duas estátuas de bronze de deusas dançantes.

— Não sou pago para dizer "ai" — disse ele. — Nem "oh".

Rosa Silvestre o olhou com raiva.

— Mas eu lhe pago para fazer muitas outras coisas, Cara de Choro — desdenhou ela. — E, se quiser receber ouro pelos seus serviços, é melhor eu começar a ouvir um pouco de adoração.

Rúfio suspirou profundamente.

— Oh — disse ele sem expressão. — Ah.

— Você não está impressionando ninguém, Rosa Silvestre — disse Liam.

— Aposto que estou sim — disse ela. E olhou para os guardas. — Homens?

— Nós estamos impressionados! — gritaram todos em coro.

Liam balançou a cabeça.

— Tenho pena de você, Rosa Silvestre. Não consigo nem imaginar quão vazio eu me sentiria se soubesse que os aplausos ou gestos de admiração que recebo não são sinceros.

Os olhos de Rosa Silvestre cintilaram.

— Quer saber de uma coisa, futuro maridinho? — indagou ela. — Já que parece que você não está gostando de seu trono magnífico, vou colocá-lo em um lugarzinho mais aconchegante. Guardas! Tirem as algemas do príncipe e levem-no para a Masmorra nível B, cela 842. E coloquem uns ratos a mais também.

— Faça o que quiser, Rosa Silvestre — disse Liam, enquanto dois guardas soltavam as algemas e o levavam embora. — Pode tentar me vencer pelo cansaço. Mas você nunca vai conseguir me obrigar a dizer "sim" naquele altar.

— Ah, eu vou sim. Tenho meios para forçar as pessoas a fazer o que quero — falou ela com toda segurança. — E, depois do casamento, tudo será ainda mais *fácil* — adicionou, mais para si mesma.

Enquanto Liam era levado, Rosa Silvestre recostou-se em seu trono e repousou os braços nas laterais.

— Lustrem! — ordenou.

Dois servos se apressaram até ela e se puseram a polir vigorosamente suas unhas superlongas com um pedaço de pele de filhote de foca.

Liam foi conduzido por um luxuoso corredor ladrilhado, cujas paredes eram enfeitadas com festões de bronze retorcido. O povo de Avondell prezava pela ornamentação e pela beleza acima de tudo. Absolutamente nada no palácio podia parecer simples ou comum. Até mesmo os soldados de Avondell eram bem-vestidos: os dois guardas que escoltavam Liam usavam jaqueta de camurça azul e calça com listras prateadas. No caminho rumo à escadaria que levava à masmorra, passaram por um garoto da limpeza que varria o chão vigorosamente.

— Não pisem no montinho de sujeira — Liam alertou aos guardas, mostrando-se prestativo. Quando os dois olharam para baixo, Liam avançou rapidamente, puxou a vassoura das mãos do rapaz e bateu com ela na cabeça dos dois guardas armados, quebrando o cabo em dois.

— Essa não, cara — queixou-se o jovem rapaz. — Eles nos obrigam a comprar nossa própria vassoura, sabia?

— Desculpe! — gritou Liam, se apressando corredor afora. Enquanto os dois guardas desorientados tentavam parar de pé, o príncipe fugitivo dobrava o corredor para dar de cara com uma janela aberta, um caminho fácil para a liberdade. Mas, antes de pular, ele fez uma pausa.

Rosa Silvestre está planejando algo além de um casamento, pensou. *Preciso descobrir o que é.*

Quando o som dos passos dos guardas ecoou pelo corredor, Liam se afastou da janela e subiu a escadaria mais próxima. Ouvira Rosa Silvestre se gabar da vista de seu aposento, na cobertura, por isso seguiu para o último andar. Enquanto se apressava pelos corredores em busca de um quarto que pudesse ser o dela, ele passou por vários servos espantados e alguns até atordoados.

— Sou novo por aqui — anunciou ele ao passar correndo, acenando. — Estou só fazendo um *tour* pelo palácio!

Então, ele dobrou um corredor que dava em uma porta cujo acabamento do batente era um entalhe de trepadeiras retorcidas e rosas de um vermelho vibrante. *Obrigado, Rosa Silvestre, pela falta de sutileza, exatamente como eu tinha imaginado.*

Ele se aproximou das duas sentinelas que guardavam a porta e disse:

— Como vão as coisas, meus caros?

— Hum, tudo bem — respondeu um deles.

Liam bateu a cabeça de um contra a do outro, derrubando os dois no chão no mesmo instante. Então, abriu a porta, passou por cima dos guardas inconscientes e adentrou o quarto da princesa. *Preciso ser rápido*, pensou enquanto dava uma olhada no ambiente. O que viu foi uma cama de marfim entalhado, uma penteadeira de platina, manequins com vestidos extravagantes, retratos de Rosa Silvestre fazendo coisas que certamente nunca fizera (como domando uma pantera e lançando um arpão na direção da lua). *Se Rosa Silvestre tivesse um segredo diabólico, onde o esconderia?*, perguntou a si mesmo. *Em um lugar onde nem mesmo suas servas teriam acesso. Mas um lugar que lhe tenha um valor especial. Humm. O que é especial para Rosa Silvestre? Rosa Silvestre é especial para Rosa Silvestre!*

— O espelho!

Ele avançou até o imenso espelho da penteadeira de Rosa Silvestre, deu uma olhada na parte de trás e imediatamente encontrou a trava de um compartimento secreto.

— Cara, como eu sou bom — disse ao pegar o que parecia ser o diário da princesa. O que viu ao folhear as páginas o fez estremecer. Havia ali um mapa, o qual Rosa Silvestre intitulara como "A derrocada dos reinos". Nele, os reinos vizinhos a Avondell tinham sido numerados e marcados com um x. As anotações feitas ao lado de cada reino eliminado eram tão desconcertantes quanto inquietantes. Ao lado de Eríntia (o número 1) estava escrito: "Casar. Muito fácil". Mas, ao lado de Valerium (número 2), Rosa Silvestre escrevera: "Rei abdica do trono"; e de Hithershire (número 3): "Família real aprisionada". Liam também viu os reinos de seus amigos na lista: Sturmhagen, "Exército desfeito"; Harmonia, "Escândalos expulsam rei"; Sylvaria, "Monarcas desaparecem na floresta". Mas nenhum desses eventos tinha acontecido. Será que Rosa Silvestre era capaz de prever o futuro? Ou estava planejando fazer aquelas coisas acontecerem? Estaria ela planejando um golpe?

Fazia sentido, concluiu Liam. Rosa Silvestre não se cansava de *querer*. E, quando alguém já possui um reino, o que mais lhe resta a não ser querer mais reinos? A única pergunta era como ela planejava fazer aquilo. Qual era a chave de seu plano?

Ele virou a página e leu: "A chave é PGJD!"

Bom, já é alguma coisa, pensou Liam. *Mas o que diabos significa PGJD?* Ele continuou lendo.

"Estou tão perto que quase posso sentir o gostinho. Tudo começa com o casamento. Depois PGJD. Então..."

Liam se assustou com o som de passos rápidos pelo corredor. Ele rapidamente fechou o diário e o colocou de volta no esconderijo atrás do espelho, bem no instante em que os dois guardas irromperam no quarto.

— Estou aqui, senhores — disse Liam, erguendo as mãos. Ele teria de jogar o jogo de Rosa Silvestre até descobrir mais. — Desisto. Levem-me de volta para Rosa Silvestre. Farei tudo o que ela quiser.

Os homens agarraram os pulsos de Liam e os puxaram para trás.

— Daremos o recado a ela — falou um dos guardas. — Mas você está louco se pensa que não seguiremos primeiro as ordens dela. Ela disse masmorra, portanto masmorra será.

— Isso aí — disse o segundo guarda enquanto segurava um saco grosso que não parava de se mexer. — Estou com os ratos extras aqui.

Liam seguiu calmamente dessa vez, e, instantes depois, estava sendo jogado na cela 842 do nível B da masmorra, um cubículo de pedra que continha apenas um monte de palha no chão e algumas paisagens adoráveis desenhadas nas paredes (afinal, ainda estavam em Avondell). Os guardas esvaziaram o saco de ratos vivos e agitados na cela com Liam e então bateram a grade de ferro com um estalo barulhento. Um segundo depois, todos os roedores fugiram por entre as barras de ferro e se espalharam pelo corredor. Os guardas deram de ombros e partiram.

— Isso sempre acontece — falou uma voz fraca da cela da frente. Um velhinho esquelético com uma barba desgrenhada até os joelhos acenou para Liam detrás de sua grade. Um segundo prisioneiro, tão peludo e macilento quanto o primeiro, se pôs ao lado do companheiro.

— Parece que eles pensam que por algum motivo os ratos ficarão nas celas — disse o segundo homem. — Mas é claro que não ficam. Se eu fosse daquele tamanho, teria passado pelas grades há anos. Não sei por que *você* não vai embora, Salsicha. — A última frase foi para alguma coisa no chão daquela cela.

Fig. 6
Cremins e Knoblock

— Ele está falando com aquela palha? — perguntou Liam cuidadosamente.

— Shhh! — sussurrou o primeiro. — Ele acha que é um basset. Estamos aqui há *muito* tempo.

— Ah! Você não está a fim de brincadeira — disse o segundo homem, pegando o pedaço de palha e o acariciando. — Sabe, quando me colocaram aqui, eu estava barbeado. Meu queixo brilhava tanto que iluminava a cela. Não é verdade, Salsicha?

Uau, esses homens devem estar aqui desde muito antes do reinado de terror de Rosa Silvestre, pensou Liam.

— Por que vocês foram presos?

— Tentativa de assassinato — respondeu o primeiro. — Somos inocentes, é claro. Mas cansei de dizer isso após o oitavo ou nono ano.

— Ah! E agora vamos adivinhar por que *você* foi preso! — interrompeu o segundo homem, pulando para cima e para baixo sobre os pés calejados. — Não temos muitas oportunidades de brincar disso; é empolgante. Certo, deixe-me pensar... Você está usando uma capa, portanto... Já sei! Você é um ladrão de capa! Por aqui eles não toleram que se roube a capa de outro homem.

— Não, você está totalmente enganado, Knoblock. Olhe para ele — ponderou o primeiro. — Camisa de mangas bufantes, cinto com fivela bacana, sem falar dos cabelos brilhantes. Ele é do tipo fanfarrão. Você estava roubando algo caro, não estava, rapaz?

Liam negou com a cabeça.

— Sinto muito, mas não. Estou aqui só para não fugir até o dia de meu casamento com Rosa Silvestre.

Os dois velhos prisioneiros ficaram boquiabertos.

— Será possível? — indagou o primeiro com sua frágil voz trêmula. — Você é o garoto de Eríntia?

Liam avançou um passo, olhando bem para os dois homens por entre as grades de sua cela.

— Sou o príncipe Liam de Eríntia. Quem são vocês?

Os prisioneiros seguraram com força nas grades da cela e gritaram de alegria.

— Serei banhado em esterco de grifo! — gritou o homem chamado Knoblock. — Finalmente!

— Você precisa nos tirar daqui — disse o outro com desespero.

— Bem, se vocês são realmente inocentes, farei tudo que estiver ao meu alcance — começou Liam. — Mas preciso de uma prova de que não são assassinos de verdade antes de...

— É claro que não somos assassinos! — gritou Knoblock. — Você era praticamente um bebê! Seu pai nos contratou!

— Meu pai? Do que estão falando?

O ligeiramente mais lúcido dos dois pousou a mão sobre o ombro de Knoblock para acalmá-lo, então disse a Liam:

— Meu nome é Aldo Cremins. Este é Vladimir Knoblock. Somos atores. E dos bons. Tínhamos uma bela carreira no teatro de Eríntia. As pessoas faziam fila para nos ver atuar.

— Cremins e Knoblock. Você deve ter ouvido falar da gente — disse Knoblock. Então, envergou as pernas em uma pose patética, deu uma cotovelada no parceiro e falou em uma voz anasalada: — Ei, Cremins, qual é a diferença entre um gnomo e um duende?

— Não sei, Knoblock — respondeu Cremins em um tom de voz igualmente ridículo. — Por favor, explique. Qual *é* a diferença entre um gnomo e um duende?

— Um gnomo comerá seu gato — respondeu Knoblock. — E o duende também.

Os dois homens deram um giro de trezentos e sessenta graus e então olharam para Liam com o sorriso largo, agitando as mãos como se estivessem dançando jazz. Liam apenas os encarou.

— Será que fizemos direito? — perguntou Cremins, deixando de lado a voz patética. — Acho que a piada não era assim.

— Isso explicaria por que não teve graça — comentou Knoblock.

— Vocês poderiam terminar a história, por favor? — pediu Liam.

— Bem, continuando, fazíamos muito sucesso naquela época — continuou Cremins. — Mas isso foi antes de o rei Gareth nos contratar para garantir que *você* vencesse uma competição.

— Não sei do que estão falando — disse Liam.

— Você não tinha mais que três anos na época — disse Cremins. — Pessoas do mundo todo trouxeram seus filhos para Avondell para que o rei e a rainha escolhessem o futuro marido da princesa recém-nascida, Rosa Silvestre.

— Bem, claro que sei disso — falou Liam. — Foi assim que acabei ficando noivo de Rosa Silvestre. Mas ninguém me ajudou a vencer. O casal real me escolheu porque salvei a vida deles. Aquele foi o dia mais importante da minha vida: o dia em que me tornei um herói. Impedi sozinho que dois assassinos mascarados atacassem...

Os dois homens ergueram a barba para esconder o rosto.

— Essa não! Dois assassinos. Eram vocês.

Os dois concordaram com um aceno de cabeça.

— Vocês eram atores? — perguntou Liam, seu horror crescendo a cada segundo. — E o meu pai...?

— O rei Gareth armou a coisa toda — explicou Cremins. — Ele disse que era o único jeito de garantir que você seria o escolhido para casar com Rosa Silvestre. Sempre gostamos de desafios, por isso aceitamos o trabalho. Obviamente, Gareth também garantiu que de alguma maneira conseguiríamos nos livrar.

Liam estava boquiaberto enquanto balançava a cabeça em silêncio.

— Achamos que ele tinha contado sobre o plano para você também — disse Cremins. — Honestamente, estou me sentindo meio mal por você. Você parece um garoto cujo peixinho dourado de estimação foi servido no jantar.

— Toda a minha vida foi baseada naquele momento — disse Liam, sua voz não passava de um sussurro, e as palavras saíam arrastadas. — Meu primeiro ato de heroísmo foi na verdade uma enganação. Tudo não passa de uma mentira.

— É, sentimos muito por você e tudo o mais — disse Knoblock. — Mas você vai nos tirar daqui agora, certo? Vai dizer para todo mundo que não fizemos aquilo?

— Você *vai* nos libertar, certo, garoto? — adicionou Cremins cheio de esperança.

Liam sentou na pilha de palha e não disse nada.

— Por que não percebi isso antes? — murmurou, ao mesmo tempo em que sua mente era invadida por recordações de aventuras, e cada erro ou deslize de repente lhe parecia um fracasso colossal. — Tantos erros... Perdi para os bandidos, para a bruxa, para o dragão, para Rosa Silvestre, para um garoto de dez anos... Nunca salvei de verdade nenhum dos meus amigos, salvei? Na verdade, quase os matei. E várias vezes. Todos olhavam para mim e acreditavam em meu plano. Mas não funcionou. Não sou um estrategista. Baseei tudo que fiz em um talento que nem tenho.

— Garoto? — chamou Cremins gentilmente.

Mas Liam não ouviu.

— Rosa Silvestre vai dominar o mundo. Sou o único que sabe disso. As pessoas precisam de um herói. Mas tudo que elas têm... sou eu.

◆ 5 ◆

O HERÓI CHORA EM CASAMENTOS

A capacidade de planejar é essencial para qualquer herói.
Se você começa algo que não sabe como vai acabar, então, bem...
— O GUIA DO HERÓI PARA SE TORNAR UM HERÓI

— Você acha que eles vão aparecer? — perguntou Ella. Ela e Frederico estavam agachados em uma pequena clareira de olmos, não muito distante dos portões do palácio de Avondell.

— Espero que sim — disse Frederico. — Durante toda a manhã, vi convidados entrando pelos portões da frente. O casamento deve começar logo.

— Vamos lá, onde estão vocês, rapazes? — murmurou Ella entre dentes enquanto espiava ansiosamente por entre as árvores.

— Bem, seja lá o que aconteça, esses últimos dias até que foram divertidos — comentou Frederico. — Você e eu percorrendo os campos juntos, marcando encontros secretos e coisas assim. Muito emocionante, não? Quase me leva a desejar que tudo isso não acabe em uma fuga de alguma prisão perigosa.

Ella mal estava ouvindo.

— Ouça, Frederico, os outros não vão aparecer. Vamos ter de fazer isso sozinhos. — Ela tocou na espada que pendia na lateral de seu corpo e notou o leve tremor do príncipe. — Fique calmo, Frederico.

Nós podemos... — De repente, alguém apareceu entre eles como se tivesse surgido do nada. Ella teve uma reação instintiva, empurrando Frederico para o lado e desferindo um soco no estômago do intruso que o fez cair de costas no chão.

— Suas mensagens foram entregues, senhor, Vossa Alteza, senhor — gemeu Esmirno, caído no chão.

— Minha nossa! — exclamou Ella. — Desculpe!

— A culpa foi minha — disse o garoto ao se virar de frente. — Preciso aprender a não assustar as pessoas assim. Uma vez fiz isso com a minha avó, e ela reagiu do mesmo jeito. Só que ela tem uma mão de aço.

Um segundo depois, um cavalo malhado surgiu galopando por entre as árvores com Duncan às rédeas.

— Minha nossa! — exclamou Duncan ao ver Frederico e Ella olhando para o mensageiro caído. — O garoto correu tão rápido que derreteu, não foi?

— Estou bem, senhor, Vossa Alteza, senhor — disse Esmirno enquanto Ella o ajudava a se levantar.

— Duncan! — gritou Frederico.

— Frederico! — exclamou Duncan. E imediatamente desceu do cavalo. Ele cambaleou e envolveu Frederico em um abraço.

— Como é bom vê-lo — disse Frederico.

— Igualmente — respondeu Duncan. — Você continua exatamente do jeito como me recordo. Apenas trocou de roupa.

— Obrigada por ter vindo, Duncan — agradeceu Ella.

— Ah, eu faço qualquer coisa pelos meus amigos — disse Duncan com um sorriso idiota. — Hum, o que estamos fazendo por aqui?

Ella apontou para uma imensa muralha, além das árvores, decorada com enormes mosaicos de arco-íris.

— Precisamos invadir o jardim daquele palácio antes que Rosa Silvestre se case com Liam — disse Ella.

— Casamentos sempre me fazem chorar — falou Duncan.

— Duncan, não estamos aqui para *assistir* ao casamento — disse Frederico. — Estamos aqui para impedi-lo.

Duncan deu de ombros.

— Ainda assim posso chorar.

— Ah, por falar nisso, senhor, Vossa Alteza, senhor — disse Esmirno. — O príncipe Gustavo me disse para lhe dizer que em breve também estará aqui.

— Recado atrasado, Calça-Curta — comentou Gustavo, enquanto chegava montado em seu cavalo de guerra. Sua imponente armadura tilintou quando ele pulou no chão. — Quando a briga começa?

Duncan correu para um abraço, mas Gustavo deu um passo para o lado, fazendo com que seu amigo desse de cara com uma árvore. Sentindo-se ligeiramente culpado, Gustavo cumprimentou Duncan com um tapinha na cabeça. Duncan ficou satisfeito.

— Ei, sr. Minicapa, vejo que arrumou um cavalo dessa vez — disse Gustavo ao ver o cavalo de Duncan.

— Ah, sim — respondeu Duncan. — Permita que eu lhe apresente Papavia Jr. Como bem deve lembrar, o Papavia original fugiu no ano passado. Pensei que nunca mais teria um cavalo como aquele. Mas, por sorte, numa manhã de outono, encontrei este belo animal vagando pelo antigo estábulo de Papavia. Por coincidência, ele é *exatamente* igual a Papavia! Por isso o nomeei Papavia Jr. Foi o destino.

— Hum, Duncan... — Frederico disse, hesitante. — Você nunca considerou a possibilidade de que talvez Papavia possa ter encontrado o caminho de volta para casa? E que este *seja* Papavia?

— Impossível — respondeu Duncan. — Papavia me odiava. — E, com isso, Papavia Jr. deu um coice em Duncan, arremessando-o em um arbusto.

— Muito bem, temos trabalho pela frente — disse Gustavo. — Chega de rodeios.

Frederico riu.

— Essa foi boa, Gustavo.

Gustavo franziu a testa.

— Não era para ser. O que estamos esperando? Ouvi vocês dizendo que o casamento vai começar a qualquer minuto. Como conseguiremos entrar?

— Bem, para isso precisamos de mais uma pessoa — comentou Frederico. Um farfalhar surgiu de um arbusto próximo. — Espero que agora seja ela.

Lila saiu se debatendo por entre dois arbustos, enroscando o belo e caro vestido magenta em vários galhos (não que isso pareceu incomodá-la).

— Ei, estão todos aqui — constatou alegremente a garota.

Lila, a irmãzinha adolescente de Liam, tinha o mesmo tom de pele bronzeado e os olhos verdes do irmão. As mangas de seu vestido estavam enroladas, e os cabelos castanhos cuidadosamente presos em firmes caracóis pulavam como molinhas quando ela andava. (O penteado era ideia da mãe.)

Ella e Frederico apresentaram a menina aos outros príncipes.

— Lila sabe como nos ajudar a entrar no casamento — explicou Frederico. — Nós sabíamos que, como membro da família do noivo, ela receberia um convite. Por isso, concluímos que ela seria o homem, ou garota, perfeito para o trabalho.

— Estou feliz por isso — disse Lila. — Sigam-me. Não temos muito tempo. A música começou, e os artistas do circo já estão se apresentando.

— Artistas do circo? — indagou Frederico, como se tivesse uma espada apontada para o coração. — Que circo?

— Ah, isso vai ser uma ótima distração — respondeu Lila. — Rosa Silvestre contratou alguns acrobatas do circo dos Irmãos Flimsham para entreter os convidados.

— Flimsham? — Frederico engoliu em seco. Ele recuou atordoado e buscou apoio no tronco da árvore mais próxima. — Não posso entrar lá.

— Por que não? — perguntou Ella.

— El Stripo — disse Frederico.

Ella, Gustavo e Duncan exclamaram em coro.

— Ahhh.

Todos já tinham ouvido a história de como o rei Wilberforce usara El Stripo — o talentoso tigre do circo dos Irmãos Flimsham — para aterrorizar Frederico quando ele não passava de um garotinho. A experiência de ter sido abocanhado por um tigre feroz (apesar de desdentado) marcara o príncipe para sempre.

— Não se preocupe, Frederico. Tenho certeza de que aquele tigre não está mais com o circo — disse Ella. — Será que os tigres vivem tanto assim?

— Não quando estou por perto — satirizou Gustavo.

— Vamos analisar isso do ponto de vista científico — disse Duncan, batendo com um dedo na cabeça. — Um tigre é fruto do cruzamento de um gato com uma zebra. Gatos vivem em torno de dez anos, enquanto as zebras em torno de vinte e cinco...

— Pessoal! — interrompeu Lila abruptamente. — Todos que estejam participando deste resgate precisam vir comigo agora. — Ela se virou e começou a seguir por entre as árvores.

— Ela tem razão. Vamos logo — concordou Frederico. Ele se voltou para Esmirno. — Vou lhe dar um extra se ficar aqui cuidando de nossos cavalos.

— Certamente, senhor, Vossa Alteza, senhor — disse Esmirno. — Não acho que eles farão muita coisa. Mas ficarei de olho.

Frederico e os outros foram no encalço de Lila enquanto ela se esgueirava pela muralha do palácio.

— Vou subornar um guarda para que ele abra os portões dos fundos e suma, e é por lá que vocês vão entrar — sussurrou Lila. — A festa de casamento está acontecendo no jardim principal, atrás das plantas em formato de animais. Liam já está ali, acorrentado ao altar.

Assim que conseguiram adentrar os domínios do palácio, se amontoando por uma trilha de paralelepípedos, Gustavo fechou o portão atrás deles. Houve um agudo estalido quando o ferrolho caiu de volta ao lugar de origem.

Lila franziu o cenho.

— Espero que essa não seja a rota de fuga de vocês — disse ela.

Um silêncio desconfortável se seguiu.

— Essa não! — exclamou Lila, cada vez mais confusa. — Vocês não sabem *como* vão resgatar o Liam, sabem?

— Bem — iniciou Frederico. — Pensamos em como transpor os portões.

— *Eu* ajudei vocês a transpor os portões — disse Lila num sussurro severo. — Eu... a criança! O que vocês vão fazer agora?

— Liam é o estrategista do grupo — disse Frederico, tentando esconder o rosto na gola do casaco.

Ella pigarreou. Aquele era o tipo de teste de coragem que ela vinha esperando havia tanto tempo. Um ano antes, quando fugira do palácio de Frederico em busca de aventuras, ela acabara provando uma dose bem maior de emoção que o esperado. Mas, apesar de ter encarado a morte várias vezes, ela ansiava por mais ação desde então.

— Não se preocupe, Lila. Posso pensar em algo rápido enquanto estivermos a caminho. Lembra como você e eu cuidamos daqueles duendes no verão passado? Vamos conseguir sair dessa também. Confie em mim.

Lila confiou em Ella.

— Certo — disse a menina.

De repente, sons de trombetas, tambores e sinos encheram o ar, seguidos por uma salva de tiros de canhões.

— Está começando! — disse Lila. — Preciso voltar ao meu lugar. Boa sorte! — E saiu apressada em busca de seu lugar em meio aos convidados.

Ella espiou por entre as várias plantas dispostas uma ao lado da outra, cujos formatos se pareciam com dragões, elefantes, gatos e hienas (gerações de jardineiros de Avondell trabalharam com o objetivo de obter uma planta no formato de cada animal existente; após sete décadas de trabalho seguindo a ordem alfabética, só haviam conseguido chegar até "iguana").

— Vamos, precisamos nos apressar — disse Ella bruscamente. A garota sacou a espada e saiu correndo na direção das plantas em formato de animais.

— Espere, quem colocou você no comando? — perguntou Gustavo.

— Os bardos — respondeu Ella.

Gustavo bufou, mas se arrastou atrás dela de qualquer forma.

— Qual é o plano? — perguntou Frederico.

— Está vendo aquela árvore no outro canto? Aquela será a nossa nova rota de fuga — disse Ella em um tom brusco que imaginou ser o usado por todos os militares. — Livramos Liam das correntes, subimos naquela árvore e corremos de volta por cima da muralha.

— E se alguém entrar no nosso caminho? — perguntou Frederico.

— Nós o derrubamos — foi a resposta dela.

Gustavo sorriu.

— Acho que estou gostando de você, Chefa.

O quarteto saiu engatinhando por entre as patas de uma árvore em formato de búfalo. Sob a "barri-

Fig. 7
Topiarias
decorativas

ga" da planta, deram uma espiada na cerimônia. Havia ao menos quinhentas cadeiras prateadas dispostas no gigantesco jardim, e cada uma estava ocupada por um rico, importante e nobre convidado. Atrás deles, praticamente escondidos pelos imensos arranjos de rosas, orquídeas, lírios e bocas-de-leão, havia dúzias de músicos tocando o que supostamente seria uma marcha nupcial. (A música mais parecia um hino de guerra que o tema de uma noiva, mas, ei, esse é o estilo de Rosa Silvestre...) Na arquibancada atrás dos músicos, havia milhares de convidados — súditos comuns dos reinos de Eríntia e Avondell que tinham pagado praticamente um ano de salário para comparecer ao grande evento.

Acima da multidão, equilibristas — fantasiados de Rosa Silvestre, com perucas gigantes e tudo — dançavam sobre duas cordas bambas presas do telhado do palácio ao telhado de uma pérgula coberta com glicínias, atrás do altar. Abaixo deles, em um tapete vermelho muito, muito longo que se estendia sobre um amplo corredor central, acrobatas em trajes formais davam cambalhotas ao ritmo da música, enquanto palhaços de chapéu pontudo fingiam tirar rubis de trás das orelhas dos convidados.

O tapete vermelho terminava em um elevado altar, onde aguardava Liam, vestindo uma linda túnica azul-royal e uma capa branca de cetim, adornada com filigranas douradas. Mas o traje era a única coisa elegante nele. Seus ombros pendiam pesados para frente, a cabeça quase encostava no peito, e os cabelos, naturalmente lindos, caíam escorridos, encobrindo seu rosto. Sua perna esquerda estava acorrentada ao púlpito de carvalho entalhado que se erguia no centro do altar.

— Adorei a capa — disse Duncan. — Mas o restante está péssimo.

— Ele parece ainda mais deprimido do que quando o conhecemos — completou Gustavo.

Na verdade, Liam estava em um estado tão deplorável que nenhum deles jamais imaginara. Os quatro dias que se passaram desde a conversa com Cremins e Knoblock foram por ele passados a migalhas, e o príncipe não dormira nada. Sua letargia era tamanha que um par de assistentes teve de literalmente arrastá-lo até o altar.

Ella se recusou a focar na cara de tristeza de Liam.

— Gustavo, você acha que consegue arrancar aquele púlpito do chão? — perguntou ela.

— Sem derramar uma gota de suor — respondeu ele.

— Então é assim que vamos libertá-lo — disse Ella.

— E quanto àqueles homens mal-encarados com aquelas coisas compridas e pontudas? — perguntou Duncan.

Soldados armados com alabardas de cabo longo estavam posicionados por todo o jardim, e várias sentinelas cercavam Liam no altar.

— São muitos. Não temos como dar conta de todos — disse Ella.

— Agora estou começando a gostar menos de você — resmungou Gustavo.

— Precisamos de uma distração — disse Ella.

— Essa é a minha especialidade! — Duncan se iluminou. Então, ergueu as pernas da calça e saiu engatinhando rumo à última fileira de convidados.

— Espere! — chamou Frederico. — E se você for pego?

— Vocês estão prestes a salvar Liam — ele respondeu como se fosse a coisa mais óbvia do mundo. — Depois que estiver livre, ele vai me salvar. — E saiu apressado, apoiado nas mãos e nos joelhos.

Naquele instante, um murmurinho se ergueu entre a multidão de convidados. Um balão gigante surgiu sobrevoando o altar. No cesto estava o arcebispo de Avondell, a maior autoridade religiosa do reino. O clérigo de cabelos grisalhos e traje vermelho se encostou na beirada do cesto, lançou beijos a todos e, ao som de murmúrios ainda mais altos, pulou do balão ainda suspenso no ar. Ou ao menos foi o que pareceu. O santo homem usava um cinto preso a uma corda que lentamente ia sendo solta por dois fortões do circo, que também estavam no cesto. O arcebispo foi descendo até seu posto, atrás do púlpito, com os braços abertos, como uma águia prestes a pousar no galho de uma árvore. Assim que pisou em terra firme, ele ajeitou o pontudo chapéu dourado enquanto um servo rapidamente soltava o cinto que o prendia à corda. Todos aplaudiam empolgados, incluindo Frederico.

— Sei que Rosa Silvestre é nossa inimiga — disse ele, adorando a cena. — Mas ela sabe como dar um show.

O arcebispo agradeceu, curvando o corpo para frente, e apontou para o início do corredor, onde a noiva estava prestes a fazer sua entrada triunfal. Todos os convidados se viraram para ver.

Enquanto o rufar ensurdecedor dos tambores tomava conta de todo o jardim, Rosa Silvestre deixou o palácio montada em um unicórnio. Ela usava um vestido de noiva reluzente, cravejado de diamantes, com uma cauda tão longa que ela já alcançava metade do tapete vermelho quando a ponta finalmente saiu do palácio. Um elaborado arranjo de cabeça — que incluía vários pássaros tropicais vivos e gorjeando — estava preso sobre um coque de fios esvoaçantes. Os dedos estavam cobertos por tantos anéis que era impossível ver as juntas. E o unicórnio também usava vestido.

À medida que Rosa Silvestre avançava lentamente rumo ao altar, acenando e jogando beijos para os convidados, ela se permitiu dar uma olhada triunfante para Liam.

— Eu falei — murmurou em silêncio, sorrindo ao vê-lo de ombros caídos.

Mas, quando Rosa Silvestre já tinha avançado praticamente dois terços do tapete vermelho rumo ao altar, Duncan saiu debaixo da cadeira ocupada por um barão de monóculo, apontando e gritando:

— Geni von Córnio!

O unicórnio parou bruscamente e empinou com seu vestido esvoaçante. A orquestra se deteve no meio de uma nota. Todos encararam, surpresos, o homenzinho de roupas esquisitas parado bem no meio do corredor como uma barreira de estrada.

— Geni von Córnio não é o nome perfeito para ela? — sorriu Duncan.

— O que está fazendo, seu idiota? — esbravejou Rosa Silvestre entre dentes. — Volte para o seu lugar, ou vou mandá-lo para a masmorra com um saco cheio de ratos.

Duncan não se moveu. Rosa Silvestre tentou jogar o animal em cima dele, mas, cada vez que ela puxava as rédeas para a esquerda ou para a direita, Duncan ia para o mesmo lado, pulando na frente do unicórnio.

— Parece que estamos dançando — disse ele.

Vários guardas se apressaram até ela, mas Rosa Silvestre ergueu as mãos para impedi-los.

— Não se aproximem! — ordenou. — Nada de violência perto do vestido!

Ela inclinou o corpo para baixo e gritou para Duncan:

— Saia. Do. Meu. Caminho.

— Eu amo unicórnios! — berrou o príncipe, entrelaçando os braços ao redor do pescoço da criatura.

Enquanto todos os olhares estavam voltados para o espetáculo no meio do tapete vermelho, Ella, Frederico e Gustavo engatinhavam até a parte de trás do púlpito.

— Psiu! — sussurrou Frederico.

Liam olhou para baixo e se perguntou se aquilo seria uma alucinação. Ella levou um dedo aos lábios. Os guardas ao lado de Liam olhavam paralisados para Duncan — que agora passava os dedos pela crina do unicórnio e cantava para ele —, mas eles e o arcebispo impediam o acesso de Gustavo ao púlpito. O príncipe grandalhão não tinha ideia de como conseguiria subir ali sem causar um alvoroço.

Rosa Silvestre não podia esperar nem mais um segundo para Duncan sair de seu caminho.

— Deixe pra lá — murmurou ela, e desceu do unicórnio.

Entretido em cantar para o animal, Duncan não fez nada para impedi-la. A orquestra retomou a música, com suas cornetas e tambores, enquanto Rosa Silvestre seguia rumo ao altar.

Fig. 8
Rosa, régia

Lila, que ocupava um assento próximo ao altar, discretamente esticou o pé e passou uma rasteira na noiva, que saiu rolando para frente e acabou enroscada na cauda ridícula de seu vestido, com os pássaros do enfeite de cabeça grasnando e batendo as asas agitados. Mais uma vez, os guardas se apressaram para socorrer a princesa. Mas ela enfiou a cabeça por entre o emaranhado de tecidos cintilantes e berrou:

— Ninguém toca no vestido!

— Está tudo bem, Vossa Alteza? — perguntou o arcebispo do altar.

— Nunca estive melhor — respondeu Rosa Silvestre enquanto se levantava. — Vamos começar logo esta cerimônia estúpida.

— É agora ou nunca — sussurrou Ella aos príncipes. — Eu cuido do guarda da esquerda. Frederico, você fica com o da direita. Gustavo, você pega o Liam. — Ela ficou de pé e acertou a cabeça de um dos guardas com o cabo de sua espada. O homem desmoronou.

Frederico tentou fazer o mesmo com a outra sentinela. Só que o homem não caiu. Ele nem percebeu. Então, Frederico bateu com mais força. E dessa vez o guarda sentiu algo e se virou irritado.

— Desculpe — disse Frederico. — Minha, hum, mão escorregou.

O guarda avançou para cima de Frederico, mas foi impedido no meio do caminho por um soco no queixo desferido por Ella. Frederico soltou um longo suspiro de alívio quando o guarda caiu zonzo da beirada do altar.

— É por isso que sempre digo que você precisa se exercitar, Frederico — ralhou Ella.

— Eu alongo o pescoço dez vezes todas as manhãs! — esbravejou Frederico.

Enquanto gritos surgiam da multidão, Gustavo avançou sobre o altar e imobilizou o arcebispo com uma chave de braço. Então, olhou para a esquerda e para a direita, sem saber o que fazer com o santo homem.

— Tire as mãos de mim — berrou o arcebispo.

— Sinto muito, Da Igreja, mas não é pessoal — disse Gustavo, antes de arremessar o senhor sobre a primeira fileira de assentos. O arcebispo caiu no colo dos pais de Liam, cujas cadeiras acabaram tombando para trás.

— O que está acontecendo? — berrou Rosa Silvestre.

Enquanto dúzias de guardas armados avançavam na direção do altar, Gustavo segurou o púlpito de madeira e, com um grito, arrancou-o do chão.

— Muito bem! — Ella se animou. Um guarda tentou acertá-la com a alabarda, mas a garota foi mais rápida. Bastou um golpe certeiro de sua espada e a arma do guarda se partiu ao meio. Ela seguiu em frente, derrubando o homem do altar com uma rasteira poderosa, o que não foi nada fácil de executar, já que Frederico estava agachado atrás dela, pendurado em sua cintura.

Entorpecido pelo cansaço, fome e melancolia, Liam observava apático toda a confusão ao seu redor.

— Isso tudo está acontecendo de verdade? — murmurou para ninguém em particular.

Rosa Silvestre, assumindo que Liam de alguma maneira conseguira armar toda aquela confusão, subiu ao altar para confrontá-lo.

— Isto é uma tentativa de resgate? — zombou ela. — Que piada. Você não vai a lugar nenhum!

Um contingente de cinco soldados chegou ao final do tapete vermelho com as lanças apontadas para Gustavo.

— Cuidado! — gritou Frederico.

Gustavo lançou o púlpito sobre os guardas e derrubou todos de uma única vez. No entanto, Liam ainda estava acorrentado e foi arrastado pelos pés enquanto a tribuna ia pelos ares. Ele aterrissou em uma pilha de soldados nada felizes.

— Ah, vamos detonar — berrou Gustavo, dando um tapa na própria testa.

Lila afundou na cadeira, balançando a cabeça.

Duncan, finalmente percebendo que os amigos estavam em apuros, montou no unicórnio (fazendo uma nota mental de como era fácil montar em um animal de vestido) e saiu galopando pelo tapete vermelho, gritando:

— Aiô! O herói está chegando!

Os soldados trataram de sair do caminho do animal, mas Liam não conseguiu ir muito longe. Ele estava no fim do altar, bem no caminho do unicórnio que vinha disparado.

— Opa! — gritou Duncan. O unicórnio derrapou e parou de supetão, quase atropelando Liam, e a força da parada brusca lançou pelos ares Duncan, que trombou em Ella justamente quando estava prestes a acabar com o guarda contra o qual vinha duelando.

Em meio aos convidados, o barão de monóculo voltou-se para a esposa e sussurrou:

— Este casamento está muito bom.

Segundos depois, um enxame de guardas avançava contra os penetras. Duncan, Ella, Frederico e Gustavo foram capturados e algemados.

— Bem, foi uma reviravolta interessante — comentou Rosa Silvestre. Ela se pôs de pé, sorrindo para Liam, que em todos os sentidos parecia ter acabado de ser mastigado e cuspido por um dragão. — Sabe de uma coisa? Eu ainda não sabia ao certo como faria você dizer "eu aceito". Mas agora acho que isso não vai mais ser um problema.

◄●►

Depois que o desgrenhado arcebispo foi resgatado do meio dos convidados, o noivo e a noiva esfarrapados assumiram seus lugares de cada lado do púlpito arrancado. O santo homem limpou a garganta, ajeitou o chapéu e começou:

— Queridos convidados, estamos reunidos hoje para testemunhar a união em sagrado matrimônio do príncipe Liam, de Eríntia, com a bela, gentil, sábia, generosa, boa, caridosa, talentosa, dona de uma bela voz, graciosa, pontual, equilibrada...

— Fala sério! — interrompeu Liam.

— ... e adorável princesa Rosa Silvestre, de Avondell. Este casamento unirá para sempre os dois reinos. O que pertence a Avondell agora será de Eríntia; o que pertence a Eríntia será agora de Avondell.

Os pais de Liam se remexeram nos assentos.

O arcebispo continuou:

— Rosa Silvestre, você aceita príncipe Liam como seu legítimo esposo?

— Aceito — respondeu a princesa com um largo e perverso sorriso.

— E você, Liam, aceita Rosa Silvestre como sua legítima esposa?

Liam olhou para além do clérigo, para Ella, Frederico, Duncan e Gustavo. Eles estavam ajoelhados e acorrentados atrás do arcebispo, com guardas segurando afiados machados acima de sua cabeça. Seus olhos se detiveram um pouco mais em Ella.

— Sou maluca, não é mesmo? — sussurrou Rosa Silvestre. — O que acha que farei com seus amigos se disser não? Use a imaginação.

Liam a olhou com desprezo. Então respirou fundo.

— Aceito.

— Eu vos declaro marido e mulher — disse alegremente o arcebispo.

Ella teve a sensação de que seu coração caíra do peito.

◆ 6 ◆

O HERÓI TEM UM GUARDA-ROUPA LUXUOSO

São os vilões que cobiçam tesouros, não os heróis. A menos que o tesouro em questão seja uma fivela de cinto maravilhosa, pois, nesse caso, quem seria capaz de resistir?
— O guia do herói para se tornar um herói

— Abra caminho, povo de Eríntia! Um passo para o lado para que sua nova princesa possa passar. — Rosa Silvestre cruzou triunfante as portas revestidas de bronze do palácio real de seu marido, enquanto servos e nobres se apressavam para sair de seu caminho. Ela esfregava gananciosamente uma mão na outra enquanto inspecionava os lacaios ajoelhados, as urnas de valor incalculável e os lustres de cristal no imenso hall de entrada do palácio. — Meu novo lar longe de casa — disse. *O primeiro de muitos*, completou para si mesma.

O rei Gareth e a rainha Gertrude, os governantes de Eríntia, desceram apressados uma ampla escadaria de mármore para receber a nora.

— Saudações! Saudações! — berrou Gareth. — Seja bem-vinda à família!

— Esperamos por este dia desde que nosso Liam tinha três aninhos — disse Gertrude. Assim como a maioria do povo de Eríntia, Gareth e Gertrude sempre tiveram interesse no casamento de Liam e Rosa Silvestre somente por causa da imensa riqueza de Avondell, fato que a princesa sabia muito bem. E ela podia apostar que o casal real seria capaz de tudo para agradá-la.

— Ah, eu não podia estar mais feliz — falou Rosa Silvestre, esbanjando uma falsa doçura. — Mas papai... Posso lhe chamar de papai?

— Claro, minha querida — disse Gareth.

— Papai, acho que seu imperdoavelmente sujo caminho de entrada empoeirou meus sapatinhos de esmeralda. O senhor poderia, por gentileza, fazer algo a respeito? — Ela ergueu ligeiramente o pé para exibir o elegante sapato, que parecia perfeitamente limpo.

— Ah, bem, hum, não podemos permitir uma coisa dessas, não é mesmo? Peço desculpas — disse Gareth desconcertado. Ele ergueu o braço e apontou para um servo. — Lacaio, venha aqui e...

— Ah, papai — interrompeu Rosa Silvestre. — Não creio que tenho de lhe dizer quão exclusivos e caros são estes sapatos. Eu não poderia permitir que um simples lacaio os limpasse.

Gareth engoliu em seco. Ele olhou para Gertrude, que balançou a cabeça vigorosamente. O rei pigarreou, se abaixou até os pés de Rosa Silvestre e soprou suavemente seus sapatos.

— Pronto — disse. — Agora ficou melhor.

Quando ele estava se levantando, Rosa Silvestre pousou a mão sobre seu ombro e o empurrou de volta.

— Quase, papai — disse ela. — Ainda estão cobertos de poeira.

O rei Gareth soprou mais e mais forte os sapatinhos de esmeralda de Rosa Silvestre; suas bochechas inflaram como um baiacu, e seu espesso bigode tremulava feito uma bandeira ao vento. Apavorada, a rainha Gertrude agachou ao lado do marido e começou a limpar o outro pé do sapato, esfregando-o com os punhos de renda de seu vestido. Rosa Silvestre sorriu.

Liam, que viera de mau humor bem atrás de Rosa Silvestre durante a viagem de Avondell, finalmente entrou no vestíbulo do palácio e se deparou com seus pais de joelhos, lustrando os sapatos da princesa.

— Vocês dois são patéticos — disse ele.

O rei e a rainha rapidamente se levantaram e ajeitaram as roupas enquanto Liam se aproximava.

— Filho, é tão bom tê-lo de volta ao lar — disse Gareth.

— Estamos tão felizes por você finalmente ter tomado a decisão certa em relação a este casamento — adicionou Gertrude. Ela tocou o rosto de Liam, mas ele se esquivou do afago.

O príncipe se inclinou para frente e sussurrou no ouvido do pai:

— Eu sei o que o senhor fez, pai. Anos atrás. Com aqueles atores que deixou apodrecendo numa prisão.

— Tolice — comentou Gareth, e sussurrou de volta: — Não estou vendo aqueles dois andando livremente, portanto creio que tenha sido esperto o suficiente para guardar essa história só para você.

— O senhor é desprezível — sibilou Liam.

— Acho que é hereditário — revidou o rei. E voltou a atenção para Rosa Silvestre. — Venha, querida — disse. — Tenho tanto para lhe mostrar. Aquele vaso preto, por exemplo, pertenceu ao tesouro de Kom--Pai. Tem mais de dois mil anos e...

— Tanto faz, não dou a mínima para ele — disse Rosa Silvestre, distanciando-se do rei. — Onde fica a sala do tesouro?

— Encontra-se no terceiro andar — respondeu o rei. — Mas há tantas coisas para ser vistas antes de chegarmos lá.

— Não, estou indo para lá agora — falou Rosa Silvestre. E começou a subir a escadaria de mármore. — Marido! Leve-me até a sala do tesouro.

Liam correu para alcançar Rosa Silvestre, que já estava na metade da suntuosa escadaria.

— Por que a pressa, Rosa Silvestre? — perguntou ele. — Está tramando algo?

— Sim, estou tramando chegar ao segundo andar — respondeu ela. — E seguir direto ao terceiro. E você vem comigo para me mostrar a sala do tesouro. Pois é meu adorável marido.

— Estou indo com você porque meus amigos estão na sua prisão — disse Liam.

— Ah, todos juntinhos — disse Rosa Silvestre, soprando um beijinho para Liam.

No segundo andar, Lila esperava por eles de braços cruzados e cara amarrada.

— Oi, irmãzinha — provocou Rosa Silvestre.

— Não me chame assim — desdenhou Lila. — Ninguém, além de Liam, pode me chamar assim.

Rosa Silvestre juntou as sobrancelhas.

— É melhor você tomar cuidado, pirralha. Sei que você me derrubou de propósito na cerimônia. Só não te joguei na cadeia com os outros porque agora somos uma família.

— Não sei do que está falando — disse Lila com falsa inocência. Rosa Silvestre bufou e retomou seu caminho rumo ao terceiro piso.

Fig. 9
Rosa e Lila

— Tome cuidado quando ela estiver por perto, Lila — sussurrou Liam para a irmã. — Ela é capaz de qualquer coisa.

— Ah, o que é isso? — disse Lila, cutucando-o na barriga. — Você adora quando fico audaciosa.

Liam tentou sorrir, mas parecia ter dificuldade em mover a musculatura nos cantos dos lábios.

— Tem algo errado com você — Lila ficou séria. — O Liam que conheço trataria essa situação como se não fosse nada.

— Estou *casado* com ela.

— É, eu sei. E seu verdadeiro amor está atrás das grades.

Liam ficou vermelho.

— Meus *amigos*. Meus amigos estão atrás das grades.

— Sim, seus amigos. E Ella. Você não está enganando ninguém, Liam. Eu o visitei em Harmonia. Vi vocês dois juntos.

— Ella está noiva de Frederico. O que não faz a menor diferença, já que agora estou casado com Rosa Silvestre.

— Como eu disse, não significa nada — falou Lila. — Você vai descobrir um jeito de sair dessa. Você ainda é o mesmo herói que sempre foi.

Liam franziu o cenho ao ouvir as palavras da irmã. *É exatamente esse o problema*, pensou. *Pra começar, nunca fui um herói de verdade.*

— Sai dessa, meu irmão — disse Lila, dando um soquinho no braço de Liam. — E lembre-se, estarei aqui sempre que precisar. Quando estiver pronto para tirar seus amigos da prisão...

— Lila, fique fora disso. Não quero que se envolva. E ninguém vai tirar ninguém da prisão.

— Você não vai deixá-los apodrecer lá, vai?

— Claro que não. Eu só... — Ele suspirou. — Não sei o que fazer.

— Você sabe onde me encontrar. Vamos conversar mais tarde.

— Sim, certamente — respondeu ele com tristeza. — Se Rosa Silvestre permitir. — E continuou subindo a escada atrás de sua esposa, que estava esperando por ele no topo, batendo impacientemente o pezinho.

— Vamos logo, príncipe.

— A sala do tesouro é no fim deste corredor — disse Liam ao passar por ela. *Essa é a minha vida agora*, pensou. *Do dia para a noite, passei de herói de todos para fantoche de uma maluca. Mas eu mereço. Sou uma farsa.*

No meio do corredor do terceiro andar, duas sentinelas armadas guardavam um par de portas maciças de carvalho.

— Vossa Alteza — disseram os dois cavalheiros em guarda.

— Podem descansar, homens — disse Liam. — Por favor, abram a porta da sala do tesouro para... — bufou ele. — A princesa.

Cada um dos guardas tirou uma chave da própria manga. Eles as inseriram em duas fechaduras de latão e as viraram ao mesmo tempo. As pesadas portas de carvalho se abriram, revelando corredores como os de um museu, repletos de pedestais e caixas de vidro, cada uma delas exibindo um ídolo incrustado de pedras preciosas, um cálice de ouro ou algum outro artefato de valor. Rosa Silvestre se apressou para dentro.

— E então? — indagou Liam. — Nosso tesouro corresponde às suas expectativas?

Os olhos de Rosa Silvestre varreram a sala inteira, todas as paredes, do teto ao chão. Então ela se pôs a caminhar, verificando atrás das molduras de quadros imensos e erguendo bustos de ouro para ver o que havia embaixo.

— Onde está? — perguntou mais para si mesma.

— Onde está o quê? — indagou Liam, cada vez mais curioso.

— Cale a boca — repreendeu Rosa Silvestre. Sua busca se tornou frenética. Ela saiu arrancando placas de prata, lançando-as ao chão de pedra. Chutou vasos de cristal. Empurrou um armário repleto de ovos de porcelana pintados à mão, derrubando vários deles, que se quebraram em mil pedaços ao atingir o chão.

— Esta sala nem é tão grande — resmungou ela. — Onde está?

— O que está procurando?

Rosa Silvestre se virou e agarrou Liam pelos ombros.

— A espada! A espada de Eríntia! Onde está?

Pela primeira vez em semanas, Liam riu.

Rosa Silvestre recuou.

— O que é tão engraçado? O que está acontecendo aqui?

Liam se aproximou de uma estante vazia, recostada na parede dos fundos da sala do tesouro.

— Aqui — apontou ele — é onde ficava a espada de Eríntia.

— Bom, e por que não está mais aí? — O rosto de Rosa Silvestre refletia um vermelho intenso. As veias de seu pescoço pulsavam de modo grotesco.

— Foi roubada — respondeu o príncipe, sem conseguir conter um sorriso. — Faz alguns anos.

— O QUÊ?! — O grito de Rosa Silvestre soou tão alto e agudo que os guardas no corredor se contorceram de dor por causa do som reverberando dentro do capacete. Por vários minutos, Rosa Silvestre apenas bufou e ofegou, então respirou fundo, tirou uma mecha de cabelo do rosto e se dirigiu a Liam em tom calmo e sereno:

— Por que eu não sabia disso?

— Bem, foi um roubo meio vergonhoso — respondeu Liam. A espada de Eríntia foi o símbolo da família por séculos, uma relíquia incrustada de pedras raras do cabo à ponta. — Preferimos não divulgar o desaparecimento.

— Quem roubou?

— Deeb Rauber, o rei Bandido. Você sabe, tive a chance de recuperá-la no ano passado. Mas... não deu certo. Por que você quer tanto aquela espada?

— Ela tem um valor incalculável.

— Assim como metade das coisas aqui. Incluindo aqueles ovos que, por acaso, você acabou de quebrar. Por que é que você quer a espada?

— Pelo mesmo motivo que quis você — falou Rosa Silvestre. — Quero porque quero. Aquela espada é o tesouro mais famoso dessa sua família estúpida, por isso a quero. E, como sempre, vou conseguir o que desejo.

— Você está pensando em pedir para o Rauber devolver?

— Não sou ingênua — respondeu Rosa Silvestre. Ela meio que sorriu. — Vou mandar você pegar dele.

— Você quer que eu roube a espada de Eríntia do rei Bandido?

— Exatamente, gênio.

— Por que eu?

— Porque você já enfrentou Rauber. Além disso, você conhece a espada. E porque gosto de mandar você fazer coisas para mim.

— Eu adoraria recuperar a espada para a minha família — disse Liam. — Mas não sei se...

— Tudo bem. Se vai bancar o sr. Indeciso, vou passar o trabalho a Rúfio.

— Não, eu faço! — exclamou Liam, tomado por uma súbita epifania. Ele estava começando a entender por que Rosa Silvestre queria tanto se casar com ele: a espada de Eríntia de alguma maneira tinha um importante papel em seu plano de dominar o mundo. Será que tinha algo a ver com a sigla PGJD? Até onde Liam sabia, a espada nunca tinha tido outro nome além de espada de Eríntia, mas isso não significava que não pudesse ter um passado misterioso que ele desconhecia.

De qualquer maneira, de uma coisa ele tinha certeza: precisava pôr as mãos naquela espada antes de Rosa Silvestre. O destino do mundo talvez dependesse disso. *Droga,* pensou ele. *Pelo jeito escolhi uma semana péssima para perder a autoconfiança.*

— Vou pegar a espada para você — disse Liam, finalmente recuperando um pouco do charme de sua voz. — Mas com uma condição: Ella, Frederico, Duncan e Gustavo vão comigo.

PARTE II

DESVENDANDO O PLANO

◂ 7 ▸

O HERÓI NÃO FAZ IDEIA DO QUE ESTÁ ACONTECENDO

Conhecimento é poder. Por exemplo, você não se sente muito mais poderoso agora que sabe que conhecimento é poder?
— O GUIA DO HERÓI PARA SE TORNAR UM HERÓI

Ao longo de toda a história, os reis de Avondell costumavam se reunir com seu general no Centro de Comando do palácio para discutir estratégias de combate e arquitetar planos contra os inimigos. Por esse motivo, não é de esperar que o Centro de Comando seja um lugar muito agradável; mas, assim como a maioria das coisas em Avondell, o lugar era bem bonitinho. O sol primaveril penetrava pelas imensas janelas panorâmicas, iluminando painéis coloridos que retratavam o exército de Avondell comemorando as muitas vitórias (exibir as batalhas em si era considerado muito deprimente). No centro da câmara, sob um lustre de cristal reluzente, havia uma mesa imensa rodeada por doze cadeiras estofadas com espaldar muito alto. Embaixo de tudo, um tapete vermelho felpudo que servos da família de Rosa Silvestre mantinham sem nenhum fio puxado sequer. Costumava-se dizer que nenhuma nação enviava seus soldados à guerra com tanto estilo e desenvoltura quanto Avondell.

Embora Frederico não tenha prestado muita atenção no nome Centro de Comando, ele sem sombra de dúvida adorou a decoração alegre, um tremendo progresso se comparado à cela onde ficara confinado desde a cerimônia. Meio apreensivo, ele ocupou seu lugar à mesa circular, com Ella, Duncan e Gustavo a seu lado. De frente para eles, estavam Liam e Rosa Silvestre.

Fig. 10
Centro de Comando

— Muito bem, a reunião pode ser considerada oficialmente iniciada — anunciou Rosa Silvestre, batendo um martelinho de ouro sobre a mesa. — Primeiramente, não me importa se a mesa é redonda ou não, contanto que eu fique na cabeceira. Agora que isso ficou claro, prossiga, marido. Pode falar.

Liam revirou os olhos.

— Rosa Silvestre me pediu...

— Ordenou — ela o corrigiu.

Liam lançou um olhar frio para a esposa, então voltou-se aos amigos mais uma vez.

— Rosa Silvestre quer que eu parta em uma missão para ela, e eu... — ele fez uma pausa. Gustavo estalava os dedos, Frederico mordia ansioso o lábio inferior, e Duncan cheirava os vãos dos dedos. *Cometi um tremendo engano*, pensou Liam.

Então ele olhou para Ella, que ouvia atentamente. Seus olhos se encontraram, e ela fez sinal para que ele continuasse.

— Preciso da ajuda de vocês quatro — disse Liam.

— Espero que isso envolva mais unicórnios — falou Duncan. — Eu nem sabia que *amava* tanto unicórnios.

— Vocês devem estar lembrados que Deeb Rauber roubou a espada de Eríntia de minha família — continuou Liam.

Duncan balançou a cabeça.

— Eu não.

— É aquela espada cheia de pedras — comentou Frederico, tentando ajudar.

— Oh, deve ser bonita — comentou Duncan. — Mas não lembro.

— O rei Bandido tentou fazer picadinho de você com ela — adicionou Frederico.

— Humm — falou Duncan. — Você achou que isso me faria lembrar. Mas não.

De repente, Liam se lembrou de quanto era fácil perder o rumo da conversa com aquele pessoal.

— Não importa — disse ele. — A espada é uma herança de família; Rauber a roubou; nós cinco entraremos sorrateiramente em seu castelo e a pegaremos de volta.

— Não costumo entrar sorrateiramente — disse Gustavo. — Prefiro confrontos cara a cara. Mas tentar recuperar essa espada é um desafio e tanto, por isso estou dentro.

— Bem, eu não posso dizer não — disse Duncan. — Não depois de terem me dito quanto essa espada é bonita.

Frederico enxugou a testa com um lencinho.

— Ah, não é uma decisão divertida a se tomar. Não estou nem um pouco disposto a enfrentar bandidos armados outra vez. Mas, ao mesmo tempo, eu *realmente* não quero passar outra noite dormindo em um catre de prisão cheio de manchas não identificadas. — Ele nem percebeu que estava tamborilando os dedos na mesa até Ella pousar sua mão sobre a dele para acalmá-lo. — Poderemos voltar para casa depois de pegarmos a espada? — perguntou ele a Rosa Silvestre.

— Humm, por que não? Todos serão perdoados — respondeu Rosa Silvestre. — Mas só *se* pegarem a espada. No que eu não apostaria. Já vi vocês em ação. Cara, eu gostaria que existisse um jeito de registrar uma imagem em movimento só para vocês verem como estavam ridículos tentando bancar os heróis na cerimônia.

— Escuta aqui, Montanha Cabeluda — gritou Gustavo. — Diga o que quiser de mim, mas deixe o resto da equipe fora disso. Passei por muita coisa com esse pessoal. Ninguém vai me dizer que o sr. Pé de Valsa e a senhorita Calça-Esperta não são heróis. Isso inclui o Capitão Melancolia aí ao seu lado. Até mesmo o Camarão Encantado tem seus momentos.

Rosa Silvestre recostou-se na cadeira.

— Admiro sua capacidade de insultar seus amigos ao mesmo tempo em que os defende. É um talento raro.

— Pessoal! — disse Liam vigorosamente. — Podemos continuar planejando o roubo? Não deve ser tão difícil assim. Já entramos no castelo de Rauber antes. Sabemos exatamente onde ele guarda seus tesouros. Ahhhh!

Todos gritaram quando Rúfio, o Soturno, saiu de repente de trás da cadeira de Rosa Silvestre.

— Como estou sendo pago para prestar consultoria a esta missão, sinto-me na obrigação de corrigir algumas concepções equivocadas — disse o caçador de recompensas em seu tom monótono.

— Não se esgueire atrás de mim desse jeito — ralhou Rosa Silvestre, batendo o martelinho para deixar claro seu descontentamento.

— A senhora me *pediu* para participar da reunião — resmungou Rúfio com raiva.

— Sim, mas também imaginei que você fosse *entrar pela porta*, como uma pessoa normal — argumentou a princesa. — Agora, sente-se.

— Não gosto de sentar — respondeu Rúfio.

— Com licença, Rúfio — intrometeu-se Ella. — Você sempre usa essa capa, não usa? Porque Frederico teimou que vilões nunca usam capas.

— Não sou um *vilão* — lamentou-se Rúfio. — Caçador de recompensas é uma profissão reconhecida. E, de qualquer maneira, o que estou usando é um capote.

— Ahá! — falou Frederico, se ajeitando na cadeira e cruzando os braços como se parecesse satisfeito. — Obrigado, sr. Rúfio.

— Achei que fosse um manto — comentou Rosa Silvestre.

— Não. Mantos são capas mais compridas — emendou Frederico.

Fig. 11
Rúfio, encapotado

Rosa Silvestre esfregou o tecido do manto de Rúfio entre o polegar e o indicador.

— Por que você não usa um manto? Quero um caçador de recompensas envolto em um manto misterioso.

— Que diferença pode fazer o nome de uma vestimenta? — perguntou Rúfio.

— Soa mais assustador — falou Rosa Silvestre. — "Capote" é a palavra menos assustadora que já ouvi.

— Ah, eu discordo — acrescentou Duncan. — A palavra capote me lembra capeta. E isso é assustador.

— Nada disso importa. Não vou trocar de roupa — insistiu Rúfio. — Preciso do meu capuz.

— Tudo bem — disse Rosa Silvestre. E bateu o martelo. — Com isso declaro que capas com capuz se chamam mantos.

— Ainda assim, é um capote — resmungou Frederico (poucas coisas lhe despertavam coragem interior quanto o uso incorreto de uma palavra).

Rosa Silvestre bateu o martelo novamente e encarou Frederico.

— Será que poderíamos, por favor, retomar o assunto? — disse Liam. — Rúfio, você tem alguma informação?

Rúfio bufou.

— Deeb Rauber não está mais no mesmo castelo. Não aparece por lá há quase um ano. Atualmente, mora em uma fortaleza aos pés do monte Morcegasa. Creio que vocês já estiveram lá antes.

— A antiga casa da bruxa? — perguntou Ella.

— Bem, creio que *estava* mesmo vazia — Duncan pensou em voz alta. — Depois que a velha Sei-Lá-O-Que *cabúúú*! — Ele tirou a língua da boca, revirou os olhos e tombou o corpo para o lado.

— Quem se importa se o pirralho ladrão mudou? — disse Gustavo. — Onde quer que ele esteja, vamos até lá e fazemos o trabalhinho.

— *Trabalhinho* — repetiu Frederico com um sorriso. — Essa foi boa, Gustavo.

— Boa como? — perguntou Gustavo.

Rúfio limpou a garganta.

— Não se pode simplesmente invadir a casa de um monarca legítimo e roubar seus bens sem que isso seja considerado um ato de guerra.

— Você está dando muita importância ao garoto — disse Liam. — Ele se intitula rei Bandido, mas não é um rei *de verdade*.

— Sim, ele é — falou Rúfio sem alterar a voz.

— Não, é sério, ele não é — insistiu Liam.

— Sim, ele é — repetiu Rúfio.

— Não, ele não é — Frederico, Gustavo e Ella disseram em coro.

Rúfio bufou de raiva.

— Quem desta mesa esteve no mundo real nos últimos dez meses, vendo o que está acontecendo? — Ele ergueu a mão.

Ella e os príncipes baixaram os olhos.

— Nove meses atrás, Deeb Rauber fundou seu próprio reino — continuou Rúfio. — Depois que vocês desapareceram com aquela bruxa velha sem nome...

— Hum, na verdade, ela tinha um nome — interveio Frederico.

— Chega de falatório, Professor Sabe-Tudo — disse Gustavo. — Vamos ouvir o que o capuz falante tem a dizer.

— Depois de seu último encontro com Rauber, ele refez seu exército e marchou com seus homens para a região então conhecida como deserto Orfanado — explicou Rúfio. — Era terra de ninguém, um pedaço de terra árida e cinza que nenhum reino nunca quis reivindicar o direito de posse. Então, Rauber a reivindicou para si. Ele rebatizou o lugar como Rauberia e se nomeou o monarca absoluto.

— Ele pode fazer uma coisa dessas? — perguntou Liam ceticamente.

— Odeio dizer isso, mas, com base nas aulas que tive sobre leis e regulamentações inter-reinos, soa plausível — comentou Frederico.

— Você sabia disso? — Liam perguntou a Rosa Silvestre.

— Claro que sim. Sou membro da família regente de um dos reinos mais poderosos do hemisfério — zombou ela. — Ah, espere um pouco... vocês também. Fracassados.

— Isso não altera em nada nossa missão, certo? — perguntou Ella.

— Apenas complica um pouco mais.

— Isso mesmo — disse Liam. — A primeira coisa a fazer é mandar alguém para uma visita de reconhecimento no novo cafofo de Rauber. A maior parte da fortaleza da bruxa foi derrubada na última vez em que estivemos lá, por isso creio que Rauber tenha feito algumas reformas no lugar.

— Ele mandou erguer uma muralha de pedra de quase vinte e cinco metros de altura ao redor de todo o castelo — esclareceu Rúfio. — Apenas alguns poucos foram vistos entrando no lugar.

— Rúfio, você conseguiria entrar ali, descobrir onde Rauber mantém a espada e nos informar? — perguntou Liam.

— É impossível transpor aqueles portões — respondeu Rúfio categoricamente. — Todos sabem que trabalho para a princesa Rosa Silvestre. E, uma vez que estão casados...

— Então o mundo todo já sabe sobre o nosso casamento, hein? — perguntou Liam.

— Os bardos já trataram de circular uma canção sobre isso — disse Rúfio. — Chama-se *A Liga dos Príncipes fracassa novamente*.

— Sério? — Gustavo esbravejou e socou a mesa frustrado. — Será que todas as vezes em que pisamos na bola, isso precisa virar notícia global?

Frederico se debruçou sobre a mesa, escondendo o rosto nos braços.

Duncan não pareceu se incomodar com a ideia de que mais uma vez eles tinham sido humilhados em uma canção.

— Se eu tivesse meu próprio reino — foi seu comentário —, se chamaria Pentessilvânia.

— Mas você *tem* seu próprio reino — apontou Ella.

— Ei, quer saber de uma coisa? Não deixarei isso me aborrecer — Gustavo estufou o peito. — Muito em breve, não fará diferença. Depois que roubarmos a espada do garoto Bandido, os bardos farão uma música sobre nós como vencedores de novo.

— Você é mesmo um idiota, não? — interpôs Rosa Silvestre. — Ninguém vai cantar a vitória de vocês... Ninguém pode *saber* sobre a vitória de vocês. É uma missão *secreta*.

Gustavo chutou a mesa.

— Deixa pra lá, estou fora — resmungou ele.

— Mas, Gustavo — disse Ella. — Você ainda pode ter a oportunidade de dar um soco em alguém.

— Então estou dentro.

— Estamos todos nessa — disse Liam para encerrar a conversa. — Só precisamos de mais informações sobre o novo esconderijo de Rauber antes de invadirmos.

— Espere! — disse Frederico, levantando-se com um pulo. — Sei quem podemos enviar para fazer o reconhecimento do castelo do rei Bandido. E vou me sentir muito culpado se ele ainda estiver onde penso que está.

◄•►

Esmirno ainda estava parado — ou melhor, cambaleando — no pequeno bosque, para além dos muros do jardim do palácio de Avondell, cuidando dos cavalos dos príncipes. Quando Frederico e os outros se aproximaram, o mensageiro despertou assustado.

— Senhor, Vossa Alteza, senhor! Os cavalos não fizeram nada de interessante.

— Bom trabalho, Esmirno — disse Frederico. — Desculpe por termos demorado tanto.

— Foram apenas alguns dias. — Esmirno arfou um pouco, parecendo estar com muita sede e calor. — Afinal, trabalho é trabalho.

— Bem, não sei se é a melhor hora para perguntar — iniciou Frederico, pousando o braço ao redor dos ombros de Esmirno —, mas você estaria interessado em fazer *outro* trabalho para nós?

← 8 →
O VILÃO REFORMA TUDO

O lar de um guerreiro deve causar medo em todos aqueles que ousarem olhar para ele. As muralhas, despertar calafrios; a entrada, incutir um pavor terrível. Visões do tapete de boas-vindas, assombrar os pesadelos dos visitantes.
— O CAMINHO DO GUERREIRO PARA ALCANÇAR O PODER:
ANTIGO MANUSCRITO DE SABEDORIA DARIANA

Onze anos tinham se passado desde o dia em que uma meiga e muito inocente parteira chamada Clara teve a infelicidade de fazer o parto do bebê de Prudence Rauber.

— É um menino — anunciou a parteira. E então a criança tentou enfiar o dedão do pé no olho da pobre mulher. Quando a parteira colocou o recém-nascido nos braços da mãe, Prudence olhou para a carinha enrugada do filho e podia jurar que ele ria.

Seis infelizes anos depois, o pequeno Deeb trancou os pais dentro de um armário e caiu no mundo para se tornar um criminoso profissional. Dois sólidos anos de aprendizado em pilhagem, invasão de mansões e roubo de palácios se seguiram. E, aos oito anos, Deeb Rauber já era mundialmente conhecido como rei Bandido. Contava com um exército de valentões à sua disposição, e tanto monarcas quanto camponeses se curvavam ao seu nome. Quando estava prestes a completar onze anos, sofreu um pequeno revés: a Liga dos Príncipes, com um bando de trolls, o apanhou em uma emboscada e acabou com seu exército. Mas Deeb se recuperou. E dias depois se vingou da Liga, transformando os membros em motivo de chacota ao, literalmente, roubar a cena na festa da vitória deles. Depois dessa sua famosa aparição, todos os assassinos, assaltantes e vagabundos fizeram fila para se juntar a ele. Assim foi fácil conseguir repor as fileiras de soldados de seu exército de bandidos e sair espalhando uma onda de roubos descarados pelos Treze Reinos. Ele surrupiou a gigantesca escultura de bronze do homem das neves que ficava em frente ao palácio real de Eïsborg; desenterrou a ossada dos antigos reis de Carpagia e roubou todas as joias deles; furtou todos os gansos de ouro da nação de Jangleheim. Apenas um mês depois da humilhação pública da Liga, Rauber estava mais forte, mais rico e ainda mais poderoso do que nunca.

Mas então, em seu décimo primeiro aniversário, ele decidiu que queria mais.

Foi sob o calor do início de agosto (só dez meses antes do casamento de Liam e Rosa Silvestre) que o rei Bandido e seus homens comemoraram o Dia do Deeb.

— Hoje é o grande dia do um mais um — disse Rauber, relaxando em seu trono roubado na sala do tesouro de seu castelinho imundo, em Sturmhagen. Ele enfiou um pedaço de bolo veludo vermelho na boca, espalhando uma chuva de farelos na frente de toda a sua roupa preta esfarrapada. — Preciso jogar ainda mais sujo.

— Vamos roubar mais bolo! — gritou um dos muitos bandidos reunidos no hall da pilhagem de Rauber para a comemoração. Por toda a sala de pedra cinza, homens brutos vestidos de preto rolavam sobre moedas espalhadas, mordendo longas tiras de bala puxa-puxa, lutando uns contra os outros e mergulhando biscoito com gotas de chocolate em canecas cheias de quentão.

— Não. Algo diferente — disse Rauber. Ele ajeitou a coroa, que tinha a chata mania de escorregar sobre suas orelhas (uma vez que fora confeccionada para o rei de Hithershire), e lambeu a cobertura das pontas dos dedos (o principal motivo pelo qual optava por luvas sem os dedos).

— Faz tempo que não raptamos ninguém — disse um bandido dentuço antes de soltar um arroto estrondoso.

— Humm, que tal roubar chapéus de velhinhas? — perguntou outro bandido. — Isso costuma deixá-lo de bom humor.

— Já cansei disso — respondeu Rauber. Ele parecia atipicamente triste, apesar de rodopiar um donut no dedo indicador enquanto falava. — Não. Já tenho onze anos. Preciso tomar cuidado para não perder o brilho com a idade. Preciso fazer algo grande, algo especial. Você entende o que estou querendo dizer, Vero?

— Creio que sim, senhor — respondeu um bandido alto distante dos demais, tanto literal quanto figurativamente. Não era só que Vero não quisesse fazer parte da farra barulhenta de seus companheiros bandidos, ele se portava de um modo completamente distinto dos outros homens. Vestia-se de preto,

Fig. 12
Deeb, entediado

assim como todos os homens de Rauber, mas, ao contrário dos demais, tinha estilo. Sua camisa de mangas bufantes e o colete bordado eram o tipo de roupa que se costuma ver mais em um nobre que em um ladrão. Seu bigode fininho era impecavelmente bem aparado, e os cabelos castanho-escuros estavam sempre bem presos em um longo e liso rabo de cavalo. Na lateral de seu corpo havia um longo e pontudo florete — uma arma muito mais precisa e graciosa que as espadas de lâmina dupla usadas pela maioria dos bandidos. E Vero sabia como usar aquela lâmina; era sem sombra de dúvida o melhor espadachim do exército de Rauber e possivelmente um dos melhores do mundo. A única coisa que ele gostava mais do que duelar era deixar os ricos com um pouco menos de dinheiro.

— Receio que esteja planejando prosseguir com sua vingança contra a Liga dos Príncipes — disse ele com um forte sotaque carpagiano.

— E por que isso é um *receio*, Vero? — perguntou Rauber, olhando desconfiado para o homem que era seu braço direito.

— A Liga dos Príncipes é uma distração. Já os derrotou antes; acabou com eles. Foi exatamente por isso que me juntei a seu exército. Por que perder tempo agora indo atrás de homens a que ninguém dá a menor importância?

— Foram eles que fugiram! — disse Rauber, levantando-se do trono. — Olha, você é novo por aqui, Vero, por isso talvez não saiba quanto odeio aqueles príncipes patetas desprezíveis — Rauber atirou o bolo longe, respingando em vários de seus capangas.

— Posso imaginar, senhor — comentou Vero. — Toda vez que fala deles, perde a cabeça. Isso é parte do problema, não? Aqueles homens o farão cometer erros. Não vale a pena correr o risco. Isto é, como costumamos dizer em meu país, *perigoso*.

— Não perco a cabeça, Vero — disse Rauber com toda calma e clareza. E ergueu o queixo para limpar os farelos que cobriam seu colete.

— Nem mesmo quando se trata daqueles príncipes peidorreiros e chorões! — Ele soltou um grito de raiva ensurdecedor e virou com um chute uma mesa de doces, quebrando canecas e pratos. De repente, o silêncio se abateu sobre a sala. A maioria dos bandidos ficou paralisada, rezando silenciosamente para que seu chefe não estivesse prestes a ter um de seus famosos acessos de raiva. Vários deles começaram a sair de fininho.

— Claro que não, senhor — disse Vero friamente.

Rauber se jogou de volta no trono e riu.

— Eu só estava brincando — disse ele. — Você é sincero comigo, Vero. Gosto disso. Então, diga, o que acha que devo fazer para deixar minha marca de verdade?

Vero se agachou ao lado do trono e falou com Rauber em um sussurro conspirador:

— Bem, um dos vários motivos pelos quais o senhor despreza aqueles príncipes é porque queria governar Sturmhagen, e a Liga... bem, eles estão no seu caminho.

— Isso mesmo, eles e um exército de trolls — disse Rauber quase berrando. — Trolls fedorentos.

— Sim, mas isso é *passado*, e o agora é o que chamamos de *presente* em meu país.

— Também chamamos agora de *presente* neste país.

— O ponto é o seguinte: O senhor ainda quer governar seu próprio reino, certo? Esqueça Sturmhagen. Existem outros meios para se tornar um rei de verdade, não? Outros lugares para governar. — Vero observava atentamente enquanto o garoto ponderava sobre seu conselho. Um largo sorriso se espalhou pelo rosto do rei Bandido.

— Você está certo, Vero — disse Rauber. — É exatamente isso que vou fazer! Vou me tornar um rei de verdade. De um país de verdade.

Com uma bandeira de verdade e um exército de verdade e leis de verdade e... sei lá... talvez um pássaro nacional ou algo assim. E a melhor parte é que não terei de subjugar ninguém para isso.

Vero retribuiu o sorriso do rei Bandido.

— O senhor está pensando naquela terra de ninguém, o deserto Orfanado, não está?

— A área é pequena, mas é totalmente livre — disse Rauber. — Com aquela velha medonha morta, o lugar está completamente vazio. Ninguém o quer porque é feio e nada cresce por lá, mas não me importo com isso. Só preciso de um pedaço de terra com fronteiras de verdade e estou pronto para me tornar o rei Deeb!

— É um plano muito bom, senhor, não é?

— Você está certíssimo, Vero — disse Rauber, saltando no lugar. — Isso vai mudar tudo!

— Quando podemos, como dizemos em meu país, *começar isso*?

Rauber olhou desconfiado para Vero.

— Você é de *outro* país, certo?

— Isso mesmo, senhor.

— Só para me certificar — disse Rauber. — Bem, vamos fazer isso agora! Ainda é meu aniversário, e vou comemorar fundando a soberana nação de Rauberia! — Ele se levantou e gritou para seus homens: — Tem caixotes no porão, rapazes! Embalem tudo. Vamos nos mudar!

Com cerca de cinquenta toneladas de produtos ilícitos a reboque, Deeb Rauber marchou com seu exército de seu antigo castelo para as florestas de pinheiros de Sturmhagen, aos pés do monte Morcegasa, rumo ao deserto Orfanado. Ele seguiu diretamente para a fortaleza abandonada da bruxa velha, fincou sua bandeira oficial do rei Bandido (que exibia um velho rei corcunda levando um chute de uma bota gigante) no parapeito e tratou de enviar mensagens para todos os reinos vizinhos, anunciando a fundação de Rauberia.

O castelo da bruxa estava em ruínas (a torre do observatório desmoronara completamente; vassouras quebradas e tarântulas meio esmagadas se espalhavam pelos corredores; caldeirões virados obstruíam as escadarias), por isso Rauber contratou uma experiente equipe de construção para dar um jeito no lugar nos meses seguintes — e eles fizeram várias melhorias estruturais, incluindo uma muralha de proteção com vinte e quatro metros e meio de altura ao redor de toda a propriedade, a Muralha Sigilosa. Lá pelo fim do outono (ainda faltando seis meses para o casamento), o rei Bandido tinha um dos castelos mais seguros do mundo. Ele agradeceu a equipe de construção roubando as ferramentas deles, levando todas as roupas, exceto as cuecas dos funcionários, e abandonando-os à própria sorte nas montanhas Funestas.

Então Rauber deu início ao negócio de se transformar em monarca. Nobres de praticamente todos os reinos vizinhos foram convidados pelo rei sem nome do novo reino de Rauberia. E você sabe como os nobres sãos: não resistem à oportunidade de se associar a um monarca de verdade (isso os faz se sentir importantes). Condessas, condes, duquesas e barões entraram na fila para passar uma noite luxuosa no mais novo Castelo von Deeb. E, apesar de terem ficado surpresos ao descobrir a identidade do anfitrião, todos os choques ou desconfianças iam sendo esquecidos conforme os convidados eram bajulados e paparicados, sendo recebidos com refeições e acomodações extravagantes. Todos apreciaram a estada — até se darem conta, depois de terem partido, que seus bens de valor haviam desaparecido misteriosamente. Até mesmo a rainha de Svenlândia fez uma visita — e voltou para o seu reino se perguntando como conseguira perder a peruca com fios de ouro que estava em sua cabeça quando chegou.

Depois de passar a perna em todos os ricos da região com a história do Novo Rei Fraudulento, Rauber deu uma olhada em um mapa para ver quais reinos ainda não havia atingido. Ele avistou um lugar chamado Dar, no extremo leste, quase imperceptível no canto direito do mapa, e ordenou que um convite fosse enviado ao rei do lugar.

— Não é um rei que governa Dar — disse Vero, suas palavras soaram mais como alerta que explicação. — Dar é governado por um chefe militar.

— Beleza — disse Rauber. — Envie o convite.

— Tem certeza de que deseja fazer isso, senhor? — perguntou Vero. — Esse chefe militar é o que em meu país chamamos de *um homem nada bom*.

— Eu também não sou um homem nada bom — disse Rauber com uma piscadela.

Você nem é um homem, pensou Vero, mas foi esperto o bastante para não compartilhar a ideia. Em vez disso, falou:

— Sei disso, senhor. Mas o chefe militar é conhecido como um dos governantes mais cruéis do mundo. O povo de Dar é famoso pela natureza violenta. Ouvi dizer que quem ousa falar mal do chefe militar por lá é condenado à morte. Eles cortam seu corpo.

— A cabeça, você quer dizer.

— Não — insistiu Vero. — A cabeça fica, eles cortam todo o resto do corpo.

— Não sei que diferença faz.

— O que estou querendo dizer — continuou Vero — é que não acho que o senhor queira conhecer o lado sombrio dessa gente de Dar.

Rauber riu.

— Espere até eles conhecerem o *meu* lado sombrio. — Ele virou de costas e balançou o traseiro para Vero. — Ha-ha!

Rauber entregou o convite para um bandido chamado Gordo.

— Leve isto a Dar — disse.

— Pode deixar, chefe — respondeu Gordo. O bandido bateu continência antes de se apalpar de cima a baixo, na esperança de encontrar um bolso na roupa. Ao constatar que não havia nenhum, ele se abaixou para guardar o convite no sapato, mas se deu conta de que estava descalço. Por fim, acomodou o papel entre os dentes e partiu para a longa jornada até Dar.

E essa foi a última vez em que se ouviu falar de Gordo. (Espero que você não tenha se apegado muito a ele no último parágrafo.)

O convite de Rauber chegou até o chefe militar de Dar. Mas essa foi uma das poucas vezes em que um mensageiro teve permissão para partir vivo do reino de Dar. Pois ali era um lugar terrível, muito terrível. Incrustado entre um deserto escaldante e uma planície ártica congelante, Dar tinha o pior clima que se pode imaginar. A terra em si parecia odiar a ideia de seres vivos caminhando sobre ela.

Por isso que os únicos seres que sobreviviam ali eram criaturas aterrorizantes como espectros do gelo, escorpiogros, gigantes serpentes do deserto e toupeiras cadavéricas — e pessoas muito malvadas. Toda a cultura de Dar se baseava na guerra e na luta. Até seu nome tinha origem violenta. Há muitos e muitos anos, o primeiro cartógrafo que tentou traçar um mapa da região foi morto antes mesmo de ter tido tempo de terminar de escrever o nome da terra. Historiadores acreditam que o verdadeiro nome de Dar possa ser Darcovil. Ou possivelmente Daredemo Infecundo. Ou até mesmo Darr, com dois erres (apesar de ser uma hipótese decepcionante).

O chefe militar a quem Deeb Rauber resolveu enviar o convite era considerado um dos governantes mais brutais e terríveis de Dar de todos os tempos. Lorde Randark tinha mais de um metro e noventa de altura, com um físico de lutador que camuflava seus cinquenta anos de idade. Ele tinha uma juba indomada de cabelos pretos ao redor do rosto, que emendava com a longa barba trançada. Sua pele lembrava uma terra árida craquelada, e uma grossa cicatriz rosada percorria seu rosto de orelha a orelha. Suas íris eram totalmente negras.

Alguns diziam que Randark era fruto de uma experiência de um alquimista maluco que tentou destilar a pura essência do mal. Outros afirmavam que ele surgira de uma erupção vulcânica já adulto. Apesar de ser bem mais provável que fosse filho de um vendedor de carroças usadas de uma vilazinha chamada Pauperia — os registros de Dar não eram nada precisos.

Qualquer que fosse sua origem, Randark não era um homem com quem brincar. Ele ascendera ao poder em uma sangrenta campanha de destruição que deixou um rastro de corpos arrebentados e casas demolidas por todo interior de Dar. Quando Randark finalmente ficou cara a cara com o chefe militar anterior, não teve o menor trabalho para tomar a coroa do homem — com a cabeça e tudo.

Lorde Randark se divertiu ao ler o convite de Deeb.

— Não é sempre que algum tolo convida a força militar de Dar para visitar seu reino — disse o chefe militar. — Nós vamos. É sempre divertido matar um rei novato.

Fig. 13
Lorde
Randark

Sob uma nevasca de inverno (e ainda faltando cinco meses para o casamento — não se preocupe, já estamos quase no presente), o chefe militar partiu de Dar. Com um pequeno contingente escolhido a dedo de sanguinários soldados darianos, Randark marchou pelas montanhas de Carpagia e pelas densas florestas de Sturmhagen — fazendo pausas para pilhagem a cada quilômetro — até chegar a Rauberia, onde Deeb e ele se conheceram. Randark usava armadura de couro manchada de sangue e capacete feito do esqueleto de um escorpiogro. Deeb exibia um desnecessário tapa-olho e calça rasgada nos joelhos. Os dois líderes conversaram. Rauber mostrou o castelo a Randark (e exibiu sua habilidade de tirar a própria cueca sem ninguém ver). Então eles compartilharam uma farta refeição nojenta (durante a qual Randark matou um de seus capitães por piscar muito). E algumas coisas interessantes aconteceram.

Deeb Rauber decidiu não roubar o lorde Randark. Não é que ele estivesse com medo do chefe militar — ele estava era *apavorado*. Randark não era apenas o líder mais frio que Deeb já conhecera; era o primeiro adulto para o qual Deeb olhara com respeito.

O mais interessante é que lorde Randark decidiu não matar Deeb Rauber. Pelo menos, por enquanto. Ele ficou fascinado pelo menino. Ou, mais precisamente, pelo modo como aquele garoto imaturo, detestável e imundo conseguira conquistar o respeito e a devoção de um exército inteiro. Os bandidos adoravam seu rei — e Randark não conseguia entender por quê.

Rauber convidou Randark para se dirigirem a uma sala que batizara de Centro de Golpe. O alto e poderoso dariano olhou com desdém para os mapas e desenhos cobertos de restos de balas e digitais de chocolate — sem mencionar a meia dúzia de bandidos que vadiavam pela sala, mastigando caramelos ruidosamente.

— Saca só — disse Rauber, correndo na direção de um saco rasgado de balas roubadas em um canto. — Não podemos bolar planos malvados de estômago vazio. Estou certo? — Ele ofereceu um cubinho marrom grudento para o chefe militar. — Caramelo?

Lorde Randark o encarou em silêncio.

Rauber deu de ombros.

— Tanto faz. Sobra mais para mim. — Ele enfiou o doce na boca. Mandou junto uma bola de chiclete para dar mais volume.

Randark se aproximou da janela e fitou a paisagem seca e desértica que se estendia adiante.

— Belo país que escolheu para chamar de seu — comentou ele, com sua voz grave e áspera.

— Você acha? — perguntou Rauber de boca cheia. — É bem feio lá fora.

— Você nunca esteve em Dar — respondeu Randark. Na verdade, não era o cenário que tornava Rauberia atraente. Era a localização do pequeno reino que empolgara o chefe militar. Rauberia se encontrava bem no centro do mapa, cercada de *vários* reinos ricos — Harmonia, Sylvaria, Sturmhagen, Avondell e Eríntia, entre outros —, todos a apenas alguns dias de distância.

— Vou lhe conceder um valioso favor — disse Randark.

— Sim, qual é? — perguntou Rauber.

— Você tem muito potencial, mas seu exército é fraco e indisciplinado.

— De jeito nenhum, cara — disse Rauber. — Dou uma boa surra nos caras quando eles merecem. — Ele tirou uma bola de chiclete cheia de baba da boca e enfiou na narina de um bandido ao lado. — Isso foi por não ter rido da minha piada engraçada sobre peido ontem à noite — berrou ele com o homem.

Randark pigarreou.

— Mesmo assim, meus homens e eu ficaremos aqui. Vamos oferecer um treinamento de táticas de guerra ao seu pessoal. Também faremos alguns... ajustes na segurança de sua fortaleza. E quando tivermos terminado, meu amigo, *então* você terá uma força militar temida no mundo todo.

— Já sou bem temido — disse Rauber, enfiando outro chiclete na boca. — Mas você pode estar certo quanto aos meus homens. Eles merecem mesmo uns chutes no traseiro. E, como eu só tenho dois pés, bem-vindo a bordo, lorde Randark.

Rauber e Randark sorriram, mas por motivos distintos.

E então, numa tarde no fim de junho, três dias depois do casamento de Liam e Rosa Silvestre (Sim! Voltamos!), dois bandidos de guarda do lado de fora da Muralha Sigilosa ficaram surpresos ao ver um solitário desconhecido correndo pelo deserto de Rauberia e vindo em direção a eles. Eles se prepararam para uma briga. Não era sempre que alguém passava por aquelas terras remotas, muito menos a pé. E o mais estranho era que o jovem parecia usar gorro de lã e bermuda.

— Com licença, senhores — disse Esmirno. — Tenho uma mensagem para o rei de Rauberia.

~ 9 ~

O HERÓI FAZ PLANOS À MEDIDA QUE AS COISAS VÃO ACONTECENDO

Quando estiver tomando nota de um plano, sugiro numerar os passos. Mas, só para o caso de seu plano cair em mãos inimigas, não se esqueça de colocar os números na ordem inversa.
— O Guia do herói para se tornar um herói

Os quatro príncipes, com Ella e Rosa Silvestre, estavam reunidos à mesa redonda do Centro de Comando de Avondell, aguardando um relatório de Esmirno. Apenas um dia se passara desde que a Liga dos Príncipes enviara o jovem mensageiro a Rauberia, munido de uma falsa propaganda que supostamente serviria de desculpa para ele passar pelos portões do castelo ("GRANDE OPORTUNIDADE PARA NOVOS MONARCAS! COROAS PELA METADE DO PREÇO! ORÇAMENTO GRÁTIS!"), e ele já havia retornado. Esmirno parou diante do grupo, afrouxou o cachecol e ergueu a perna da bermuda.

— O que foi que você descobriu? — perguntou Liam.

— Bem, descobri que o rei não está interessado em comprar uma coroa nova a menos que obtenha, no mínimo, *setenta e cinco* por cento de desconto — disse Esmirno.

— O que você descobriu *sobre o castelo*? — perguntou Liam mais especificamente.

— Ah, eu vi tudo, senhor, Vossa Alteza, senhor — disse o mensageiro. — Entreguei seu panfleto aos guardas do portão principal e, enquanto liam, passei correndo por eles e dei uma olhada em todos os andares da construção.

— Ninguém o viu? — perguntou Ella.

— A maioria das pessoas não consegue quando estou em minha velocidade máxima, por isso nunca paro de correr.

— Corte o blá-blá-blá e vamos ao que interessa — disse Gustavo impaciente.

— Certo — disse Esmirno. — Bem, primeiro havia uma muralha...

— Tenho uma muralha em casa! — Duncan não conseguiu se conter. — Na verdade, quatro.

— Será que é um bom momento para mencionar que tenho um pouco de medo de altura? — acrescentou Frederico.

Liam se levantou.

— Muito bem, antes de prosseguirmos — iniciou ele —, tenho uma nova regra: Não interrompam o Esmirno! Ele tem informações cruciais e precisamos ouvi-las. Portanto, nada de falar antes que ele tenha terminado. Todos entenderam?

— Mas, se é uma nova regra — disse Duncan —, a lady com o penteado de cactos não deveria bater seu martelinho?

— Sabe de uma coisa? Ele tem razão — disse Rosa Silvestre. — Eu dito as regras por aqui.

— Certo — disse Liam, revirando os olhos. — Rosa Silvestre, você poderia decretar essa regra, por favor?

— Já que você disse *por favor*... — Rosa Silvestre bateu o martelo. — Ninguém fala antes que o esquisito tenha terminado.

— Obrigado, senhora, Vossa Alteza, senhora — falou Esmirno. — Como eu estava dizendo, tem uma muralha chamada de Muralha Sigilosa. Ela é quadrada: quatro lados e quatro cantos. Mas tenho certeza de que todos vocês sabem o que é um quadrado. — Ele riu sem jeito. — De qualquer forma, ela é realmente muito alta. E completamente lisa, como a perna de cerâmica de minha avó. — Esmirno fez uma pausa e engoliu em seco. — Sinto muito, a comparação foi desnecessária e provavelmente perturbadora. É por isso que não costumo falar muito em público. Mas, prosseguindo, é impossível escalar aquilo. Além disso, tem guardas nas torres que ficam nos quatro cantos. Então, o único modo de entrar é passando pelo portão principal, assim como eu entrei. E, quando você entra, há um descampado. Tem uma boa distância entre o portão e o castelo, chamado de Castelo von Deeb. Ah, e o castelo é cercado por um fosso, o Fosso dos Mil Dentes. É cheio de enguias-dentes-de-aço. Mas eu o atravessei quando os bandidos baixaram a

Fig. 14
Muralha Sigilosa

O HERÓI FAZ PLANOS À MEDIDA QUE AS COISAS VÃO ACONTECENDO

ponte levadiça; eles estavam rolando para dentro barris gigantes de pudim. Ou talvez fosse veneno. É difícil ler quando se está correndo a toda velocidade. Enfim, quando entrei, descobri que a espada de Eríntia está guardada na masmorra, dentro de um cofre, o Cofre das Belas Pilhagens, é como eles o chamam. Mas tem uma pegadinha: a alavanca que abre o cofre fica no telhado do castelo. Tem um homem estranho lá, com mais tatuagens que minha avó. E esse homem, ao que parece, mantém uma cobra de quase nove metros em um buraco, O Buraco da Cobra, para pressionar a alavanca que abre o cofre. O Buraco da Cobra é bem profundo, e é da largura exata da cobra. Detalhe, é uma cobra bem grande, mas nem mesmo *eu* conseguiria me espremer dentro daquele buraco. E eu sou bem magrinho. Minha avó costumava me chamar de Varapau. — Esmirno permaneceu em silêncio por um minuto enquanto todos apenas olhavam para ele. — Ah, eu acabei — disse finalmente.

Todos começaram a falar ao mesmo tempo, até Liam pedir silêncio.

— Um de cada vez, pessoal — gritou ele.

Gustavo falou alto o suficiente para se certificar de que seria o primeiro a ser ouvido.

— Um cofre na masmorra que só pode ser aberto por uma cobra gigante em um túnel que fica no telhado do castelo. Quem pensaria em algo assim?

— Um menino de dez anos de idade — respondeu Ella. — Não esqueça que estamos falando de meu primo. Conheço Deeb desde que ele tinha cinco anos. Naquela época, ele já inventava armadilhas sádicas para pegar ratos, como uma que tinha um pedaço de queijo preso a um fósforo, de modo que, quando o rato mordia a isca, ele saía arrastando o fósforo sobre uma pedra de isqueiro até pegar fogo, acendendo o pavio de uma vela, que pingava cera quente sobre o pobre animal. Eu tive de socorrer vários bichinhos presos em armadilhas quando ele vinha nos visitar.

— Não importa se as defesas do castelo parecem malucas — disse Frederico melancolicamente. — O que importa é que parecem *impossíveis* de ser transpostas. Eu, pelo menos, não planejo nadar cachorrinho em um tanque cheio de enguias-dentes-de-aço.

— Ei! — exclamou Duncan. — Não tinha uma história de sir Bertram, o Pomposo, em que ele preparou um suflê de enguias-dentes-de-aço?

— Sim — disse Frederico. — *A batalha pelo almoço do barão*. Enguias-dentes-de-aço são uma iguaria muito rara. São raras porque normalmente te comem antes que você consiga comê-las.

— E só são encontradas em um país muito distante, certo? — indagou Duncan, tentando lembrar mais detalhes da história. — Dorfe?

— Dar — corrigiu Frederico. — É aquele país horrível e assustador onde se passam todas aquelas antigas histórias de ninar horripilantes. — *É também o lugar onde minha mãe morreu*, pensou ele.

— Como é que Rauber conseguiu arrumar um bando de enguias que só são encontradas em Dar? — questionou Liam. — Esmirno, você tem certeza de que foi isso mesmo que viu?

— Quase cem por cento, senhor, Vossa Alteza, senhor — disse o mensageiro. — Quando eu era mais jovem, o livro que minha avó mais gostava de ler para mim era *101 animais que você deveria ser grato por só existir em Dar*.

— Como eu estava dizendo — Frederico suspirou —, é uma missão impossível.

— A menos que... — disse Ella esperançosamente. — Esmirno, você poderia nos emprestar suas botas?

— Sinto muito, senhora, Vossa Alteza, senhora. Eu adoraria emprestá-las se conseguisse tirá-las dos pés. Mas não consigo. Acho que elas têm uma maldição. Pelo menos foi o que minha avó disse antes daquele bando enlouquecido e armado com tochas expulsá-la da cidade.

— Bem — iniciou Duncan —, talvez Esmirno possa voltar lá sozinho e...

— Nem pense nisso — interrompeu Rosa Silvestre. — Não posso confiar o resgate de um artefato de valor incalculável a um simples mensageiro. Além do mais, um *verdadeiro herói* como meu Liam nunca permitiria que um adolescente sem treinamento arriscasse a própria vida assim.

— Não, claro que não — concordou Liam em voz baixa.

— Hum, Rosa Silvestre? — indagou Frederico. — Será que não tem nenhum outro tesouro fabuloso que você queira que roubemos para você em vez desse? Talvez algo em um local mais conveniente?

Rosa Silvestre bufou.

— Eu sabia que seria perda de tempo trabalhar com vocês. Vou enviar uma solicitação para aquele grupo de ninjas de Kom-Pai.

— Não! — Liam ficou de pé. Ele sabia muito bem que não tinham escolha; eram eles que *tinham* de recuperar aquela espada. Mas, com Rosa Silvestre sempre por perto, como ele poderia explicar isso aos outros? — Pessoal, vocês estão totalmente enganados com relação a isso tudo. Não é uma missão impossível. Claro que existem alguns obstáculos, mas temos condições de passar por eles.

— Então nos conte seu plano, Liam — disse Duncan. — Você é o nosso grande estrategista.

Todos os olhares se voltaram ansiosos para Liam.

— Muito bem — disse ele, e então cruzou os braços. — O plano. Sim. Vou falar sobre o plano agora. — Ele olhou para o canto no fundo da sala e balançou a cabeça várias vezes, como se estivesse em meio a um profundo cálculo mental. Na verdade, não passava nada pela sua cabeça.

Você já ficou tão preocupado com algo que aquilo não saía de sua cabeça e o impedia de pensar em outra coisa? Por exemplo, você está com medo de comer o sanduíche de patê de azeitona que sua mãe mandou para o lanche, e, quando a professora lhe pergunta qual é a raiz quadrada de nove, a única resposta que lhe ocorre é *sanduíche de patê de azeitona*. Qual é o maior rio do mundo? *Sanduíche de patê de azeitona.* Como funciona o ciclo da água? *Sanduíche de patê de azeitona.* Era assim que Liam estava se sentindo naquele momento, na sala do Centro de Comando, só que ele não estava pensando em sanduíche de patê de azeitona.

Cada vez que Liam pensava em como conseguiriam roubar a espada de Eríntia, seu cérebro respondia: *Contrate atores para se passarem por criminosos.*

Não!, gritou ele consigo mesmo em pensamento. *Pare e concentre-se, Liam. Tire Cremins e Knoblock da cabeça. Eles não têm nada a ver com a missão. Você até pode estar passando por uma pequena crise de autoconfiança, mas não pode deixar ninguém perceber. Principalmente Rosa Silvestre. Porque, se ela não acreditar que você é capaz de pegar a espada, ela contratará outro para fazer isso.*

— Ei, querido — disse Rosa Silvestre. — Não podemos ouvir o que se passa na sua cabeça, sabe? Tente usar as cordas vocais.

— Hum? — exclamou Liam. Seu pessoal precisava de um plano, e ele não tinha um para oferecer. Mas ele ia fingir que tinha. — Desculpem, vamos lá. Comecemos pela Muralha Sigilosa. De acordo com o relatório de Esmirno, passar por cima da muralha seria... difícil.

Pausa.

— Portaaaannnnto... — Liam esticou a palavra, rezando para seus amigos morderem a isca.

— Portanto teremos de passar por *baixo* dela! — disse Ella empolgada.

— Sim! Isso mesmo! — gritou Liam, dando um soco no ar do mesmo jeito que fez quando, aos seis anos, venceu seu primeiro Campeonato Interducados de Esgrima. — Precisamos de um túnel. Obrigado, Ella.

— Ah! Ah! Os anões são especialistas em cavar — disse Duncan, saltando no lugar. — E Frank faz *qualquer coisa* por mim. Ele e eu somos *assim*. — Ele tentou cruzar os dedos, mas não sabia como.

— Era exatamente isso que eu ia dizer — acrescentou Liam. *Anões cavando túneis... Boa ideia,* pensou. *Pelo menos eu acho que é. Será mesmo que eu seria capaz de reconhecer um bom plano ao ouvir um? Pelo menos esse não envolve atores se passando por criminosos.*

— E, se me recordo corretamente — completou Liam —, os anões também trabalham rápido.

— Ah, sim — concordou Duncan. — Uma vez uma toupeira roubou minha calça, e os anões cavaram um túnel atrás dela em, digamos, dez minutos.

— Mas os anões não são invisíveis — disse Frederico. — E quanto às torres de vigília de Rauber?

— Só precisamos de uma distração — disse Ella.

— Distração, isso mesmo — concordou Liam. — Algo que atraia a atenção das sentinelas das quatro torres. — *Como atores se passando por vilões,* passou pela sua cabeça. Mas ele ignorou a ideia.

Esmirno ergueu a mão timidamente.

— Se me der licença, senhor, Vossa Alteza, senhor. Enquanto eu estava no castelo, houve um tumulto. Alguém gritou "Troll! Troll!", e todos os bandidos saíram correndo para ver o que estava acontecendo. No fim, acabaram descobrindo que era só fogo de palha, mas, mesmo assim, os bandidos ficaram bem agitados com aquilo.

— Perfeito! — gritou Duncan empolgado. — Sei onde podemos encontrar palha seca!

— Acho que vamos precisar mesmo é de um troll — disse Ella, dando um tapinha no ombro de Duncan.

— Claro que é disso que precisamos — disse Liam. — Faz sentido Rauber odiar os trolls depois de ter sido pisoteado por uns cinquenta no verão passado. Uma experiência como essa deixa marcas profundas.

Frederico riu.

— Isso não é engraçado, Frederico — disse Liam, muito sério.

O sorrisinho de Frederico desapareceu.

— Desculpe, é que, quando você disse "pisoteado por trolls" e "deixa marcas profundas", achei que estivesse brincando — falou ele. — Você está mesmo pensando em usar um troll?

Liam fez uma pausa. *Contrate um ator*, foi o que lhe disse sua mente.

— Não — soltou ele, enfurecido. Quando todos olharam em sua direção, ele se corrigiu: — Quer dizer, *sim*. Se os homens de Rauber sabem que ele tem medo de trolls, precisamos usar um troll para chamar a atenção deles.

— Pode deixar essa parte comigo — disse Gustavo. — Consigo arrumar um troll sem problemas.

— Ótimo — falou Liam.

Frederico olhou desconfiado para ele. Eles tinham ficado amigos dos trolls, mas só porque estavam desesperados. Os trolls eram criaturas violentas e imprevisíveis — não eram o tipo de aliados que Liam costumava incluir em um plano.

— E depois que tivermos passado pela muralha? — perguntou Frederico. — Como passaremos pelo fosso?

Duncan levantou a mão mais uma vez.

— Eu sei! Eu sei! Com uma canoa!

— Duncan — disse Frederico. — Mesmo que os anões consigam cavar um túnel sob a muralha, acho pouco provável que a gente consiga passar com uma canoa pelo túnel.

— Por que não? — indagou Liam. — Não precisamos de uma canoa *grande*. Às vezes, as soluções mais simples são as melhores.

— E, depois que cruzarmos o fosso, podemos subir até o telhado usando os ganchos de escalada de Rúfio! — adicionou Ella, desferindo um soco na mesa.

Rosa Silvestre bateu o martelo.

— Ei, só *eu* posso bater nas coisas para enfatizar.

— Muito bem, pessoal — disse Liam. Ele estava se sentindo um pouco mais leve, seus ombros já não pesavam mais. — Voltando ao plano, supostamente conseguimos subir até o telhado do castelo de Rauber. Em seguida, teremos de acionar a alavanca que abre o cofre, mas nenhum de nós vai conseguir entrar no Buraco da Cobra para alcançá-la. Ella, aposto que você é capaz de adivinhar como solucionaremos este probleminha.

— Hum, deixe-me pensar...

— Vamos, Ella — pressionou Liam, contando com ela para ter uma ideia. — Deve ter por aí alguma... pequena ideia cutucando no fundo de sua cabeça, não? Uma bem pequenininha...

— Você está se referindo àquele gnomo que conheci no verão passado, não está? — perguntou Ella em um rompante de iluminação. — Aquele que salvei dos diabretes? Ele disse que, se um dia eu precisasse de ajuda para qualquer coisa, era só chamar.

— Você é perfeita! — exclamou Liam. — Quer dizer, você está perfeita*mente correta*. — Ele esperava não ter corado muito. — Seu amigo gnomo vai caber direitinho no Buraco da Cobra.

— *Se* ele concordar em fazer isso — adicionou severamente Frederico. — Você se deu conta de que tem um monte de suposições neste plano, certo? Você já refletiu sobre as várias maneiras pelas quais ele pode dar errado? — *Ou está apenas se exibindo para Ella?*, essa última parte ele apenas pensou.

Liam cerrou os dentes, olhou no fundo dos olhos de Frederico e disse:

— O plano vai funcionar. Pare de questionar.

— Mas e quanto ao fato de que estaremos no telhado quando o cofre estiver sendo aberto *vários andares abaixo do piso térreo?* — perguntou Frederico.

— Eu estarei na masmorra ao lado do cofre, esperando sua abertura — respondeu Liam, quase rosnando.

— E como é que você acha que vai conseguir entrar na masmorra do rei Bandido? — questionou Frederico.

— Contratando alguém para se passar por criminoso! — Liam deu um tapa na boca, mas era tarde demais; as palavras já tinham lhe escapado. *Já era,* pensou. *Agora eles vão saber que sou um fracassado.*

Mas, em vez disso, ele só ouviu entusiasmo.

— Liam, você é brilhante! — exclamou Ella. — Vamos contratar um cúmplice; alguém que trabalhe para nós, mas que Rauber *pense* que está do lado dele.

— Isso mesmo — disse Liam com um débil sorriso. Ele acabara de se oferecer para ser capturado por seu arqui-inimigo. E tudo porque Frederico *tinha* que questionar o plano todo; será que ele não poderia simplesmente ter ficado na dele e concordado com tudo como um bom coadjuvante? Liam respirou fundo. — O cúmplice pode fingir me entregar para o rei Bandido em troca de uma recompensa — disse ele. — E, depois que o cofre estiver aberto, ele me solta.

— Se tem alguém capaz de fazer isso, esse alguém é você — disse Ella.

E o jeito como ela olhou para Liam foi sonhador demais para Frederico não notar.

— Eu também vou para a masmorra! — soltou Frederico.

Todos olharam para ele. Frederico já tinha se arrependido de seu rompante, mas estava envergonhado demais para voltar atrás.

— Não podemos deixar esse passo crucial para uma pessoa apenas — disse ele. — Pelo menos dois de nós deveríamos estar na masmorra. E... eu me ofereço.

— Acho a ideia do reforço muito boa — disse Liam. — Mas talvez fosse melhor o Gustavo.

— Não — disse Gustavo. — Quero muito enfrentar aquela cobra.

— Um minuto atrás você me pediu um voto de confiança, Liam. Será que não mereço o mesmo? — perguntou Frederico. — Arrisquei a vida por você, tentando salvá-lo do casamento com Rosa Silvestre.

— E deu muito certo, não é? — resmungou Liam.

— Ei! Eu estou *aqui* — disse Rosa Silvestre.

— Tudo bem — Liam concordou de má vontade. — Mas, Frederico, você vai ter de se virar sozinho por lá. Não vou poder ficar bancando a sua babá.

— Não preciso de babá desde que fiz dezesseis anos — desafiou Frederico.

— Você não precisa fazer isso, Frederico — disse Ella, pousando a mão sobre o braço dele.

— Eu sei — ele bufou. — Mas vou fazer.

— Só espero que vocês consigam encontrar um cúmplice confiável — disse Ella.

— Ah, não se preocupe. Vamos dar um pulinho na Perdigueiro Rombudo e entrevistaremos bandidos e arruaceiros que estiverem por lá — disse Frederico sarcasticamente.

Os olhos de Liam brilharam.

— Sim! É isso mesmo que vamos fazer — disse ele. — A Liga tem fãs naquela taverna. Certamente encontraremos alguém louco para servir de cúmplice para nós.

— Espere — disse Frederico, confuso. — Eu estava apenas...

— O quê, Frederico? — perguntou Liam. — Você estava apenas *o quê*?

— É que, bem, a Perdigueiro Rombudo fica em Flargstagg — explicou Frederico. — Será que aquela é a cidade mais segura para visitarmos justamente agora? Com o Espectro Cinzento aterrorizando o lugar?

— Frederico, você só ouviu falar do Espectro Cinzento por causa das últimas canções lançadas pelos bardos — disse Liam. — E você bem sabe como os bardos são precisos. O Espectro provavelmente nem é tão mau assim como parece. Talvez nem exista. Não há com o que se preocupar. A única pergunta que resta é: Quando vamos atacar?

— Eu sei! — anunciou uma voz. Todos se viraram para ver uma garota de cabelos cacheados e vestido esgarçado entrando pela janela.

— Lila! — gritou Liam. — O que está fazendo aqui?

— Espionando — respondeu ela. — Você tem ideia de como as coisas estão sem graça lá em casa?

— Esta janela fica no segundo andar — continuou Liam. — Como você...?

Rosa Silvestre se levantou, correu até a janela, inclinou o corpo para fora e berrou:

— Uma garotinha acabou de invadir meu Centro de Comando! Quem estiver me ouvindo está despedido! Saiam da corte! — (Oito soldados largaram as armas, abaixaram a cabeça e iniciaram uma longa e lenta retirada do reino.)

— Liam, dê uma olhada nisso! — Lila jogou um rolo de papel nas mãos dele. — É um cronograma. Surrupiei de uma das carroças do circo, depois do casamento.

— O circo dos Irmãos Flimsham vai se apresentar para o rei de Rauberia, às quatro da tarde, no dia do solstício de verão — disse Liam, dando uma olhada no papel.

— É *nesse dia* que vocês deveriam roubar a espada — disse Lila, empolgada. — Durante o espetáculo do circo. Rauber e a maioria de seus homens provavelmente estarão assistindo à apresentação, então haverá poucos bandidos pelo castelo.

— Minha irmã está certa — concordou Liam. — Vamos atacar durante a apresentação do circo. — Ele se voltou para Lila. — Agora vá para casa.

— Mas... — ela tentou protestar.

— Vá para casa — repetiu ele.

Lila pulou a janela de volta e escorregou por uma calha até o chão.

— Rosa Silvestre, o que está fazendo? — perguntou Liam. Sua esposa estava folheando as páginas de uma pequena agenda.

— Estou verificando o calendário — respondeu ela. — Temos um grande baile real agendado dois dias antes do solstício. Eu gostaria que a espada já estivesse aqui *para* o baile, mas fazer o quê... Tudo bem. Eu aprovo a ideia do circo.

— Ugh, os Flimsham de novo — murmurou Frederico. — Talvez seja bom mesmo que eu esteja preso na masmorra de Rauber.

— Então, no solstício, hein? Isso significa que temos cerca de seis dias para preparar tudo, certo? — perguntou Ella.

— Seis dias?! — reclamou Gustavo. — Não quero esperar tanto para entrar numa briga!

— Em seis dias mal teremos tempo de recrutar os aliados de que vamos precisar para a missão, muito menos de treiná-los para isso — disse Liam. Por um instante, ele olhou nos olhos de cada um de seus companheiros. — Mas temos um bom plano. E já enfrentamos os homens de Rauber antes; eles não são muito valentes. Podem estar em maior número, mas nós temos o coraç...

Ele foi interrompido pelo barulho de uma martelada de Rosa Silvestre.

— Chega desse papinho motivacional — ordenou ela.

Gustavo se inclinou para Frederico e sussurrou:

— Na primeira oportunidade que eu tiver, vou agarrar aquele martelinho da mão dela e enfiar...

Rosa Silvestre bateu o martelo com mais força ainda.

— Nada de cochicho!

Frederico massageou as têmporas.

— Essa semana vai ser longa.

— Rosa Silvestre, eu gostaria que déssemos início aos preparativos amanhã bem cedo — disse Liam. — E acho que, antes de mais nada, meus companheiros merecem uma boa noite de sono. Você permitiria que eles ficassem...

— Sim, sim, já entendi — interrompeu Rosa Silvestre. — Vou mandar preparar quartos de hóspedes para vocês quatro. Servos! — Ela fez uma pausa, esperando que um lacaio aparecesse à porta, mas ninguém apareceu. — Ah, é mesmo! Acabei de expulsar todos do reino. Já volto. — Resmungando, ela se levantou e saiu andando pelo corredor.

— Ah, finalmente vamos dormir em camas de verdade esta noite — disse Frederico. — Posso jurar que algumas das manchas daquele catre *se mexiam*.

Assim que Rosa Silvestre estava a uma boa distância, Liam interrompeu Frederico.

— Isso tudo não é apenas pela espada — disse ele rapidamente. — Ela está planejando dominar o mundo.

— O quê? — todos se surpreenderam.

— Quando você planejava revelar esse detalhe? — perguntou Frederico.

— Estou *tentando* contar para vocês neste exato momento — retrucou Liam. — Isso se você me deixar falar.

— Rapazes! — interveio Ella. — Ela estará de volta a qualquer instante. Liam, fale logo.

— Dei uma olhada no diário dela — disse Liam. — Há planos de destronar todas as famílias governantes dos Treze Reinos. Se conseguir fazer isso, ela criará um vácuo no poder e então poderá assumir tudo.

— Como uma mocinha tão magrinha poderia fazer tudo isso? — perguntou Gustavo.

— Ela escreveu "PGJD" por todo o diário — disse Liam. — Alguém sabe o que isso significa?

— Pedro Gervásio Joaquim Donatário! — disse Duncan.

— Quem é esse? — perguntou Liam, esperançoso.

— Não sei — respondeu Duncan. — Mas, se ele existisse, suas iniciais seriam PGJD. Deveríamos verificar se ele existe.

— Escutem, todos. Por algum motivo, o plano de Rosa Silvestre gira em torno da espada de Eríntia — disse Liam. — A espada deve guardar algum segredo.

— Talvez seja mágica — disse Ella.

— Não seria a espada algum tipo de chave? — indagou Frederico. — Eu me lembro de uma história de sir Bertram, o Pomposo, sobre uma câmara secreta que só podia ser aberta com uma faca de mesa antiga.

— Não me importo com o que a espada faz — disse Gustavo, empolgado. — É fantástico, independentemente do que seja!

— Por quê? — perguntou Frederico.

— Porque *não* estamos em uma missão secreta sobre a qual ninguém jamais poderá saber — disse Gustavo. — Nós vamos deter uma tirana maluca. E é *isso* que vai virar notícia! Não se pode dizer que isso não vai nos ajudar no quesito imagem pública!

— Já posso ouvir as vendas do meu livro alcançando as alturas — cantarolou Duncan. — Não, desculpem, é apenas Rosa Silvestre voltando.

Todos viraram para olhar para a porta, onde Rosa Silvestre se encontrava ladeada por seis novos guardas.

— Sobre o que estavam falando? — perguntou ela. — Por acaso estavam planejando passar a perna em mim?

— Relaxe, Rosa Silvestre, só estávamos conversando — disse Liam. — Não tem nada de estranho em *amigos* conversarem às vezes. Não que você entenda esse tipo de coisa.

— Ai! — exclamou Rosa Silvestre secamente. — Que tal demonstrar um pouco de gratidão para com a mulher que acabou de mandar aprontar as luxuosas suítes do palácio de Avondell para vocês? E pensar que ainda chamam vocês de *encantados*.

— Rosa Silvestre, somos todos muito gratos pela melhora no nível da hospedagem — disse Frederico. — Por favor, perdoe...

— Mas nenhum de nós acredita nem por um segundo que você esteja fazendo tudo isso de coração — interrompeu Liam.

Rosa Silvestre sorriu e acenou para ele.

— Ah, você só está dizendo isso porque o raptei e ameacei executar seus amigos. O que é isso, pessoal? O que passou, passou, certo? Estamos trabalhando juntos agora. E ainda temos várias horas para aproveitar antes de o sol se pôr. Que tal uma partida de croquet?

Duncan ia erguendo a mão, mas Liam a empurrou para baixo.

— Que seja — disse Rosa Silvestre, retomando seus modos frios de sempre. — Guardas! Levem nossos hóspedes para seus aposentos bons até demais e tranque-os lá até amanhã cedo.

Enquanto Ella e os príncipes eram encaminhados para cinco quartos separados, Frederico perguntou:

— E agora?

Liam gritou de volta a única resposta que lhe ocorreu:

— Esperamos até amanhã de manhã. Depois vamos atrás de anões, gnomos e trolls!

~ 10 ~
O HERÓI NÃO ACEITA NÃO COMO RESPOSTA

Não posso superestimar a importância de bons aliados.
Mas vou tentar: Bons aliados são mais importantes que respirar.
— O GUIA DO HERÓI PARA SE TORNAR UM HERÓI

O TIME

1. Liam ✓
2. Frederico ✓
3. Gustavo ✓
4. Duncan ✓
5. Ella ✓
6. Anões (para cavar)
7. Troll (para distração)
8. Gnomo (para entrar no buraco)
9. Cúmplice (?)

— Não — disse Frank sem diminuir o ritmo.

— Mas, Frank, é por *mim* — disse Duncan, correndo de costas, tentando tomar a dianteira do anão mal-humorado. — Eu sou seu herói, seu príncipe!

— Posso pensar em palavras melhores para descrevê-lo — resmungou Frank.

— Veja bem, Frank — disse Frederico, entrando no caminho do anão para detê-lo. — Estamos aqui por um assunto de extrema urgência. Eu esperava que pudéssemos contar com a coragem e a honra dos *anãos* para nos ajudar a salvar o mundo.

— *Anãos* — berrou Frank como de costume. Ele estava tão acostumado a corrigir o modo como todos pronunciavam a palavra que levou um segundo para notar que dessa vez não havia sido necessário. O anão encarou Frederico com uma mistura de desconfiança e respeito. — Ei, você falou certo.

— Claro que sim — respondeu Frederico. — Sei quanto o uso correto da gramática é importante para você e seu povo.

— Certo — disse Frank. — Você tem trinta segundos. Convença-me de por que eu deveria fazer isso para vocês.

Frederico estava prestes a seguir com um discurso estimulante, mas, antes de ter tido tempo de dizer uma única palavra sequer, a porta dos fundos da casa de Duncan se abriu e Branca de Neve saiu correndo. Ela usava um traje criado por ela mesma, um híbrido de vestido de verão com jardineira, combinando com um enfeite de cabeça feito de junco trançado.

Fig. 15
Frank, aborrecido

— Dunky! — Ela correu ao encontro do marido, o abraçou e então o empurrou e apontou o dedo na cara dele. Em seguida, o puxou de volta e o abraçou novamente. Então o empurrou outra vez, o encarou e franziu a testa. — Você imagina como estou brava com você?

— Bem, a princípio não — respondeu ele. — Mas depois imaginei. E depois não. E agora sim, mais uma vez. Mas por quê? Fiz algo errado?

— Você desapareceu sem dizer uma única palavra! — exclamou Branca de Neve com os olhos cintilando. — Me deixou sozinha. Com a sua família. Por *dias*. Apenas ontem consegui convencê-los de que você não estava na casinha durante esse tempo todo.

— Mas... Mas... — gaguejou Duncan.

Branca de Neve olhou séria para Frederico.

— Eu devia ter imaginado que os Príncipes Encantados estavam por trás do desaparecimento do meu marido — disse ela. — Era só uma questão de tempo até que ele saísse para outra de suas aventuras malucas. Só imaginei que alguém teria a decência de me *dizer* antes.

— Mas eu falei! Ou melhor, Frank falou — disse Duncan. — O garoto ligeirinho de botas me procurou. E tive de partir para impedir Liam de se casar com a megera. Só que acabei sendo preso. E agora temos de roubar uma bela espada do rei Bandido. Era para Frank ter lhe contado tudo. Ele prometeu.

Branca de Neve se virou para encarar Frank, que estava tentando sair de fininho. O anão olhou com vergonha para ela.

— Frank! — disse Branca de Neve. A única palavra teve o peso de uma bronca completa.

— É possível que eu tenha dito algo que levou Duncan a acreditar que talvez eu fosse lhe contar sobre a saidinha dele — murmurou o anão.

Naquele momento, se fachos de fogo tivessem sido lançados dos olhos de Branca de Neve e fritado Frank, ninguém teria estranhado.

— Hum, Branca? Sra. De Neve? — perguntou Frederico. — Duncan está no meio de uma missão muito importante, e precisamos desesperadamente dos anões para cavar um túnel para nós. Eu gostaria de saber se a senhora poderia falar com eles a nosso favor?

— Acho que Duncan e Frank precisam de uma lição — disse Branca de Neve, erguendo o queixo. — Vou ensinar uma a eles. — Ela voltou para casa pisando firme.

— O que ela quis dizer com isso? — perguntou Frederico, preocupado.

Duncan e Frank deram de ombros.

Alguns minutos depois, Branca de Neve ressurgiu arrastando duas enormes cestas cheias de todos os tipos de coisas esquisitas e afins (um kit de costura, baquetas, um queijo redondo, um bule, um peso de papel de mármore em formato de esquilo, uns duzentos botões soltos, peças de dominó...).

— Por favor, coloquem estas coisas na carroça para mim — disse ela.

— Por quê? — perguntou Duncan enquanto carregava obedientemente uma das cestas até a carroça coberta de Branca de Neve, parada ao lado da casa.

— Vou com você, bobinho — respondeu Branca de Neve.

— Isso é loucura — disse Frank imediatamente. — Mas, se insistir nisso, pode apostar que estaremos logo atrás.

Frederico respirou aliviado, mas era cedo demais.

Branca de Neve ergueu a mão direita e pousou a esquerda sobre o coração.

— Pensei que vocês, anões, fossem meus melhores amigos, mas vocês traíram minha confiança. Vai demorar muito para conquistarem de volta. Por isso, juro solenemente que qualquer anão que eu veja enquanto estiver fora será banido para sempre de Sylvaria.

Frank soltou um grunhido de frustração. Branca de Neve não fazia juramentos em vão. A última vez em que fez um juramento como aquele, prometeu nunca mais queimar um brownie — e, verdade seja dita, todos os brownies que serviu depois disso estavam crus e pegajosos. Frank recuou e saiu andando tristonho.

— Sabe, sra. De Neve — disse Frederico. — Essa missão pode ser um pouco perigosa. Nem sei como acabei entrando nessa.

— Ninguém vai conseguir me convencer a desistir — disse Branca de Neve. Ela entregou outra cesta para Frederico. — Pegue. Temos apenas mais dezenove destas para carregar e depois podemos partir. — Ela entrou novamente.

— O lado bom é que poderei passar mais tempo com a minha esposa — sorriu Duncan.

— Liam não vai gostar nada disso — falou Frederico, preocupado.

— Acho que não — Duncan concordou sem rodeios.

— Você acha que talvez ela possa nos ajudar a desvendar o segredo da espada? — perguntou Frederico, tentando ser otimista. — Descobrir o significado do código PGJD?

— A Branca de Neve? Pfff! — riu Duncan. — Ela não consegue nem encontrar os próprios sapatos pela manhã. Por isso, todos os dias ela faz um novo par.

Branca de Neve colocou a cabeça para fora da janela e gritou:

— Por acaso, um dos dois sabe guiar uma carroça?

— Stuuuuuuurrm-haaaa-gennnnn! — Gustavo soltou seu grito de guerra enquanto esporava o cavalo e disparava contra um grupo de trolls que urravam e brigavam. Ele mal havia descido da sela quando foi apanhado por um enorme troll de um chifre só que o lançou ao chão.

Parado a uns trinta metros de distância, Liam franziu a testa.

— Eu sabia que era uma péssima ideia. — Ele sacou a espada e galopou rumo à confusão. — Corra, Gustavo! — gritou Liam enquanto agitava a espada na direção do sr. Troll. A enorme criatura recuou, desviando do golpe, mas mesmo assim acabou perdendo alguns nacos de pelo esverdeado. Enquanto as penugens plainavam até pousarem ao solo, Gustavo segurou o braço de Liam.

— O que pensa que está fazendo?

— Hum, salvando você? — respondeu Liam, pouco antes de o sr. Troll acertar um soco na cara dele. O príncipe de Eríntia saiu voando pelos ares, caiu enroscado na própria capa e, no mesmo instante, foi coberto por uma pilha composta de uma dúzia de trolls urrando.

Pouco tempo depois, Liam estava sentado em um tronco de árvore toscamente cortado (ou numa cadeira troll) tentando aliviar a dor na bochecha inchada com uma compressa de ervas (que não passava de um punhado de lama e folhas de pinheiro).

— Sinto muito, sr. Troll — disse ele com certa dificuldade. — Não percebi que se tratava de uma aula. — Ele se voltou para Gustavo e acrescentou: — Por que tenho a impressão de que passamos metade de nossas aventuras pedindo desculpas?

— Fale por você. Eu não peço desculpas por nada — disse Gustavo. Ele deu um soco no ombro de Liam. — Viu, não peço desculpas por isso.

— Tudo bem, Homem Retorcido — disse o sr. Troll a Liam. — Qualquer amigo de Homem Bravo é amigo de Troll. Então, a que Troll deve a honra da visita? — Ele se recostou em sua cadeira troll e mordeu uma pinha.

— Viemos lhe oferecer um trabalho — disse Liam. — Meu time e eu estamos prestes a partir em uma missão, possivelmente um pouco perigosa, mas muito importante. A fim de obtermos êxito, haverá certos...

— Homem Retorcido fala muito — disse o sr. Troll. — Homem Bravo explica.

— Você quer invadir o castelo do Menino Bandido com a gente? — perguntou Gustavo.

Sr. Troll ficou de pé.

— Troll só precisa pegar coisas de Troll. — Ele olhou ao redor, pegou outra pinha e falou: — Troll pronto. Vamos.

— Deve estar por aqui — disse Ella, engatinhando no chão e empurrando folhas de samambaia e cada pedra que encontrava pelo caminho para examinar embaixo.

— Você fez a gente se perder, não foi? — perguntou Rosa Silvestre, soando demasiadamente alegre com a pergunta. Ela estava a alguns metros de distância, recostada em uma árvore.

Ella olhou por cima do ombro.

— Não estou perdida. A casa do gnomo com certeza fica por aqui. A busca poderia ser mais rápida se você me ajudasse.

— E estragar este vestido? Nem pensar. — Rosa Silvestre usava um de seus "vestidos de viagem", que tinha alguns diamantes a menos que de costume pregados nos punhos.

— Por que insistiu em vir comigo se não vai ajudar em nada?

— Todos os outros partiram em duplas; por que não deveríamos fazer o mesmo? Além do mais, pensei que poderia ser divertido termos um Momento Feminino. O que está rolando entre você e o Frederico?

— O quê? — A mão de Ella escorregou sobre uma pedra cheia de musgo, e ela caiu de cara no chão. Mais do que depressa, ela se ergueu e limpou a terra do rosto. — Estamos noivos. E daí?

— Ah, sei lá. Você e ele? Não combinam muito.

— Bem, ninguém pediu sua opinião. E sugiro que você as guarde...

— Odeio interromper uma boa discussão, queridinha, mas acho que você acabou de encontrar algo. — Rosa Silvestre apontou para a pedra em que Ella escorregara. Com o musgo fora do caminho, uma portinhola aparecera. Acima dela havia uma plaquinha na qual se lia G. GNOMO.

Ella deixou a raiva de lado e bateu na portinha, que abriu um segundo depois para revelar um minúsculo homenzinho barbudo, usando um gorrinho pontudo.

— Ella! — exclamou alegremente o gnomo. — Como é bom vê-la! Adoro visitas!

— É muito bom vê-lo também... — Ella se deu conta de que não lembrava o nome do gnomo. — Amigo.

— Ah, Ella — disse Rosa Silvestre com uma delicadeza fingida. — Por que não me apresenta a seu amigo?

— Adoro apresentações! — alardeou o gnomo.

Ella olhou feio para Rosa Silvestre e, em seguida, sorriu para o gnomo.

— Hum, Rosa Silvestre, este é... G... Gente, é tão bom revê-lo, amigo! Quem se importa com essas formalidades, não é mesmo?

— Claro, tudo bem! — o gnomo deu uma risadinha. — Quer dizer, eu adoro formalidades... mas tudo bem! Adoro ser mais descontraído também!

— Ótimo! — gritou Ella, tentando demonstrar o mesmo nível de entusiasmo do gnomo. (Não que todos os gnomos fossem alegres e agradáveis como esse — por exemplo, Ted, o gnomo que costumava ter enxaquecas —, mas em geral eles aproveitavam qualquer oportunidade para serem úteis.)

— Muito bem, amigo — disse Ella. — Lembra quando você disse que eu poderia te procurar se precisasse de um favor?

— Claro! O que aconteceu? Adoro fazer favores para as pessoas!

— Bem, um tesouro valioso e importante nos foi roubado — disse Ella. — E, para recuperá-lo, precisamos da ajuda de alguém que caiba em um túnel muito pequeno e apertado.

— Cara, você procurou o gnomo certo! Adoro túneis! Vou preparar um lanchinho e então podemos partir para a caça ao tesouro! Adoro tesouros! — Mas, antes que o gnomo entrasse de volta em sua casinha de pedra, ele parou e olhou novamente para Ella, ficando de repente muito sério. — Não vai ter monstros lá, vai? Eu *não* adoro monstros.

— Monstros? — repetiu Ella. — Não, não deve ter não.

— Fantástico! — O gnomo entrou na casa.

— Uau — disse maliciosamente Rosa Silvestre. — Pelo que me lembro, o túnel para o qual vamos mandar essa criaturinha é conhecido como Buraco da Cobra.

— Cobras não são monstros; são animais.

— Mesmo as gigantes?

— Muitas cobras são naturalmente grandes.

Rosa Silvestre sorriu.

— Acho que subestimei você.

O gnomo reapareceu com uma cestinha de piquenique.

— Tudo certo! — disse ele. — Podemos partir para a nossa aventura sem monstros!

Frederico, Duncan e Branca de Neve foram os primeiros a chegar ao ponto de encontro do grupo: uma torre desocupada entulhada de bandolins sem cordas e com um estranho cheiro de bacon rançoso. Assim que o sol se pôs, Duncan acendeu uma fogueira, sem querer. Mas, ao ver o arbusto em chamas, ele se deu conta de que poderia usá-lo para assar as minissalsichas que Branca de Neve trouxera.

Fig. 16
Assando salsichas

— Então a Bela Adormecida vai dominar o mundo a menos que encontremos essa tal espada, é isso? — perguntou Branca de Neve. Ela colocou uma salsicha em um espetinho e o passou rapidamente sobre as chamas, como se estivesse tentando matar um inseto com aquilo.

— Foi o que Liam disse — respondeu Frederico. — Eu com certeza espero que ele esteja certo, ou estamos fazendo tudo isso por nada. Ou... Não, espero que ele esteja errado, porque isso significaria que não temos com o que nos preocupar. Exceto pelo fato de que ainda assim estaremos arriscando nossa vida. Ah, não sei o que pensar.

— O importante é que interrompemos o casamento — disse Duncan.

— Isso foi há quatro dias — disse Frederico. — O importante *agora* é descobrirmos o segredo da espada de Eríntia. A sigla pgjd não lhe diz nada, diz?

— É o meu sanduíche favorito! — disse Branca de Neve. — Pimenta, goiaba, jabuticaba e damasco.

— Você mistura pimenta com as frutas? — perguntou Frederico.

— Preciso fazer isso — respondeu Branca de Neve. — Odeio o sabor da goiaba.

— Bem, não creio que seja isso, mas... — Frederico se deteve quando ouviu um farfalhar nos arbustos. — Shh! Rosa Silvestre está chegando.

— Nossa, ela não parece tão terrível — disse Branca de Neve enquanto se levantava para ver os recém-chegados.

— Hum, aquela é Ella — corrigiu Frederico, abaixando a cabeça.

Rosa Silvestre saiu de trás de Ella, dando bronca.

— E quem é essa? — perguntou rispidamente.

— Esta é Branca de Neve! — anunciou Duncan. E ofereceu um espetinho para Rosa Silvestre: — Aceita salsicha?

— Por que ela está aqui? — perguntou a princesa.

— Estou ensinando uma lição a Duncan — respondeu Branca de Neve, e virou-se para continuar abanando sua salsicha nas chamas.

Ella se aproximou e sussurrou ao ouvido de Frederico:

— E os anões?

Frederico balançou a cabeça.

— Isso não é nada bom — comentou Ella. — Mas pelo menos conseguimos o gnomo. — O gnomo, que estava pendurado nas costas de Ella, desceu com um pulo e acenou.

— Olá, estranhos! — ele saudou. — Isto já está sendo tão maravilhoso! Adoro fogueira!

— Ella? Frederico? — gritou Liam ao sair por entre as árvores com Gustavo e o sr. Troll. O troll arrotou, soltando uma pequena nuvem de penugens de dente-de-leão.

— Monstro! — gritou o gnomo. Ele saiu correndo numa velocidade maior do que suas perninhas eram capazes de aguentar, abrindo caminho por entre a vegetação rasteira e deixando para trás um rastro de folhas soltas.

— Espere! — gritou Ella. — Volte... *você aí*! — Mas os gritos agudos do gnomo já ecoavam longe, floresta afora.

— O que foi aquilo? — perguntou Liam.

— Aquela era a nossa forma de entrar no Buraco da Cobra — respondeu Ella.

— Ele foi embora? — perguntou o sr. Troll. — Que pena. Troll adora gnomos.

Era lua nova e estava escuro demais para viajar, por isso a maioria concordou que era melhor dormirem ali mesmo. Rosa Silvestre descansava confortavelmente em meio a uma dúzia de travesseiros na barraca azul-celeste que ela fez Liam montar. Duncan e Branca de Neve estavam encolhidinhos debaixo de um cobertor, enquanto Frederico estava enrolado em outro sozinho — morrendo de inveja da barraca de Rosa Silvestre —, e Gustavo se esparramou na terra. O sr. Troll, acomodado sobre uma pilha de espinhos, roncava próximo dali. Liam, no entanto, andava em volta da fogueira quase apagada, torcendo a ponta da capa.

— Não consegue dormir? — perguntou Ella enquanto varria as cinzas soltas com uma vassourinha que acabara de improvisar com galhos e folhas. — Eu também não. Estou muito agitada. Eu queria que a gente pudesse fazer isso amanhã.

— Não estou com pressa — respondeu ele. — A hora certa vai chegar. O circo estará no castelo de Rauber em cinco dias. Como vamos encontrar substitutos para os aliados que não conseguimos recrutar hoje?

Frederico jogou o cobertor para o lado e se aproximou dos dois.

— Além disso, precisamos descobrir por que Vocês-Sabem-Quem quer vocês-sabem-o-quê.

— Shh! — alertou Liam. — Ela pode estar acordada.

— Desculpe, desculpe — sussurrou Frederico. — Mas devíamos tentar solucionar esse mistério, certo?

— Saber o que faz a espada não vai importar muito se não conseguirmos pegá-la — disse Liam. — Portanto, preencher as lacunas em nosso plano deve ser a prioridade agora.

— Na verdade — disse Frederico, sentando-se sobre um tronco de árvore —, estive pensando em outra pessoa que podemos incluir em nosso time.

— Para a parte do túnel ou para o Buraco da Cobra? — perguntou Liam.

— Bem, nenhuma das duas coisas, mas...

— Então não, Frederico — interrompeu Liam. — Este plano já está complicado demais do jeito que está; não podemos sair adicionando novos elementos.

— Você não quer nem ouvir de quem estou falando?

— A menos que seja um ligeiro escavador ou um explorador de cavernas muito magro, não me interessa.

— Liam, você não está sendo... *Ahhh!*

Frederico soltou um grito e pulou nos braços de Ella, sem avisar, quando uma pessoa despencou dos galhos da árvore sob a qual ele estava.

— Droga! — resmungou a pessoa no chão.

— Lila? — indagou Liam, surpreso. — De onde você veio?

— Da *árvore* — ela respondeu. — Pensei que fosse óbvio. — Ela se levantou, torcendo o nariz e segurando o cotovelo. — Eu esperava fazer uma entrada mais suave.

— Há quanto tempo você vem seguindo a gente? — perguntou Liam severamente.

— Desde Avondell — respondeu sua irmã. — Nem cheguei a voltar para Eríntia.

— O quê? — Liam ficou furioso. — Por que é que você faria tal coisa?

— Estou fora de casa já faz meia semana. Por acaso papai e mamãe mandaram alguém atrás de mim? Não. Creio que esta é a *justificativa* de que você precisa — disse Lila. — Deixe-me ir nessa missão com você. Não tenho nada para fazer em casa. Quero ser útil.

Liam soltou uma risada incrédula.

— Não acredito nisso.

— Sou muito boa no que faço — disse Lila.

— *E o que você faz?* — bocejou Liam. — Você é uma criança! *O que você faz* é brincar de amarelinha e as lições de matemática. Estamos falando de uma missão secreta para abrir o cofre do rei Bandido. E isso não é brincadeira de criança.

— Hum, o malvado em questão não tem dez anos?

— Acredito que, de acordo com as informações obtidas, ele esteja com onze anos atualmente — disse Liam.

— Então! Sou mais velha que ele — disse Lila. — Por favor. Eu posso fazer isso. — Ela apertou as mãos do irmão. — Você não pode me mandar de volta para casa para uma vida de pinçar sobrancelhas, usar vestidos impossivelmente justos e sem poder falar até que se dirijam a mim. Se eu acabar presa na masmorra do rei Bandido, já será um grande avanço... pode acreditar. — Liam estava furioso. — Além do mais, eu consigo entrar no Buraco da Cobra.

Liam ficou paralisado com a boca aberta e um dedo em riste.

— Ela tem razão, você sabe disso — disse Ella, contemplando Lila.

— Ficarei de olho nela. Prometo.

— Ela é a minha irmãzinha — disse Liam. — Como posso concordar com isso?

— Olhe — disse Lila. — Se eu conseguir impressioná-lo agora mesmo, você me deixa entrar para o grupo?

— Vai precisar de *muito* — disse Liam.

— Ei, Rúfio! — chamou Lila. — Já o vi faz tempo. Por que não sai do esconderijo e se mostra?

Liam, Ella e Frederico olharam boquiabertos para Rúfio, o Soturno, saindo de trás de uma árvore rumo à luz da fogueira. Ele sorriu para Lila sob a sombra de seu capuz.

— Só para deixar registrado — resmungou o caçador de recompensas —, eu também tinha visto você.

— Bem-vinda ao time, irmãzinha — disse Liam. Então, enquanto Lila fazia sua dancinha ao redor de Ella, ele se virou para dar uma bronca em Rúfio. — E você! Não gostei nada de estar sendo espionado! Temos cooperado com Rosa Silvestre e esperamos ser tratados de acordo.

— Estou viajando como guarda-costas de Rosa Silvestre, nada mais — disse Rúfio, mal dando ouvidos ao que Liam dizia. Sua atenção estava voltada para algumas árvores próximas. — Eu me escondi porque a princesa pediu que eu ficasse fora de vista. Ela acha meu cavanhaque feio.

— Ah, tenho certeza de que é só isso mesmo — disse Liam, cerrando os dentes. — Apesar de acreditar na parte do cavanhaque. — Ele virou e berrou na direção da barraca de Rosa Silvestre. — Bem, quando a "Bela Adormecida" acordar, diga a ela que meu pessoal e eu precisamos de um pouco de privacidade, ou este acordo não vai funcionar.

Mas Rúfio já havia desaparecido.

— Ei, fale baixo — ralhou Gustavo de seu lugar ao chão, abrindo um olho para encarar o grupo próximo à fogueira. — Ah, oi, garota.

— Vou descer pelo Buraco da Cobra — disse Lila, orgulhosa.

— Maravilha — respondeu Gustavo e, no instante seguinte, já estava roncando novamente.

O TIME

1. Liam ✓
2. Frederico ✓
3. Gustavo ✓
4. Duncan ✓
5. Ella ✓
6. ~~Anões~~ ? (para cavar)
7. Troll (para distração) ✓
8. ~~Gnomo~~ Lila (para entrar no buraco) ✓
9. Cúmplice (?)
10. Branca de Neve (para ?) ✓

★ 11 ★

O HERÓI SE IRRITA COM DOIS PESOS E DUAS MEDIDAS

> *Às vezes um herói pode ser encontrado nos lugares mais inesperados. Nesse caso, você deve lhe dizer o seguinte: "Saia da minha cozinha, bobinho! Não tem nenhum monstro para caçar, não?"*
> — O GUIA DO HERÓI PARA SE TORNAR UM HERÓI

Na manhã seguinte, enquanto Rosa Silvestre passava sua miríade de cremes faciais diários, e Rúfio, relutantemente, saía à procura de água de nascente para ela, Liam aproveitou a oportunidade para uma reunião privada com seu pessoal.

— Está na hora de voltar a Avondell — disse ele. — Temos quatro dias. Vocês precisam descobrir o significado de PGJD. Façam o que for preciso para conseguir as respostas, mas sejam discretos.

— Por que você está falando como se não fosse estar lá? — perguntou Frederico.

— Porque encontrarei vocês em Avondell dentro de dois dias. Neste exato momento, estou de partida para Flargstagg — respondeu ele. — Preciso ir à Perdigueiro Rombudo para encontrar nosso cúmplice. E quero que Ella venha comigo, por medida de segurança.

— *Adoro* aquele lugar — sussurrou Ella, animadíssima.

Os olhos de Frederico cintilaram de raiva.

— Espere — disse ele. — Eu também vou. Se vocês vão escolher o homem que terá minha vida nas mãos, acho que eu deveria estar junto.

— Frederico, conto com você para liderar a investigação em Avondell — disse Liam.

Frederico hesitou. Liam parecera sincero. Mas ele não estava certo disso.

— Não, sinto muito — disse ele. — Preciso ficar entre você e Ella... *com* você e Ella. Além do mais, posso ajudar a pensar em novas ideias sobre como passaremos pela imensa muralha do Rauber.

— Não se preocupe — disse Gustavo. — Cuidarei de tudo no Palácio Dourado. Vocês ainda não viram minhas habilidades de detetive. Se a srta. Afetadinha estiver escondendo alguma coisa, vou arrancar dela.

Provavelmente não havia nada que Gustavo pudesse ter dito que preocuparia Liam mais do que isso.

— Você entende que precisamos lidar com essa situação de maneira discreta, certo? — perguntou Liam. — Não podemos permitir que Rosa Silvestre descubra que estamos a par do plano dela.

— Sei o que significa *de maneira discreta* — disse Gustavo.

— Não se preocupe, Liam — acrescentou Duncan. — Corro muito mais risco de entregar nossos segredos que Gustavo. Rubi! — ele apontou para um beija-flor que passou por ali.

Liam passou a capa sobre a cabeça e se afastou.

◆●▶

A Perdigueiro Rombudo estava, em quase todos os aspectos, exatamente como Frederico se lembrava dela. Apesar da placa AQUI NASCEU A

LIGA DOS PRÍNCIPES pendurada sobre o bar e da mesa de canto isolada por cordas com o aviso de "Aqui a Liga foi oficialmente fundada", a taverna ainda o fazia se sentir desconfortavelmente deslocado. Talvez por causa dos diversos troféus feitos com partes de animais (chifres de rena, presas de javali, asas de hipogrifo e coisas do tipo) que entulhavam todas as paredes. Talvez fossem as longas e às vezes escurecidas fendas que marcavam todo o lugar, sem dúvida resultantes da mira errada de uma espada e da lâmina de um machado. Ou talvez fosse a clientela da Perdigueiro Rombudo: piratas sujos e sem modos, assassinos e ladrões que, apesar de fãs da Liga dos Príncipes, não deixavam de ser piratas sujos e sem modos, assassinos e ladrões. Aliás, diversos fregueses estavam roubando uns aos outros quando Frederico, Liam e Ella entraram no lugar.

— Vejam só, podem me afogar em óleo de porco-espinho — gritou o garçom de nariz torto e barba por fazer assim que os viu. — Se não são dois dos nossos Príncipes Encantados que voltaram para uma visita! Ah, e a srta. Cinderela também!

Os criminosos da taverna pararam de roubar, jogar e trocar socos só para ver as celebridades.

— Bom dia, sr. Ripsnard — disse Frederico com um aceno educado.

— Oh, ele lembra meu nome — o garçom soltou uma risada nervosa. — Estou muito honrado, de verdade. Deixe-me preparar a Mesa da Fundação para vocês. — Ele os acomodou e deu uma limpada na mesa com um trapo sujo. Ella resistiu à vontade de pegar o trapo da mão dele e limpar aquilo ela mesma.

— Vocês aceitam uns petiscos, amigos? — perguntou Ripsnard. — Espetinho de cobra? Nuggets de vermes? Talvez uma tigela de cozido de carne?

— Que tipo de carne? — perguntou Ella.

— Carne animal — respondeu o garçom. — Pelo menos, tenho quase certeza de que é animal.

— Acho que apenas água — disse Frederico.

— Já volto!

Ella olhou ao redor para os diversos itens expostos em homenagem à Liga: o paletó sujo de lama de Frederico, o que restara da capa chamuscada de Liam, um guardanapo onde Duncan fizera seu autorretrato montado em um golfinho.

— Caramba — disse ela. — Eles gostam mesmo de vocês. Está ainda mais abarrotado de coisas que da última vez em que estivemos aqui.

— Sim — concordou Frederico. — Apesar de achar que eles exageram um pouco com essa coisa de *memorabilia*. Tenho certeza de que o "cabelo verdadeiro de Gustavo" que está logo ali na verdade não passa de espaguete.

Ripsnard voltou e soltou três canecas encardidas sobre a mesa, todas cheias até a borda de um líquido fétido marrom-esverdeado.

— Desculpe — disse Frederico. — Mas só pedimos água.

— Eu sei — disse Ripsnard. — Mas não temos. — E se foi.

Ella cheirou a bebida e imediatamente seus olhos começaram a lacrimejar. Ela empurrou a caneca para o lado e apontou para o cartaz de Procurado na parede atrás da mesa deles.

— Não acredito que estamos aqui e não vamos atrás do Espectro Cinzento — disse ela. — Vocês se deram conta de como as ruas estavam desertas? Os moradores de Flargstagg devem estar morrendo de medo desse cara.

Frederico analisou o retrato do misterioso criminoso, cujo rosto era ocultado por uma máscara demoníaca assustadora, com presas brancas triangulares bordadas.

— Procurado por agressão, roubo, destruição de propriedade, assassinato torpe, assassinato um pouco menos torpe e retirada ilegal de rim — leu Frederico. — Ele parece bem pior do que os bardos o retrataram em suas canções.

— Precisamos ir direto aos nossos assuntos — disse Liam. — A viagem de volta a Avondell é longa, e acho melhor partirmos antes do cair da noite. Ainda estou preocupado com a noção de Gustavo de uma investigação "discreta".

— Bem, então vamos começar — disse Ella.

— Certo, já que queremos o cúmplice mais habilidoso que conseguirmos encontrar — disse Liam —, eu acho que devemos começar perguntando por aí. Vendo quem tem a melhor reputação.

— Você acha que isso vai dar certo? — perguntou Frederico. — Duvido que essas pessoas tenham coisas boas a dizer umas sobre as outras. Acho melhor ficarmos sentados aqui, observando por um tempo, vendo se alguém se destaca de um modo particularmente confiável.

Ella se levantou, colocou-se na frente dos príncipes e anunciou em voz alta:

— Quem quiser trabalhar para a Liga dos Príncipes, entre na fila! — Assassinos e criminosos se apressaram uns por cima dos outros para entrar na fila que se formou próximo à Mesa da Fundação.

— Ou poderíamos simplesmente fazer como ela fez — disse Frederico, encabulado.

O primeiro da fila era um pirata barbado com alguns dentes faltando. Frederico e Liam se lembraram da cara dele da primeira vez em que estiveram na Perdigueiro Rombudo, quando ele tentara roubá-los. Também foi um dos poucos que encomendaram o livro de Duncan antes mesmo de ter sido publicado.

Fig. 17
Capitão Garáfalo

— Capis Garáfalo ao seu dispor — disse o pirata com uma voz rude, mas ao mesmo tempo amigável. — Seja lá qual for o trabalho de que estejam precisando, Capis Garáfalo pode fazer para vocês. No mar. Na terra. Não lido muito bem com ar, mas não está totalmente fora de questão. Será preciso voar? Se for, posso dar um jeito. Sou o tipo de pirata que rema conforme a maré.

— Capitão Garáfalo — iniciou Frederico.

— Pode me chamar de Capis — respondeu o bucaneiro.

— Capitão — disse Frederico

— Capis — repetiu o pirata.

— Capi... tão — tentou Frederico.

— Capis.

— Caaa — disse Frederico soltando o ar lentamente. — Piiii.

— Capis.

— Sinto muito — disse Frederico. — Minha boca simplesmente não funciona dessa forma.

— Capis Garáfalo — disse Liam. — Não estou certo se este trabalho é adequado para você. Mas, se precisarmos de um navio veloz, com certeza entraremos em contato.

— Afirmativo — disse o capitão. — Façam isso. Se precisarem fazer uma viagem pelo mar, sabem onde me encontrar. Eu e meu... *navio veloz*. — Ele se despediu com um aceno gracioso e saiu resmungando.

— Lembrete: Arrumar um navio.

Um bárbaro com a barriga de fora avançou para ocupar o lugar do capitão. Sua pança pesada, que dobrava por cima do grosso cinto de couro, era mais peluda que sua careca. Ele cruzou os braços roliços, ergueu uma sobrancelha e urrou:

— Vocês estão precisando dar umas marretadas em alguém? Porque essa é a minha especialidade. Qualquer coisa ou pessoa que estiver precisando levar umas marretadas, eu marreto.

Liam estava prestes a despachá-lo com um "Não, obrigado" quando Ella interveio.

— Onde está sua marreta?

— Tenho duas — respondeu o bárbaro, erguendo os enormes punhos. — Esta e esta. É por isso que sou conhecido como Marretas.

— Sério? — perguntou Ella. — Isso é tudo que você tem? Os punhos? Nunca usa uma arma?

— Não preciso — disse Marretas.

— Ella — sussurrou Frederico. — Não queremos provocar essas pessoas.

Fig. 18
Marretas

— Ele tem razão — concordou Liam.

Ella os ignorou. Nunca estivera na presença de tipos duvidosos como os frequentadores da Perdigueiro Rombudo. E, sempre que algo despertava sua curiosidade, ela queria saber mais a respeito.

— Mostre-me como você usa essas coisas — disse ao bárbaro.

O homem se virou e, sem avisar, desceu o punho cerrado sobre a cabeça de um ladrão que estava atrás dele na fila. O ladrão soltou um barulho gutural, como se um porco-espinho estivesse enroscado em sua garganta, e desmoronou no chão.

Frederico se encolheu.

— Uau! — exclamou Ella. — A demonstração foi um pouco mais ilustrativa do que eu esperava. Mas impressionou. — Ela se aproximou de Liam. — Tem certeza de que não podemos usá-lo para alguma coisa? Se Rosa Silvestre ficar muito...

— Quem sabe da próxima vez, sr. Marretas — disse Frederico.

O bárbaro saiu com suas passadas pesadas, e um alto e monstruosamente feio assassino meio ogro pulou o ladrão inconsciente para se aproximar da mesa.

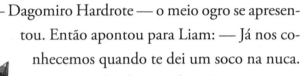

Fig. 19
Dagomiro Hardrote

— Dagomiro Hardrote — o meio ogro se apresentou. Então apontou para Liam: — Já nos conhecemos quando te dei um soco na nuca.

— Eu lembro — disse Liam categoricamente. — Quais são suas habilidades, Hardrote?

— Habilidades? — indagou o meio ogro, torcendo a boca em desaprovação. — Ninguém disse que precisava ter habilidades. — E saiu andando desanimado.

— Isso vai levar um tempo, não acham? — perguntou Frederico.

— Não vai, não — disse Ella. Então bateu a mão espalmada sobre a mesa, fazendo com que algumas gotas do líquido gosmento que não era água respingassem de todas as canecas. — Não vamos perder nosso tempo entrevistando todos vocês! — gritou para a multidão (e Liam e Frederico afundaram nos assentos). — Vamos limitar isso: O último homem que restar de pé vem falar conosco!

Demorou três segundos para que a taverna toda caísse na maior confusão. Ladrões, piratas e assassinos se empurravam. Um ladrão robusto caiu sobre uma mesa, espalhando cacos de vidro e restos de petiscos para todos os lados, enquanto Marretas achatava uma dupla de assassinos gêmeos. Um enorme caçador de recompensas ergueu um batedor de carteiras magricela e atirou-o contra uma estante de Objetos Encontrados no Sapato do Príncipe Encantado. Capis Garáfalo bateu com um linguado na cara de um assaltante.

— Gustavo vai ficar triste por ter perdido isso — disse Ella.

— No que você estava pensando? — questionou Liam enquanto desviava de uma caveira de crocodilo voadora.

— Que vocês dois nunca iriam acabar logo com isso — respondeu Ella, e empurrou para longe um bucaneiro zonzo que cambaleou para cima dela. — Nosso tempo é curto, certo?

— Espere! Vejam o que está acontecendo! — Frederico chamou os dois (ele estava embaixo da mesa). — Acabou de entrar alguém.

O recém-chegado era um homem pequeno de óculos e impecavelmente vestido de calça e colete. A porta da frente da Perdigueiro Rombudo mal se fechara e o homem acima de qualquer suspeita já havia sido engolido pela confusão, sendo jogado de um lado para outro. *Aquele cara vai morrer*, pensou Liam.

Mas, em poucos segundos, o estranho de óculos começou a se defender — usando apenas agulha e linha. Ele pulou como um acrobata, enrolando rapidamente a linha ao redor de seus agressores para juntá-los e amarrá-los uns aos outros (e ainda deu umas agulhadas em alguns deles). Um a um, os briguentos começaram a cair, com as mãos e os pés amarrados. No fim, restavam de pé apenas o estranho e Marretas. O homenzinho juntou os dois enormes punhos do bárbaro com uma laçada e puxou o longo fio, fazendo Marretas dar um soco na própria cara. A briga chegara ao fim.

— É isso que um sujeito tem de fazer para conseguir uma bebida por aqui? — perguntou o estranho, limpando os óculos retangulares na barra da camisa. Liam se levantou e conduziu o homem até a mesa da Liga, enquanto Ripsnard trazia uma tesoura para soltar os fregueses.

— Aquilo foi incrível — disse Liam.

— Obrigado — respondeu o estranho, pregando um botão solto de seu colete enquanto falava. — Obrigado a *todos* vocês — acrescentou, piscando para Ella. Então, ele puxou as três canecas intocadas sobre a mesa e as esvaziou ruidosamente, uma a uma. Depois que terminou, bateu a última sobre a mesa e abriu um sorrisinho. — Não consigo acreditar que estou sentado aqui com a Liga dos Príncipes.

— Bem, você mereceu — disse Ella. — O que fez foi formidável.

Ele baixou os óculos até a ponta do nariz e bateu as pestanas.

— Muito obrigado, srta. Cinderela. Meu nome é Alfaiade. Sou um alfaiate. O povo da cidade me chama de Alfaiade, o Pequeno, para não me confundirem com o Alfaiade, o Médio. Ele também é alfaiate.

— Também tem um Alfaiade, o Grande? — perguntou Ella.

— Não.

— O prazer é todo nosso, sr. Alfaiade — disse Frederico. — Mas espero que compreenda que, antes de contratá-lo oficialmente, teremos de lhe fazer algumas perguntas.

— Deixa que eu cuido disso, Frederico — disse Liam, aproximando um pouco mais sua cadeira da de Alfaiade. — O que precisamos para esta missão é de...

Alfaiade ergueu as mãos em protesto.

— Espere aí, Príncipe Encantado. Não quero parecer ingrato, mas não estou sabendo nada sobre nenhum concurso ou seleção, ou seja lá o que estiver acontecendo aqui. Eu só estava com sede. — Ele inclinou a cabeça para trás, pegou uma das canecas e virou-a para que as últimas gotas do líquido pingassem dentro de sua boca.

— Então você não está interessado no trabalho? — perguntou Liam.

— A menos que o trabalho seja fazer a bainha de sua capa — disse ele. — Sou um alfaiate, não um aventureiro.

— Mas aquela coisa impressionante que fez... Você... arrematou a batalha! — disse Ella.

— O que eu posso dizer? — gracejou Alfaiade, passando os dedos por entre os cabelos lisos e pretos. — Levo jeito com agulha e linha. É por isso que sou *alfaiate*.

— Bem, desculpe por tê-lo incomodado — disse Frederico.

Liam bufou.

— Acho que voltamos à estaca zero — disse para Ella. — É uma pena. As habilidades de Alfaiade viriam a calhar contra Rauber e seus homens.

Alfaiade estava prestes a se levantar, mas se deteve.

— Deeb Rauber? O rei Bandido? Essa missão de vocês tem algo a ver com ele?

— Sim, estamos planejando arrombar o cofre dele — disse Liam.

— O rei Bandido arruinou a minha vida — disse Alfaiade. Ele estreitou os olhos, e seu rosto ficou vermelho. — Eu era o alfaiate mais procurado da cidade até Rauber roubar tudo o que eu tinha. Perdi minha loja, minha casa, minhas economias. Agora vivo com uma única finalidade: me vingar de Deeb Rauber. Quero fazer parte dessa missão.

— Mas pensei que você fosse apenas um alfaiate — disse Frederico.

— Tudo bem, eu não fui totalmente honesto com vocês — disse Alfaiade. Ele começou a enrolar um pedacinho de linha entre os dedos. — Depois que Rauber destruiu minha vida, aprendi sozinho Fio-Chi, uma técnica de combate milenar desenvolvida pelos costureiros-guerreiros de Kom-Pai. Tenho usado minhas habilidades para derrubar os bandidos de Rauber sempre que me deparo com um. Ontem derrubei sete com um único golpe.

— Você é um tipo de justiceiro? — perguntou Liam.

— Prefiro me definir como um combatente livre — respondeu. — E você está certo; meus talentos *virão* a calhar.

— Mas queremos entrar no castelo de Rauber por intermédio de um cúmplice que vai nos entregar como prisioneiros — disse Frederico.

— Se Rauber o reconhecer como uma de suas vítimas, nunca vai acreditar que você está do lado dele.

— E se ele não vir o meu rosto? — indagou Alfaiade com um sorriso malvado. — Vocês viram os cartazes de Procurado espalhados por toda a cidade?

— Sim, do Espectro Cinzento — disse Liam. — Até em Harmonia ouvimos falar da onda de crimes que aquele maluco vem espalhando. Planejávamos acabar com isso também, mas acabamos nos... desviando.

Fig. 20
Cartaz de Procurado

— Não estou surpreso. Aquele assassino maluco já causou mais estragos em Flargstagg nos últimos meses do que o rei Bandido conseguiu causar durante toda sua vida — disse Alfaiade. — Mas a questão é que o Espectro sempre usa máscara. Ninguém jamais viu seu rosto. Eu poderia fazer uma igual. Rauber pode não querer receber Alfaiade, o Pequeno, mas aposto que abrirá suas portas para o famigerado Espectro Cinzento.

Liam trocou um vigoroso aperto de mão com Alfaiade.

— Seja bem-vindo, Alfaiade. Ou eu deveria dizer... Espectro Cinzento.

◂ • ▸

Do lado de fora da Perdigueiro Rombudo, Liam soltava os cavalos, enquanto Alfaiade se apressava para buscar suas coisas.

— Então você ficou satisfeito com o pequeno Alfaiade? — perguntou Frederico. — Acha mesmo que ele foi uma boa escolha para ser nosso cúmplice?

Liam concordou com a cabeça enquanto esfregava os flancos de seu cavalo preto, Trovão.

— Não posso dizer que sou um grande entusiasta do modo como ele... lida com os outros — disse. — Mas, sim, acho que ele vai servir direitinho aos nossos propósitos.

— Talvez — disse Frederico. — Ainda assim, acho melhor revelarmos apenas as partes do plano que ele realmente precisar saber.

— Está tudo sob controle, Frederico — disse Liam, cheio de si. — Finalmente consegui colocar tudo no lugar, portanto você pode parar de se preocupar com os detalhes.

— Bem, ainda não sabemos como vamos passar pela Muralha Sigilosa — Frederico o lembrou. — Essa é uma bela e grande parte da equação.

— É mais do que evidente que não conseguiremos passar pela muralha de outro modo senão pelos portões principais — disse Liam. — Vai ser assim que nós dois vamos entrar. E os outros também. Eles entrarão com o pessoal do circo, escondidos em caixotes ou coisas do tipo, e depois subirão para o telhado.

— Mas é muito arriscado — argumentou Frederico. — Pelo menos no plano original ninguém ia ter de ficar perambulando pelo castelo, correndo o risco de topar com os caras do mal.

— Sim, mas o plano original contava com um túnel — disse Liam sem delongas. — E não temos ninguém para cavar o túnel, graças a *alguém* que não fez seu trabalho direito.

— Ei, não é justo.

— Era para você ter falado, Frederico... convencido — disse Liam. — A única coisa que lhe pedi para fazer até agora foi convencer os anões a nos ajudar. E você falhou. Se não consegue ter êxito nem mesmo em sua suposta "área de especialidade", será que daria ao menos para parar de tentar invadir a minha?

— Ei, estamos todos do mesmo lado, rapazes — alertou Ella. Mas os dois príncipes a ignoraram.

— Liam, seu plano tem brechas grandes o bastante para um gigante passar por elas — disse Frederico.

— Se tiver ideias melhores, pode dizer!

— Como se você prestasse atenção em qualquer coisa que eu digo — retrucou Frederico, tremendo de raiva. — Há dias venho tentando dar sugestões, mas você me corta cada vez que abro a boca. Você está disposto a ouvir as ideias malucas de todo mundo, menos as minhas. E eu sei por quê. Porque você está com ciúme.

— Eu? Com ciúme de você? — vociferou Liam em resposta. — Eu lhe ensinei tudo o que você sabe. Você ainda estaria coberto de lama embaixo de um espinheiro, em Sylvaria, se eu não tivesse aparecido e lhe mostrado o que é ter coragem. Se tem um herói dentro de você, foi porque eu o coloquei aí!

Frederico o encarou com os olhos marejados antes de choramingar:

— Com licença. Tenho que cuidar de algumas coisas.

Ele puxou sua égua pelas rédeas e saiu andando pelas ruas de paralelepípedo com esgoto correndo a céu aberto.

— Liam! — exclamou Ella, chocada. — O que foi que deu em você?

— O que deu em *mim*? — perguntou ele. — Frederico vive tentando me sabotar. Por que ele simplesmente não me deixa cuidar de tudo?

— Olhe para trás e pense em tudo que fez, Liam — disse Ella, irritada. — Frederico não entrou no seu caminho mais do que Duncan, Gustavo ou eu. Ele estava certo, você *o* trata diferente. E é por minha causa, não é?

— Não é, não — respondeu Liam rapidamente. — É que... que...

Eles foram surpreendidos pelo som repentino de um tropel de cavalo.

— Frederico? — Ella pensou em voz alta.

Os dois olharam para a esquina e viram Frederico indo embora em disparada.

— Frederico, espere! — gritou Liam.

— Não seria melhor pegarmos nosso cavalo? — perguntou Ella.

— Até fazermos isso, ele já vai estar longe — disse Liam. — Nunca conseguiremos encontrá-lo nesse labirinto de ruelas estreitas.

— Ele deixou um bilhete — comentou Ella, pegando o cartaz dobrado do Espectro Cinzento sobre o toco onde o cavalo de Frederico estivera amarrado. Ela sorriu enquanto lia.

— O que está escrito? — perguntou Liam. Ela estendeu-lhe o bilhete.

Liam,

Você se considera melhor do que eu. E, na maioria das vezes, é mesmo, eu admito. Mas, neste caso, você está equivocado. Por isso, vou fazer as coisas do meu jeito. Voltarei para Avondell antes do solstício e mostrarei por que você deveria ter confiado em mim desde o princípio.

Sinceramente,
Frederico

P.S. Peço desculpas pela ausência de uma saudação correta no início desta carta. Eu estava um tanto enfurecido quando comecei a escrever, mas isso não serve como desculpa para o formato inadequado. Nem marquei parágrafo – de tão bravo que eu estava.

— Grrr! Ele está fazendo exatamente o que eu disse para ele não fazer — falou Liam, furioso novamente. — E agora? Devemos colocar nossa missão de lado para ir atrás dele? Ele está determinado a me expor diante de todos.

— Odeio dizer isso, Liam — disse Ella —, mas você abusou da paciência dele.

— Isso, fique do lado dele — falou Liam. — Ele é seu namorado mesmo. — O príncipe empurrou o bilhete de volta na mão de Ella e foi atrás de seu cavalo.

— Qual o problema de Liam? — perguntou Alfaiade, que acabava de voltar com seus pertences.

— Fique com isso — disse Ella, passando o cartaz de Procurado para ele. — Use como modelo para fazer uma máscara igual à do Espectro Cinzento.

— Humm... — disse Alfaiade com um sorrisinho. — Esperta e corajosa, hein? Combinação rara em uma mulher.

Ella lhe deu um soco no estômago e foi apanhar seu cavalo.

Liam, Ella e Alfaiade estavam tão distraídos quando deixaram Flargstagg que nem ao menos perceberam que uma figura sombria os observava do alto do telhado da Perdigueiro Rombudo.

O TIME

1. Liam ✓
2. ~~Frederico~~
3. Gustavo ✓
4. Duncan ✓
5. Ella ✓
6. ~~Anões~~
7. Troll (para distração) ✓
8. ~~Gnomo~~ Lila ✓
9. Alfaiade, o Pequeno (cúmplice) ✓
10. Branca de Neve ✓

← 12 →

O HERÓI NÃO TEM SENSO DE DIREÇÃO

Um herói responsável não se entrega ao destino. Nunca se sabe quando você poderá ter de encarar uma decisão difícil, por isso tenha sempre à mão uma moeda para lançar para cima.
— O GUIA DO HERÓI PARA SE TORNAR UM HERÓI

Bem cedo naquela manhã, a outra metade do grupo desmontou acampamento e partiu para Avondell. Mas eles só tinham avançando alguns metros quando Lila alertou:

— Ei! Gustavo! Estamos na direção errada!

Gustavo puxou as rédeas do cavalo e resmungou irritado. Então se aproximou de Lila, que conduzia a carroça de Branca de Neve.

— Você está tirando uma com a minha cara, garota — disse ele. — Posso não saber diferenciar um garfo de salada de um garfo de sopa, mas sei bem para que lado fica o oeste.

— Shhh! — Lila apontou na direção da carroceria, dentro da qual estava Rosa Silvestre, espremida entre as vinte e uma cestas cheias de "necessidades básicas de viagem" de Branca de Neve. Ela fez sinal para Duncan (montado em Papavia Jr.) e para Branca de Neve (ao lado dela, no banco da frente) se aproximarem.

— Só disse aquilo por causa de Rosa Silvestre — sussurrou Lila. — Não quero que ela desconfie quando dermos meia-volta com a carroça.

— Vamos dar meia-volta? Mas por quê? — perguntou Gustavo.

— Lembra, mais cedo, quando Rosa Silvestre pediu licença para ir à floresta "cuidar de alguns assuntos particulares"? Imaginei que ela estivesse mentindo e a segui.

— Você é ousada, garota — afirmou Gustavo. — E se ela tivesse dito a verdade?

— De qualquer forma — Lila prosseguiu —, eu a vi tendo uma conversinha secreta com Rúfio. Não consegui ouvir o que estavam dizendo, mas, quando terminaram, Rúfio seguiu na mesma direção que Liam e os outros.

— Ah, reconheço um mistério assim que o ouço — disse Duncan, empolgado. — Parece que Rúfio não tem boas intenções. O que faz sentido, uma vez que ele é um cara mau.

— Desculpe — disse Branca de Neve. — Mas não sei quem é esse tal de Rúfio.

— Ele é um caçador de recompensas — explicou Lila.

— Desculpe — disse Branca de Neve. — Mas não sei o que é um caçador de recompensas.

— Hum, é um sujeito que caça pessoas para ganhar uma recompensa.

— Desculpe, não sei o que é recompensa.

— Você sabe alguma coisa? — indagou Lila. — Vou escrever isso tudo para você depois. Agora precisamos dar meia-volta e seguir Rúfio.

— Não sei — hesitou Gustavo. — Tenho uma missão simples: Voltar para Avondell. Não quero estragar tudo.

— Vamos, Gustavo — encorajou Lila. — Meu irmão e os amigos de vocês podem estar em apuros. Como você vai se sentir se algo terrível lhes acontecer só porque você não estava disposto a desviar um pouquinho de seu caminho?

Gustavo massageou as têmporas.

— Isso está fazendo minha cabeça doer, assim como acontece quando eu tomo muito sorvete de oxicoco. Muito bem, vamos dar meia-volta.

Todos deram uma grande meia-volta e seguiram pelo mesmo caminho que Liam, Frederico e Ella tinham pegado.

— Será que devíamos avisar o sr. Troll sobre Rúfio? — perguntou Duncan.

Gustavo olhou para a coisa monstruosa coberta de pelos verdes que andava pesadamente atrás da carroça e se abaixava para experimentar um arbusto de meio em meio metro.

— Não, ele está bem.

Eles viajaram lentamente, com Lila apontando para galhos quebrados, grama pisada e outros rastros deixados pelo caminho. Ela aprendera isso tudo só de observar Rúfio rastreando seu irmão no verão anterior, e a ideia de agora usar seus conhecimentos contra o próprio caçador de recompensas a encheu de orgulho.

Após terem percorrido um bom trecho, a estrada seguia para o sul, e a vegetação densa e fechada deu lugar a galhos secos e folhas velhas e quebradiças. Lentamente, a estrada foi se transformando em um terreno árido e empoeirado, obstruída em alguns pontos por restos de antigos deslizamentos de terra.

— Nunca é tarde demais para voltarmos — propôs Branca de Neve.

Lila e Gustavo negaram com a cabeça e seguiram em frente.

Agora eles estavam nas montanhas, sacolejando em um terreno irregular (com Rosa Silvestre esbravejando a cada pulo enquanto tentava evitar que a pilha de cestas lotadas de Branca de Neve virasse sobre ela). Ao transporem uma passagem de pedra, eles se depararam com uma imensa planície de terra estéril. A distância, havia um pico alto e torto. E, em sua base, erguia-se uma fortaleza monstruosa, cercada por uma muralha de pedra com vinte e quatro metros e meio de altura.

— Agora fedeu tudo — resmungou Gustavo.

— Hum, Gustavo — disse Lila, parando a carroça. — Aquele é o monte Morcegasa. Estamos em Rauberia!

— Então o encapuzado está trabalhando para os bandidos — supôs Gustavo.

— Não necessariamente — disse Lila. — O rastro dele não leva ao castelo. Muda para leste, de volta para Sturmhagen.

— Flargstagg fica naquela direção — sussurrou Gustavo. — Ele só pegou um atalho para espionar os outros na Perdigueiro Rombudo!

— Talvez. Mas por quê? — questionou Lila. — Rosa Silvestre quer que Liam pegue a espada... A menos que não queira! A menos que tudo não passe de algum tipo de armadilha!

— O que está acontecendo? Por que paramos? Onde estamos? — reclamou Rosa Silvestre, enfiando a cabeça para fora para olhar ao redor. — Vocês só podem estar brincando comigo! Aqui? Vocês nos trouxeram para cá?!

— Pegamos o caminho errado, Rosa Silvestre — disse Lila rapidamente. — Não se preocupe. Vamos mudar de direção. — Ela fez uma curva aberta com a carroça e se deparou com um grupo de batedores do castelo de Rauber: três homens a cavalo, vestidos de preto e empunhando espadas. — Droga! — exclamou a menina.

— Olá! — disse Vero. — Creio que vocês estão, como dizem em meu país, *invadindo*.

— Desculpe, senhor — disse Lila. — Apenas pegamos o caminho errado. Já estamos indo embora.

— Não — disse Vero. — Creio que vocês terão de nos acompanhar até o castelo.

Gustavo avaliou a situação. Ele daria conta dos três bandidos, pensou. Principalmente se contasse com a ajuda do sr. Troll. Espere — onde estava o sr. Troll? O grandalhão peludo deve ter se perdido em algum ponto. E então ele se deu conta de que Duncan também havia desaparecido.

— Maravilha — murmurou.

— O castelo fica nesta direção — indicou Vero. — Portanto, façam a gentileza de nos acompanhar.

Rosa Silvestre enfiou a cabeça para fora mais uma vez, pronta para lançar contra os bandidos o seu "Você sabe com quem está falando?", como de costume, mas no mesmo instante pensou melhor e voltou para o seu lugar. *Se eu for vista aqui, o plano todo vai pelos ares*, pensou.

Os batedores bandidos — um careca e de pele muito branca, o outro cabeludo e com o rosto coberto de piercings — tentaram ver o que havia atrás da pilha de cestas que Rosa Silvestre mais que depressa tratou de ajeitar diante de si.

— Quem é o seu passageiro? — perguntou Vero. — Alguém muito rico, sem dúvida. O penteado dela é *smack*! — Ele fez barulho de beijo com a boca e balançou a cabeça em sinal de aprovação.

— Dunky? — chamou Branca de Neve, olhando ansiosamente ao redor. — Onde está você, Dunky?

— Sinto muito, senhorita, mas seu animalzinho terá de esperar — disse Vero. — Por favor, virem o veículo na direção oposta. Seguiremos imediatamente para o castelo.

— Outra hora, quem sabe — disse Lila.

Vero ergueu um dedo em sinal de desaprovação.

— Acho que a senhorita não me entendeu.

— Vou lhe mostrar algo que você não vai entender! — berrou Gustavo. Sem avisar, ele disparou com Dezessete para cima do cavalo de Vero, derrubando o espadachim.

— Fuja, garota! — berrou Gustavo.

Lila não precisou de segunda ordem. Ela estalou as rédeas e saiu em disparada com a carroça.

Gustavo desceu do cavalo com um salto, sacou o machado de guerra e encarou Vero.

— Eu cuido desse aqui — falou Vero aos companheiros. — Vocês dois, sigam a carroça.

Os bandidos saíram a galope atrás de Lila, Branca de Neve e Rosa Silvestre.

— Agora, meu amigo cabeludo — disse Vero —, podemos lutar, não?

◄•►

A carroça seguia em disparada pela encosta da montanha, deixando um rastro de cascalho solto e poeira. De pouco em pouco uma pedra saliente e pontiaguda se chocava com as ocupantes da carroça. Lila tentava desesperadamente firmar as rédeas, enquanto a seu lado Branca de Neve cravava as unhas no banco de madeira para não cair. Lá dentro, o penteado volumoso de Rosa Silvestre ia ficando cada vez mais amassado conforme ela batia a cabeça no teto, e bugigangas e quinquilharias escapavam das cestas de Branca de Neve.

O bandido careca emparelhou seu cavalo ao lado de Lila e sorriu. Ela hesitou quando notou que os dentes do homem tinham sido lixados para ficar como presas pontudas. Ele esticou o braço e tentou agarrar a carroça em disparada, mas Lila chutou a mão dele, se sentindo grata pela primeira vez por sua mãe tê-la obrigado a calçar sapatinhos de bico fino.

Quando o primeiro bandido se estatelou o chão, o segundo rapidamente as alcançou do outro lado, as argolas em suas sobrancelhas, nariz e lábios balançando a cada pulo de seu cavalo. Ele lançou um sorriso desdenhoso para Branca de Neve.

— Jogue alguma coisa nele — gritou Lila.

Branca de Neve avaliou suas opções por um segundo. Então, com um gritinho agudo de "Oh" (que, sinceramente, foi bem bonitinho, apesar das circunstâncias), ela se abaixou e tirou os sapatos. Então, jogou um pé e depois o outro no bandido que as perseguia. Os dois atingiram em cheio a cara dele, fazendo-o berrar furioso, mas incapazes de diminuir sua velocidade.

Branca de Neve abriu uma pequena janela que dava para o interior da carroceria.

— Preciso de mais coisas — pediu.

Rosa Silvestre deixou de lado a indignação por ter recebido ordens de uma "princesa inferior" e alcançou as cestas mais próximas. Então pegou o primeiro objeto que seus dedos alcançaram: um espanador de pó. Passou o objeto para Branca de Neve, que, pelo cabo, o atirou contra o bandido. O objeto voou como uma flecha e enroscou na argola do narigão do homem. O cavalo derrapou enquanto ele tentava afastar as penas que agora atrapalhavam sua visão.

— Mais coisas! — gritou Branca de Neve.

Rosa Silvestre foi entregando um item após outro para Branca de Neve — um novelo de lã, uma colher de pau, uma almofadinha bordada LAR DOCE LAR, um vidrinho de tinta, um saquinho de *pot-pourri*. Branca de Neve ia atirando cada item contra o bandido, e cada um deles atingia o homem com a força de uma bofetada. Por fim, ela baixou os olhos e viu que tinha nas mãos uma caneca de cerâmica torta. Ela fez uma pausa, olhando pensativa para o objeto que ela mesma fizera para presentear Duncan (ela pintara uma flauta na caneca, apesar de

Duncan ter achado que era um jacaré chamado Flausto). Mas aquele não era o momento para sentimentalismos.

Ela arremessou a caneca de jacaré/flauta e a viu se espatifar entre os olhos do bandido. O homem caiu do cavalo.

— Você viu aquilo? — perguntou Branca de Neve, voltando-se para Lila. Mas a menina estava muito ocupada tentando se livrar do bandido de dentes pontudos, que pulara de seu cavalo para a carroça em movimento.

— Cai fora, Esquisitão — grunhiu Lila ao mesmo tempo em que tentava se livrar do homem. O pé do bandido escorregou e ele tombou, não sem antes agarrar o braço de Lila. Branca de Neve uivou quando Lila desapareceu do seu lado.

◆•▶

— Esse seu machado é bem grande — disse Vero. Ele encarou Gustavo em posição de ataque e com a espada em punho. — É impressionante. Mas não é tão gracioso quanto o meu florete.

Gustavo rosnou e desferiu um golpe com seu machado que poderia derrubar três árvores grandes. Vero desviou facilmente e avançou com sua espada, cortando uma das tiras de couro que prendiam a armadura de Gustavo.

O príncipe ergueu o machado acima da cabeça, preparando-se para outro golpe. Vero dançou ao seu redor e — *poim, poim* — mais duas tiras se soltaram.

— Certamente você é capaz de fazer melhor do que isso, não? — perguntou Vero. — Você, como meu povo costuma dizer, *não é muito durão*. Certo?

Gustavo bufou de raiva e baixou o machado com força. Vero saiu de lado despreocupadamente, e o machado acabou fincado no chão rochoso.

— Este duelo não está tão divertido quanto eu tinha imaginado — disse o espadachim. — Talvez você queira recomeçar.

Enquanto Gustavo lutava para tirar o machado do chão, Vero partiu para cima dele e cortou outra tira. A armadura do príncipe tilintou ao bater no solo, deixando a parte superior de seu corpo coberta apenas por uma camiseta leve.

— Vamos detonar.

— Eu estava achando que você não era de muita conversa — disse Vero com ares de desapontamento.

Gustavo foi para cima do espadachim. Vero o derrubou e posicionou a ponta da espada contra o peito do oponente caído.

— Esse é um erro tão comum cometido pelos ricos — afirmou Vero. — Eles contratam guarda-costas fortes e musculosos como brutamontes; sem ofensa. Mas a força sozinha não vai proteger essa gente rica. Esperteza e habilidade sempre superam a força bruta.

— Ei, veja o que encontramos! Essa pedra é a cara do Frank! — Duncan surgiu de trás de um enorme seixo, rolando uma pedra de formato esquisito. O sr. Troll vinha ao lado.

A atenção de Vero voltou-se para os recém-chegados.

— Troll! — gritou ele com um olhar desafiador. — Troll! Troll! — Ele puxou uma corneta presa ao cinto para chamar reforço.

Antes que Vero pudesse soar o alarme, Gustavo deu um chute para cima com o máximo de força, acertando sua bota de aço em uma área muito sensível do corpo do bandido. O espadachim caiu encolhido no chão, e Gustavo ficou de pé com um pulo.

— É um prazer revê-lo, Peludão — Gustavo disse ao sr. Troll. — Onde você estava quando precisei de você?

— A pedra ser muito engraçada — foi a explicação do sr. Troll.

— Dezessete! — chamou Gustavo e rapidamente montou na sela de seu cavalo. — Por aqui, todos! Rápido!

Duncan, que estava começando a entender a situação, montou em Papavia Jr. e seguiu Gustavo, com sr. Troll correndo logo atrás.

◆•▶

A uns oitocentos metros dali, a carroça sem condutor de Branca de Neve seguia desgovernada.

— Assuma as rédeas! — gritou Rosa Silvestre pela janelinha.

Branca de Neve hesitou.

— É Frank quem geralmente conduz a nossa carroça! Não sei como se faz!

— Pois trate de aprender rápido — berrou Rosa Silvestre. — Só tem você aí!

Branca de Neve alcançou as rédeas e deu um puxão. Os cavalos bem treinados diminuíram a velocidade rapidamente.

— Ah! — sorriu Branca de Neve. — Nem foi tão difícil assim.

— Muito bem — disse Rosa Silvestre. — Agora vire para oeste. Pegue a primeira estrada que encontrar de volta para as montanhas, em direção a Avondell.

— Mas precisamos resgatar Lila.

— Grrr! — Rosa Silvestre grunhiu. — Aquela menina nem fazia parte do plano. Tá bom! Volte!

Branca de Neve testou as rédeas e, quando as puxou com força para uma direção, descobriu o milagre da meia-volta. Minutos depois, Branca de Neve e Rosa Silvestre já podiam ver o bandido de dentes pontudos andando pelo deserto, empurrando Lila à sua frente. Rosa Silvestre vasculhou as cestas e encontrou um dos velhos troféus de Duncan: uma estatueta de bronze de um homem empinando, coberto de pássaros, na base da qual estava escrito CAMPEÃO REGIONAL DE ALIMENTAÇÃO DE AVES NO SOLSTÍCIO DE INVERNO.

— Vá devagar e se aproxime dele o máximo que conseguir — instruiu Rosa Silvestre.

O bandido ouviu a carroça se aproximando e virou para trás furioso, com a mão no cabo da espada. Mas parou assim que percebeu que o veículo não estava tentando passar por cima dele, e sim passando por ele. Bem lentamente. Ele nunca imaginou que Rosa Silvestre surgiria de repente da traseira da carroça e bateria com o troféu de alimentador de pássaro em sua cabeça como se fosse um porrete. Mas foi o que ela fez. O bandido caiu no chão com o baque.

— Vitória! — gritou Rosa Silvestre.

Branca de Neve parou a carroça.

— Obrigada, Rosa Silvestre — disse Lila sem fôlego.

Rosa Silvestre bufou.

— Eu não poderia permitir que você arruinasse a missão, não é mesmo? Agora ande logo e suba na carroça. Precisamos sair de Rauberia *neste instante*. — E voltou para dentro.

Lila ficou inquieta, mas tratou logo de subir no banco ao lado de Branca de Neve.

Rosa Silvestre a espiou pela janelinha.

— Ah, e o oeste fica *naquela direção* — disse, apontando.

— É, eu sei — murmurou Lila, e fechou a janelinha com força.

Ela pegou as rédeas das mãos de Branca de Neve e estava prestes a partir quando avistou, ao longe, Gustavo, Duncan e o sr. Troll vindo na direção delas. Lila fez sinal de positivo para Gustavo, para que ele soubesse que estava tudo bem. Ele respondeu com um aceno de cabeça e apontando para o oeste. Em seguida, agarrou Duncan e o sr. Troll e retornou para o caminho de onde tinham vindo.

— Eles querem que a gente volte sem eles — Lila sussurrou para Branca de Neve.

— Mas para onde *eles* estão indo? — perguntou Branca de Neve.

— Vão tentar encontrar Rúfio sozinhos — disse Lila e sentiu um friozinho desagradável na barriga. Mas Rosa Silvestre sabia exatamente onde elas estavam agora; Lila não tinha outra opção a não ser levá-la para casa. Ela estalou as rédeas e seguiu para o oeste.

— Gustavo, Duncan e um troll. Isso não vai acabar bem. — Ela não sabia nem a metade.

◄•►

— Ótimo — disse Gustavo. — As garotas estão bem, e finalmente conseguimos ficar livres da srta. Afetadinha. Agora só precisamos correr para Flargstagg para pegar de surpresa aquele caçador de recompensas antes que ele pegue nossos companheiros em uma emboscada.

— Ah — o sr. Troll sorriu. — Troll finalmente vai poder usar técnicas que Homem Bravo ensinou na aula de emboscada.

— Você captou o espírito da coisa, Garras Medonhas — disse Gustavo, esporando o cavalo. — Vamos logo antes que a brigada antitroll de Rauber venha à nossa procura.

Enquanto seguiam adiante, Duncan cavalgou ao lado de Gustavo.

— É sério, Gustavo, você precisa ver esta pedra — disse ele, mostrando a pedra esquisita para o amigo. — Não é *igualzinha* ao Frank?

Gustavo deu uma olhada para a pedra e não conseguiu conter a risada.

— É sim.

◆ 13 ◆

O VILÃO ALIMENTA OS PEIXES

Um chefe militar bem-sucedido requer lealdade de seus seguidores, mas não dá sua lealdade a ninguém. Isso talvez signifique que os cartões de aniversário que você recebe de seus seguidores não foram escritos de coração, mas é um preço pequeno a pagar pelo poder supremo.
— O caminho do guerreiro para alcançar o poder: antigo manuscrito de sabedoria Dariana

— O que você quer dizer com "Havia invasores"? — Deeb ficou de pé no trono para literalmente ficar cara a cara com Vero. Então ergueu o tapa-olho desnecessário para lançar um olhar desconfiado para o espadachim. — Não pode ser verdade — continuou —, porque, se realmente havia invasores, você devia ter capturado todos e trazido para mim.

Vero não se acovardou. Nem os dois batedores, ambos trazidos de Dar, que estavam mais atrás.

— Foi isso, obviamente, que tentamos fazer, Vossa Alteza — disse Vero casualmente. — No entanto, capturar esses intrusos em especial foi, como dizem no meu país, *impossível*. Mesmo assim, achei que o senhor deveria saber.

— Estou decepcionado, Vero — disse Rauber. — Você pisou na bola. Era para você ser o meu braço direito. Não posso permitir que me envergonhe na frente do chefe militar.

— Tarde demais para isso — entoou o lorde Randark. O guerreiro de olhos sombrios avançou a passos largos, com as tranças da barba pulando sobre seu peito à medida que andava. — De onde eu venho, um passo em falso como esse é inaceitável. Seu oficial do mais alto escalão falhou. Você tem razão em estar envergonhado.

Rauber mordeu o lábio. Aquilo lhe soara como uma bronca. Ele não gostava de levar bronca. Foi por causa de uma que seus pais acabaram trancados em um armário.

— No entanto, em Dar dizemos que um líder pode perdoar os erros de seus seguidores — continuou Randark. — Desde que os subalternos sejam punidos. — Ele cruzou os braços, encarou e esperou.

Rauber esfregou queixo de pré-adolescente como se estivesse cheio da barba que ainda demoraria anos para crescer. Ele gostava de Vero; não queria fazer nada duro demais contra o sujeito. Mas, se quisesse manter Randark e seus homens por perto, sabia que teria de impressionar o chefe militar.

— Quem eram essas pessoas que você e seus dois parceiros não conseguiram capturar, Vero? — perguntou Rauber.

Fig. 21
Vero

— Não temos os nomes — respondeu Vero. Seus olhos estavam fixos em Randark, e a intensidade do olhar retribuído pelo chefe militar o fez maneirar um pouco o tom. — Havia uma dama rica em uma carroça guiada por duas garotas — admitiu Vero. — Elas tinham um guarda-costas.

— Um guarda-costas! — berrou Rauber, irritado. — Ah, Vero, isso é patético. Eu devia mandar você para Baltasar.

Vero ficou pálido. Os dois batedores darianos que estavam atrás engoliram em seco.

— Certamente, Vossa Alteza não precisa fazer algo tão drástico — disse o espadachim. — Se me permite lembrá-lo, alguns homens que estiveram lá nunca se recuperaram dos... *ajustes* que Baltasar fez no corpo deles.

Rauber deu uma olhada para Randark. Mas não conseguiu ler nada no olhar frio do chefe militar.

— Sinto muito, Vero — disse o rei Bandido. — Vocês falharam.

— Havia um troll — soltou Vero. — Havia um troll, Vossa Alteza. Foi por isso que não conseguimos capturar os invasores.

— Um troll? — Rauber começou a soltar altas e fortes lufadas pelo nariz.

Os dois batedores assentiram, reforçando as palavras de Vero.

— Expulsar trolls de Rauberia é prioridade máxima. Foi o senhor mesmo quem disse isso — argumentou Vero. — Quando o troll apareceu, eu me concentrei na fera. Foi por isso que os invasores conseguiram fugir.

Rauber ainda estava agitado, mas conseguiu controlar a respiração e parecer um pouco mais calmo.

— Bem, isso muda tudo. — Ele olhou para Randark. — É verdade. Meus homens têm ordens para largar o que estiverem fazendo se virem um *troll* estúpido e fedido vagando pela minha propriedade. Odeio aqueles cabeças de brócolis, caras de charco, olhos remelentos, fedorentos, juntas de limão...

— Senhor? — interrompeu Vero.

— Onde eu estava? — perguntou Rauber. — Ah, sim. Vero, você se safou. Desta vez.

Vero respirou aliviado.

— *Seus* homens podem ter de seguir essa regra sobre os trolls — disse lorde Randark conforme avançava na direção dos trêmulos batedores darianos. — Mas os meus não receberam tal ordem. Portanto, terão de aprender uma lição.

O chefe militar ergueu pelo pescoço o batedor com argola no nariz. Carregou o homem, que se debatia, até uma janela aberta, colocou-o para fora e o soltou de uma altura de três andares, diretamente no fosso. Os gritos do homem ecoaram por todo o deserto quando as enguias-dentes-de-aço entraram em ação.

Rauber ficou boquiaberto, incapaz de decidir se o ato de Randark tinha sido assustador ou impressionante.

— O senhor vai fazer o mesmo com o cara de dentes pontudos? — perguntou ele.

Lorde Randark balançou a cabeça.

— Não, Falco será poupado por enquanto — disse. — Duvido que depois disso será capaz de cometer outro erro.

O batedor careca ouvia atento enquanto gotas de suor lhe pingavam nos olhos.

— Vamos, Falco — disse Randark. — Está na hora de inspecionar a caserna. — O chefe militar deixou a sala do trono de Rauber com Falco em seu encalço.

Rauber, cheio de energia mal direcionada, ficou andando de um lado para o outro, estalando rapidamente os dedos. Seu coração estava acelerado.

— Senhor, se me dá licença — ousou Vero. — O senhor acha mesmo uma boa ideia ter os darianos por aqui?

— Boa ideia? — explodiu Rauber. Ele deu um pulo de seu assento e agarrou Vero pelo colarinho. — Essa foi a melhor ideia que já tive! Venho fazendo tudo errado nesse papel de rei. Pensei que fosse durão, mas nem me comparo a Randark. Aquele homem sabe das coisas. Ele não tem coração. Nada o detém. Um cara como aquele pode dominar o mundo um dia. E isso não é bom. Porque *eu* quero dominar o mundo um dia.

— O que o senhor está querendo dizer?

— Preciso derrubar Randark. Ele se acha tão grande, assustador e apavorante...

— Ele *é* grande, assustador e apavorante — disse Vero.

— Mas deixará de ser depois que eu o fizer passar a maior vergonha diante de todo o meu exército. — Rauber recostou-se de volta no trono e começou a gargalhar de alegria. — Vero, o circo chegará em alguns dias. E eu vou cuidar para que o *grand finale* seja a completa humilhação do chefe militar Randark! Estou falando de tortas na cara, baldes de lama na cabeça, quem sabe até abaixar a calça dele! Depois que eu tiver acabado com ele, ele vai estar tão desmoralizado que não terá coragem de mostrar a cara outra vez. E pensar que ele disse que eu não era um vilão de verdade!

◆ 14 ◆

O HERÓI INICIA NOVAS TRADIÇÕES

Conheça seu inimigo. Caso contrário, para quem você apontará sua espada?
— O GUIA DO HERÓI PARA SE TORNAR UM HERÓI

Agachado atrás de uma chaminé cuspindo fumaça da Perdigueiro Rombudo, Rúfio, o Soturno, observou Liam, Ella e Alfaiade indo embora pelas ruas escuras e esburacadas de Flargstagg. Ele engatinhou pelo telhado desnivelado, segurou na calha quase solta e deslizou até um beco lamacento, onde encontrou Duncan e Gustavo esperando por ele.

— Vocês se perderam *tanto* assim? — perguntou zombeteiro.

— Ah, estamos exatamente onde queríamos estar, meu chapa — respondeu Gustavo, vangloriando-se para o caçador de recompensas. — Eu sou Gustavo, o Poderoso. Não me perco nunca.

— Parece que você perdeu quase toda a roupa — disse Rúfio.

Gustavo puxou a camiseta para baixo para se certificar de que seu umbigo não estava aparecendo.

— Sabemos que você está aprontando alguma — afirmou Duncan, fazendo careta para parecer intimidador. — Lila o viu espionando e o seguiu até aqui.

— Ah, a mocinha — disse Rúfio, balançando a cabeça para si mesmo. — Isso faz mais sentido.

— Sim, mas nós a mandamos para casa — disse Gustavo, estalando as juntas. — Porque pegamos você. E o que vai acontecer agora não é brincadeira de criança.

Duncan sacou sua flauta.

— Isso mesmo — disse num tom de voz que esperava ter soado sinistro. — Prepare-se para ouvir o pior concerto já composto para um instrumento de sopro.

Gustavo voltou-se para Duncan e ergueu os braços.

— Sério? Era *disso* que você estava falando quando disse que tinha uma arma?

Numa fração de segundo, Rúfio puxou um quadradinho de um dos compartimentos de seu cinto e o atirou. Enquanto voava pelos ares, uma rede imensa se abriu e caiu bem em cima de Gustavo.

— Tire isso de cima de mim! — gritou Gustavo, e Duncan tentou obedecer. — Você está cutucando meu olho! Largue a flauta primeiro!

— Não vou soltar a minha flauta nesta rua nojenta — insistiu Duncan. — Terei de colocá-la na boca!

Rúfio virou para ir embora. E foi quando o sr. Troll entrou no beco e o derrubou com um soco.

Assim que Gustavo foi libertado, ele e o sr. Troll enrolaram o caçador de recompensas inconsciente na rede, e Duncan a amarrou com cinquenta e sete tipos de nós diferentes.

— Uma coisa você aprende quando mora com a Branca de Neve — disse Duncan —, a fazer vários tipos de laços.

Gustavo ergueu Rúfio e o atirou pela janela quebrada de uma casa vazia, do outro lado da rua da Perdigueiro Rombudo.

— Sabe de uma coisa? Acho que joguei um cara inconsciente por essa mesma janela quebrada da última vez em que estive aqui — disse ele. — Talvez eu faça disso uma tradição.

— Minha tradição favorita é ver quantos mirtilos dá para enfiar no nariz no dia de Ano Novo — falou Duncan.

Gustavo, Duncan e o sr. Troll formaram um pequeno círculo.

— Cavalheiros — disse Gustavo. — Todos podem nos considerar o time reserva, mas fizemos um bom trabalho hoje. — Ele e o sr. Troll bateram as mãos. Duncan também tentou, mas tudo o que conseguiu foi acertar um tapa na cara de Gustavo.

— Vou fingir que isso não aconteceu — disse Gustavo. — Vamos nessa, time reserva!

Lila, Branca de Neve e Rosa Silvestre aguardavam em frente aos portões do palácio de Avondell enquanto Liam, Ella e um homenzinho de óculos se aproximavam a cavalo. O sol já tinha se posto, e o céu iria escurecer a qualquer momento.

— Ei, meninas — disse Lila. — Meu irmão ainda está meio preocupado por eu estar participando dessa missão, então talvez fosse melhor não mencionarmos a parte sobre eu ter sido levada pelos bandidos.

— Relaxe, querida — disse Rosa Silvestre, dando um tapinha nas costas de Lila. Em seguida, ela se voltou para os dois guardas de uniforme listrado que estavam próximos e gritou: — Abram isso!

Os homens entraram em ação e os portões de latão polido se abriram. Alfaiade disparou na frente de Ella e Liam para ser o primeiro a entrar. Ele desceu do cavalo com uma cambalhota para trás, caiu de pé e se curvou em uma reverência.

Fig. 22
Alfaiade,
o Pequeno

— O-lá, senhoritas — disse ele.

Ella o empurrou para cima de um arbusto em forma de capivara e passou por todos pisando duro.

— O que deu nela? — perguntou Lila.

— Ela está brava comigo. Não é nada — disse Liam, descendo do cavalo. — Espere, o que aconteceu com vocês? Onde estão Duncan e Gustavo?

— Oh, foi assustador. Sua irmã foi raptada por um dos homens de Rauber — contou Rosa Silvestre. — Ela quase foi morta.

Lila lançou o olhar mais imundo que conseguiu na direção de Rosa Silvestre.

— O quê? — arfou Liam.

— Ah, mas ela está bem — disse orgulhosamente Rosa Silvestre. — Eu a salvei. Eu. Eu cuidei para que voltasse viva. — A princesa cruzou os braços e ergueu a cabeça, esperando pelos agradecimentos e elogios. Mas não houve nada. Todos se apressaram para cumprimentar Gustavo, Duncan e o sr. Troll, que tinham acabado de aparecer no caminho de entrada do palácio. Ninguém nem notou quando Rosa Silvestre saiu andando sozinha.

◂•▸

Na manhã seguinte, a princesa de Avondell retomara seu jeito "empertigado" de sempre, quando se juntou a Liam — ou melhor, depois de ter insistido para que ele se juntasse a ela — para um saudável café da manhã.

— Mel trufado svenlandiano, querido? — ofereceu Rosa Silvestre conforme esparramava uma boa dose da gosma dourada sobre um bolinho. — Você precisa experimentar essa coisa enquanto pode; as abelhas que fizeram isso já estão extintas.

Liam franziu o cenho.

— Não estou com fome. — Ele não tinha tocado nas pilhas de bacon de antílope, nas tigelinhas de ovos poché ou na pilha de panquecas no formato de Rosa Silvestre que estavam entre ele e sua esposa na mesa do café da manhã. — Será que não podemos acabar logo com isso, por favor? Faltam só dois dias para partirmos para a missão e temos muito que treinar ainda. — E quando ele disse "treinar", quis na verdade dizer bisbilhotar pelo palácio para tentar descobrir os segredos de Rosa Silvestre. — Minha equipe está esperando por mim — adicionou ele. *Bem, a maior parte da minha equipe.*

— Atualize-me sobre o seu plano — disse Rosa Silvestre, mordendo uma toranja. — Você não para de mudar as coisas, e quero saber de tudo antes de enviá-lo para recuperar o objeto que mais desejo no mundo.

— A ideia principal é a mesma — disse Liam. — Só alteramos alguns detalhes. Alfaiade, o Pequeno, disfarçado de Espectro Cinzento, vai me entregar para Deeb Rauber e, como recompensa, pedirá para assistir ao espetáculo do circo. Enquanto sou conduzido para a masmorra, Duncan e Branca de Neve subornarão dois palhaços e ocuparão o lugar deles. Então, levarão três caixotes para as carroças do circo: dentro deles estarão Gustavo, Ella e Lila. Uma vez dentro do castelo, os três subirão para o telhado, e Lila entrará pelo Buraco da Cobra para acionar a alavanca que abre o cofre. Quando a apresentação estiver na metade, Alfaiade pedirá licença, descerá até a masmorra e me libertará para que eu possa pegar a espada de dentro do cofre. Depois nos encontraremos perto das carroças do circo e sairemos com a trupe ao fim do espetáculo. Basicamente é isso.

Rosa Silvestre mordeu um pedaço de bacon.

— Onde o troll entra?

— Nós *íamos* usá-lo para distrair os guardas enquanto os anões cavavam o túnel embaixo da muralha, mas como não haverá mais túnel mandei o sr. Troll de volta para casa. Ele não ficou muito feliz. O que me faz lembrar que seus jardineiros terão de refazer algumas árvores em formato de animais: o chacal, a chinchila e a chita não sobreviveram à passagem do troll.

— Tem uma parte do plano que não me ficou muito clara — apontou Rosa Silvestre. — A dos seus amigos dentro dos caixotes. Como eles vão subir os cinco andares até o telhado sem ser vistos?

Liam não respondeu imediatamente porque não sabia a resposta. Ele fechou os olhos, imaginou a situação e esperou que uma solução lhe ocorresse. Tudo que conseguiu foi: *Contrate um ator para se passar por bandido.*

— Ainda isso?! — ele deixou escapar em voz alta.

— Sim, Liam, *ainda* estou fazendo essa pergunta — falou Rosa Silvestre, supondo que a resposta tivesse sido para ela. — E continuarei fazendo até que você me dê uma resposta satisfatória.

— Nós vamos fazer o plano dar certo — disse Liam.

— Não é o suficiente — disse Rosa Silvestre vigorosamente. — Quero a espada de Eríntia, e o espetáculo do circo será a chance perfeita para pegá-la. Não vou desperdiçar essa oportunidade com um grupo de fracassados com um plano furado. Você tem dois dias para me dizer como seus companheiros vão conseguir chegar naquele telhado. Caso contrário, jogo seus amigos de volta na prisão e mando outras pessoas para pegar a espada. — Ela se recostou em seu assento e mergulhou um ovo verde cozido em um copo com suco de oxicoco antes de dar uma mordida. — Agora vá brincar com seus amigos e me deixe terminar o café da manhã em paz.

Liam saiu e Rosa Silvestre esticou o pescoço para olhar ao redor da sala.

— Rúfio! — chamou. — Rúfio, onde você está?

Furiosa, ela atirou o ovo no chão. Ele caiu com um *paft* quase inaudível e balançou um pouquinho, o que não a satisfez nem um pouco.

Então ela arremessou toda a sobra de seu café da manhã. Depois que tudo estava bem espalhado e bagunçado, o que levaria horas para um criado limpar, Rosa Silvestre respirou fundo e sorriu para si mesma.

— Ah, agora estou pronta.

E deixou a sala.

◆●▶

A porta do Ginásio de Esportes Real do palácio de Avondell abriu um pouco, e Gustavo deu uma espiadinha no corredor. Os dois guardas de uniforme listrado parados ali o encararam.

— Precisa de ajuda, senhor? — perguntou um deles.

— Vocês vão ficar aí o dia todo? — questionou Gustavo.

Os homens assentiram.

Gustavo enfiou a cabeça de volta para dentro e bateu a porta. Ele se dirigiu até Liam, Duncan e Lila, que conversavam baixinho no centro do imenso salão de mármore.

— Eles não vão sair dali — informou.

— Tudo bem, teremos de fazer com que pareça que estamos treinando para uma luta — disse Liam.

— Estou nessa — disse Duncan. Ele correu para perto da porta e começou a ofegar, grunhir, rosnar e gemer. Então, puxou os próprios cabelos, se atirou no chão e saiu rolando e berrando como uma foca enfurecida.

— Já deu, Duncan — disse Liam. Ele olhou para Ella, sentada sozinha e de cara amarrada, recostada na parede oposta. — Não vai se juntar a nós? — perguntou.

— Acho melhor — resmungou. Ela soltou um suspiro exagerado quando se levantou e caminhou até os outros, deixando claro para Liam que ainda estava brava com ele.

— Não me parece certo começarmos sem o Trancinhas — disse Gustavo.

— Veja bem, pessoal — irritou-se Liam. — Frederico *escolheu* ir embora. Não podemos atrasar a missão toda. E se um de vocês estiver bravo comigo por seguir adiante sem ele, trate de engolir a raiva. Há coisas muito mais importantes em jogo que os sentimentos de vocês.

Todos assentiram em silêncio.

— Portanto, escutem — continuou Liam. — Precisamos descobrir o que Rosa Silvestre planeja fazer com a espada, mas até agora não temos a menor ideia de onde começar a procurar.

— Eu tenho — disse Lila. — Fiquei espionando Rosa Silvestre ontem à noite, antes de ela ir se deitar, e vi algumas coisas interessantes.

— Você fez o quê? — Liam engasgou. — Você vai acabar sendo pega. Ou morta. Você não pode ficar se arriscando assim.

— Nossa — queixou-se Lila. — Por acaso você segue seus próprios conselhos? O que aconteceu com tudo aquilo que acabou de falar sobre colocar os próprios sentimentos de lado?

Liam fechou a boca, suas bochechas ficaram vermelhas.

— Lila, conte o que descobriu — pediu Ella. — E faça isso rápido, porque, encaremos a verdade, Rosa Silvestre vai entrar por aquela porta a qualquer minuto. A mulher não vai nos deixar sozinhos por muito tempo.

— Foi por isso que coloquei Branca de Neve de vigia do lado de fora do quarto dela — disse Liam.

Ella, Lila e Gustavo olharam surpresos para ele.

— O que foi? — perguntou Liam. — Má ideia?

◆ • ◆

Rosa Silvestre saiu do quarto e recuou ao dar de cara com Branca de Neve, que estava usando um chapéu de palha com morangos pendurados em torno da aba larga, como uma franja.

— O que está fazendo aqui? — desdenhou Rosa Silvestre.

— Não estou espionando — respondeu Branca de Neve.

— Onde estão Liam e os outros?

— Lá embaixo no ginásio, treinando combate de mãos dadas. Ou será corpo a corpo? Espero que não, pois de mãos dadas parece muito mais amigável.

Rosa Silvestre a empurrou para o lado e seguiu rumo ao ginásio, caminhando decidida pelos corredores revestidos de mármore e espelhos. Se ela não conquistasse a confiança de Liam e seus amigos, as coisas não dariam certo. Há dias ela vinha tentando se enturmar, passando tempo com eles, fazendo-se de — *eca* — amiga deles. Mas eles continuavam a excluindo. Isso a deixou enfurecida.

Mais do que ela imaginou que devia.

Ela apertou o passo.

— Todas as noites, Reinaldo, o bardo, canta uma *canção de ninar* para Rosa Silvestre — Lila contou a todos. — Um pouco suspeito para alguém da idade dela, não?

— Não necessariamente — disse Ella. — Frederico faz a mesma coisa em casa.

— Mas é sempre a mesma música? — perguntou Lila. — Vigiei Rosa Silvestre duas vezes, antes de nossa breve viagem e na noite passada também. Foi a mesma música todas as vezes.

— Que música é? — indagou Liam. — Por acaso menciona algo sobre PGJD?

— Não sei. Fiquei meio... pendurada do lado de fora da janela — disse a menina, olhando para Liam para ver se ele ficaria completamente roxo. — Por isso não consegui ouvir muito bem a letra. Mas captei alguns trechos... algo sobre um ladrão e sua esposa.

— Pelo menos não é *A canção da Rapunzel* — disse Gustavo. — Eu meio que esperava que fosse. Toda vez que acontece algo ruim na minha vida, aquela mulher acaba fazendo parte disso de alguma forma.

— Gustavo, *shh*! — repreendeu Ella. — Continue, Lila. Rápido.

— Certo — disse Lila. — Depois da música, seu comportamento se torna ainda mais peculiar. Assim que a canção termina, ela chuta o bardo para fora do quarto e começa a ler um livro velho.

— O diário dela — disse Liam. — Já o vi.

— Não — disse Lila. — É algo intitulado *Recordações dos reis antecessores*. O livro parece antigo. É grande, com páginas amareladas, e tem vários retratos de pessoas de antigamente. Ela sempre vai direto para o mesmo capítulo, no final. E fica com cara de malvada enquanto lê. — Lila encurvou as costas, dobrou os dedos como se fossem garras e arqueou as sobrancelhas para demonstrar.

— Ficou bem parecida — disse Ella.

— Estou dizendo — continuou Lila — que aquele livro e aquela música têm algo a ver com seja lá o que for que Rosa Silvestre está tramando.

— Muito bem, pessoal — assumiu Liam. — Pelo jeito já sabemos o que temos de fazer: invadir o quarto de Rosa Silvestre para pegar o livro dos reis e espioná-la mais uma vez esta noite para ouvir a música do bardo.

Todos estavam assentindo quando a porta do ginásio se abriu. Assim que Rosa Silvestre entrou, Duncan rolou no caminho dela, a fazendo tropeçar. Rapidamente, os outros agarraram quem estava mais próximo e fingiram estar lutando.

— Me desculpe, me desculpe! — falou Duncan enquanto Rosa Silvestre se levantava. — Esse combate mano a mano é uma confusão.

— Então este é o plano de vocês? *Rolarem* até o telhado? — perguntou Rosa Silvestre. — Já enviei um mensageiro a Kom-Pai. O grupo de ninjas já deve estar a caminho enquanto falamos, prontos para assumir o lugar de vocês, se preciso.

— Não será necessário — disse Liam. — Descobrimos um jeito infalível de chegar ao telhado sem ter de pisar dentro do castelo. — Ele estava mentindo, claro.

— Conte-me — disse categoricamente Rosa Silvestre. — Sou toda ouvidos.

Liam fez uma pausa. Não lhe ocorria absolutamente nada.

Então, Gustavo tomou a frente.

— Catapultas — disse ele.

Rosa Silvestre começou a rir, mas logo percebeu que ele estava falando sério.

— Catapultas?

— Isso mesmo — repetiu Liam, hesitante. — Vamos usar as catapultas de seu exército para arremessar Ella, Gustavo e Lila por cima da muralha e para o topo do telhado de Rauber.

— Sem matar ninguém? — perguntou Rosa Silvestre.

— Árrã — disse Liam, balançando a cabeça. — Eles vão usar, humm, asas planadoras. Para aterrissar em segurança.

— Intrigante — disse Rosa Silvestre, avaliando a possibilidade. — Certo, vocês podem usar as catapultas de Avondell. Mas enquanto isso os exercícios estão encerrados. A festa será hoje à noite.

— Festa? — perguntou Gustavo, aborrecido só de ter ouvido a palavra.

— Sim, o baile real — respondeu Rosa Silvestre. — Falei sobre isso há dias. Minha nossa, vocês não prestam atenção no que eu falo.

— Não, nós ouvimos você — disse Liam. — Só não pensamos que fôssemos comparecer.

— Ah, mas vocês têm que ir — disse Rosa Silvestre com um meio sorriso. — É o nosso baile Primaveril Gala Júnior das Debutantes, que acontece todo ano. A nata da sociedade avondeliana estará presente. É um evento grandioso.

— Não vamos à festa, Rosa Silvestre — disse Ella. — Temos muito trabalho a fazer.

— Que trabalho? — perguntou a princesa. — O plano de vocês já está pronto. E heróis grandiosos e famosos como vocês não vão precisar de muito tempo para *aprender* a lutar. Não, eu vejo vocês no baile.

Todos se encurvaram ao mesmo tempo.

— Espere um pouco — disse Ella. — Será que poderíamos ao menos treinar até a hora da festa?

— Ah, vocês não vão ter tempo, queridinha — disse Rosa Silvestre. — Vocês não podem ir a um de meus bailes reais vestidos assim, como uns mendigos. Os criados prepararão vocês. Não deve demorar mais de quatro ou cinco horas. Até lá a festa já estará começando.

Um silêncio longo e desconcertante se seguiu.

Então Branca de Neve entrou no ginásio e gritou:

— Rosa Silvestre está vindo para cá!

Rosa Silvestre sorriu para ela e se retirou.

— Catapultas, Liam? — perguntou Ella. — Sério?

— Bem, hum, sou a campeã da feira de ciências da turma aqui — disse Lila. — E digo que vamos morrer se tentarmos isso.

— O que tem de errado com as catapultas? — perguntou Gustavo.

— Não vamos usá-las — respondeu Liam. — Tive de concordar com *uma* opção de transpor a muralha para que Rosa Silvestre não nos substituísse por aquele bando de ninjas. Precisamos pensar em uma alternativa antes da manhã do solstício.

— Que será depois de amanhã — lembrou Lila.

— E tem mais, precisamos pegar o livro dos reis — falou Gustavo.

— E precisamos dar um jeito de ouvir a música de Reinaldo — acrescentou Ella. — Temos muitas coisas para fazer.

— Nós não vamos nesse baile, vamos? — perguntou Lila.

— Não podemos perder! — disse Liam. — A festa pode ser o próximo passo no plano de Rosa Silvestre. Primaveril Gala Júnior das Debutantes? PGJD! — Todos assentiram. — Além disso — continuou —, usaremos o baile como cobertura para roubar o livro de Rosa Silvestre.

E, nisso, um pelotão composto por costureiros de terno de seda e cabeleireiras de saia rodada invadiu o ginásio, pronto para arrastar os heróis para seus respectivos aposentos, empoar o rosto deles, ajeitar-lhes os cabelos e enfiá-los dentro de trajes que os deixariam parecidos com a vitrine de uma confeitaria emperiquitada.

— Não acredito que vamos a um baile — lamentou-se Ella enquanto era levada. — Onde está você quando eu preciso, Frederico?

Fig. 23
Costureiros e cabeleireiras

⇠ 15 ⇢

O HERÓI VAI A UM BAILE

Desvendar um mistério é como resolver palavras cruzadas.
Você dá uma olhada de cima a baixo e de trás para frente
e preenche as respostas que sabe; em seguida, entrega
a um anão e pede para ele terminar para você.
— O GUIA DO HERÓI PARA SE TORNAR UM HERÓI

Quase todo baile real é um grande evento — orquestra, trajes e vestidos elegantes, muitas pessoas dançando quadrilha, patê de cebola —, mas o baile real anual de Avondell era o evento do século (em parte porque Rosa Silvestre declarava legalmente cada um deles como o Evento do Século e ameaçava prender quem discordasse). O baile ocorria no salão principal, grande o bastante para vinte elefantes machos correrem em fileiras de oito sem cruzarem o caminho um do outro. Uma orquestra com duzentos componentes — com todos os tipos de instrumentos, de gaitas de foles a enormes didjeridus, tambores de aço e vielas de roda — vibrava, zunia e soprava nas valsas, nos minuetos e nas rumbas. Mais de mil velas se enfileiravam ao longo das paredes em arandelas de platina, e o brilho das chamas era capturado e refletido pelo teto coberto de cristais pendurados, o que transformava o piso em um oceano de luzinhas cintilantes. Uma mesa de trinta metros exibia iguarias como espetinhos de carne de cavalo alado, caviar de serpente do mar e empanados de basilisco. E, em meio a toda essa extravagância, inúmeros nobres e senhoritas comiam e dançavam.

— Estou tão feliz em ver que vocês todos vieram — disse Rosa Silvestre para Liam, Gustavo, Ella, Lila, Duncan e Branca de Neve, amontoados atrás de uma mesa de canapés e se remexendo desconfortavelmente dentro das roupas exageradas que tinham sido forçados a vestir.

— Não perderíamos por nada neste mundo — disse Liam com um sorriso mais do que falso.

— E então, o que estão esperando? — disse Rosa Silvestre. — Vamos dançar.

Ela pegou Liam pela mão e o puxou para junto de si. Relutantemente, Liam começou a dar um passo pra lá, dois pra cá; e, assim que pegou na mão dela, notou uma joia estranha em seu pulso: uma pulseira de diamantes da qual pendia uma pequena chave prata.

Os outros ficaram assistindo à valsa dos recém-casados no centro da imensa pista de dança.

— Muito bem, ela está ocupada. Vamos nessa — disse Lila.

— Não vai ser fácil — alertou Ella. — Olhem, ela está nos espreitando por cima do ombro de Liam. E vocês notaram os caras plantados ao longo das paredes? Aqueles que não estão dançando?

— Você quer dizer as estátuas? — perguntou Branca de Neve.

— Não, aqueles de uniforme listrado — disse Ella. — São guardas. Vamos ter que tomar muito cuidado.

— Ei, Gustavo — conspirou Lila. — Dance comigo!

— De jeito nenhum — resmungou ele. — Eu não danço. E não vou sair de perto destes enroladinhos de caranguejo. Não posso ser visto desse jeito! — Seu traje lilás reluzente era tão justo que parecia que ia estourar ao menor movimento dos bíceps. Os punhos soltos de renda da camisa, saindo de dentro das mangas do paletó, lhe encobriam metade das mãos, e o jabô cheio de babados no pescoço fazia cócegas em seu queixo quando ele falava. Seu cabelo havia sido encaracolado.

— Sai dessa, grandalhão — disse Lila. — Preciso que você sirva de cobertura para mim. Fique de costas para o centro do salão enquanto vamos dançando até aquela janela. Eu vou cair fora e você continua dançando como se eu ainda estivesse junto.

— Ótimo plano — disse Ella. — Agora, xô!

— Mas eu não sei dançar — resmungou Gustavo enquanto saía num gingado esquisito, segurando, desajeitado, as mãos de Lila.

— Vocês dois — disse Ella a Duncan e Branca de Neve. — Vão dançar. Ajam o mais normal possível, mas fiquem atentos ao meu sinal. Quando eu erguer a mão *assim*, significa que preciso que façam algo para distrair todo mundo.

Paf! Um prato de enroladinhos de caranguejo caiu no chão.

— Não, eu não preciso de uma distração *agora* — disse Ella. — Eu estava apenas mostrando qual é o sinal.

— Ah! — Duncan e Branca de Neve exclamaram ao mesmo tempo. Em seguida, os dois deram as mãos e saíram rodopiando por entre os casais na pista.

Enquanto limpava a sujeira dos rolinhos de caranguejo, Ella perdeu Liam e Rosa Silvestre de vista. Ao procurá-los pelo salão, sentiu um cutucão no ombro.

— A senhorita me daria a honra desta dança? — perguntou Alfaiade, o Pequeno, parado com uma mão no quadril e a outra atrás da cabeça para exibir seu traje de lamê dourado.

— Ah, você também foi convidado? — disse Ella, muito pouco entusiasmada.

— Claro — respondeu Alfaiade. — Acabei de pedir ao maestro para tocar um tango. O que acha de você e o Alfaiadezinho aqui mostrarem para esse bando de ricos do que somos capazes?

Ella fechou os olhos. *Frederico, cadê você?*

◆•◆

Em um vale isolado, ao sul de Sturmhagen, Rapunzel retornava para sua pequena cabana de madeira depois de um longo e cansativo dia curando doentes e feridos. Passara a maior parte da manhã tratando os dedos quebrados do pé de uma família de camponeses cuja vaca tivera um acesso de fúria. Depois, quando nem tinha terminado de almoçar, um trio de pequenos mensageiros azuis voadores — os duendes ajudantes de Rapunzel — vieram lhe contar sobre um pobre gnomo que fora colocado em uma colmeia por uma gangue de diabretes malvados. Depois disso, foi um elfo com leptospirose, um troll com desarranjo gastrointestinal e uma garotinha que chamuscou a ponta do nariz enquanto tentava ver o "mundo mágico" dentro da chama de um palito de fósforo.

Rapunzel estava exausta. Mas assim é a vida quando suas lágrimas têm o místico poder da cura. O sol estava se pondo, e Rapunzel ansiava por uma noite tranquila em casa, com um livro e uma tigela de sopa de nabo. Mas não era para ser. Ela soube que teria de fazer hora extra assim que viu um cavalo com penacho na cabeça saindo da floresta com um homem largado em seu lombo.

Segurando a barra de seu vestido branco simples, Rapunzel correu até o animal para ver o homem, que parecia muito doente. Assim que se aproximou o bastante para ver seus cabelos castanhos cobertos de poeira e a face pálida, ela o reconheceu.

— Frederico!

Frederico abriu os olhos e se sentou, quase perdendo o equilíbrio. Ele levou um segundo para se situar, mas, assim que avistou a mulher de longos cabelos loiros correndo em sua direção, parou o cavalo e desmontou.

— Rapunzel! Olá!

— Você está bem? — perguntou ela, olhando-o da cabeça aos pés. — Pensei que estivesse quase morto de novo.

— Ah, não, estou muito bem — disse ele, enquanto Rapunzel lhe erguia o rosto pelo queixo e olhava no fundo de seus olhos. — Exceto talvez por um leve desconforto causado pelo atrito com a sela. Não que eu precise que você chore lágrimas mágicas por isso!

— Eu fiquei assustada quando o vi largado daquele modo.

— Sinto muito — disse ele um pouco sem jeito. — Eu estava só, hum, muito cansado. E dei um jeito de dormir sobre o cavalo.

— É bom vê-lo — falou Rapunzel. Eles tinham se visto uma única vez, por apenas alguns minutos, no ano anterior, mas mesmo assim ele conseguira causar boa impressão.

— É muito bom vê-la também — respondeu ele. E Rapunzel passou os braços ao redor dele.

O abraço pegou Frederico de surpresa. E a princípio suas mãos pairaram hesitantes sobre os ombros de Rapunzel, receando render-se ao abraço. Os abraços de Ella tinham sempre certa rudeza — faziam com que ele se sentisse seguro e protegido, mas eram um pouco doloridos. O abraço de Rapunzel, ao contrário, era quente e terno. Isso o fez se sentir seguro de um modo totalmente diferente. Ele deixou suas mãos deslizarem pelas costas dela.

Rapunzel recuou.

— Desculpe — disse, suas bochechas redondas estavam vermelhas. — Fiquei aliviada ao ver que estava bem.

— Ah, não se preocupe — disse Frederico. — Por causa do, hum, você sabe... abraço... Não tem problema. Absolutamente. Quer dizer, bem, você entendeu. Eu é que peço desculpa por ter te assustado.

— Se não está precisando ser curado, o que o trouxe aqui? — perguntou Rapunzel.

— Bem, eu gostaria de pedir sua ajuda. Podemos conversar?

Rapunzel levou Frederico para sua cabana, onde ocuparam uma mesinha de madeira. Frederico sentou em um baú, uma vez que Rapunzel tinha apenas um banquinho. Ela acendeu uma lamparina, serviu uma tigela de sopa de nabo para Frederico e comeu sua parte na panela (ela tinha apenas uma tigela).

Enquanto comiam, Frederico lhe contou tudo: sobre o casamento forçado de Liam com Rosa Silvestre, sobre os planos dela de roubar de volta a espada de Eríntia das mãos de Deeb Rauber, sobre eles terem de recuperá-la antes de Rosa Silvestre. Rapunzel ouviu tudo atentamente, amassando uma mecha de seus longos cabelos loiros.

— Que história incrível — disse ela quando Frederico terminou. — E você é muito corajoso por se aventurar em uma missão como essa. Mas ainda não sei no que eu poderia ajudar... Por que está sorrindo desse jeito?

— Não é sempre que ouço alguém me chamar de corajoso — disse ele. — Continuando, temo que alguém possa se ferir durante a missão. Por isso, eu me sentiria muito melhor se soubesse que temos uma curandeira conosco. Só por precaução.

Fig. 24
Frederico e Rapunzel

— É exatamente assim que as pessoas e criaturas desta floresta se sentem — disse Rapunzel. — Elas se sentem seguras sabendo que estou por perto.

— Então...

— Sou necessária aqui — respondeu ela, se justificando. — Você devia ter visto aquele pobre gnomo hoje; ele parecia um palito pegajoso ambulante. E se eu não estivesse aqui para ajudá-lo?

Frederico concordou com a cabeça, apesar de não conseguir esconder a decepção.

— O que você faz aqui é incrivelmente nobre e importante — disse ele. — Não vou levá-la daqui.

— Obrigada por compreender.

— De nada. Agora... o que eu estava dizendo mesmo? — Frederico notou as covinhas nas bochechas de Rapunzel quando ela sorriu e, por um instante, esqueceu até mesmo o que estava falando.

Rapunzel riu.

— Você estava me elogiando pelo meu trabalho.

— Ah, sim, um trabalho brilhante.

Falando especificamente em termos de dança, Liam e Rosa Silvestre formavam um lindo casal. Com ritmo perfeito e passos impecáveis, a dupla rodopiava por entre os outros dançarinos.

— Nunca imaginei que você fosse tão bom assim — disse Rosa Silvestre.

— Tive aulas quando tinha a idade de Lila — revelou Liam, mal-humorado.

— E você não esqueceu nada. Viu, é por isso que escolhi você para se sentar ao meu lado. Você consegue imaginar nós dois como rei e rainha de um império inteirinho? Seremos tão adorados.

— Você pode até estar no comando agora, Rosa Silvestre. Mas ainda não me dei por vencido.

— Você tira essas falas de algum livro? Porque declama tantas que acho difícil elas terem saído da sua cabeça. — Ela pegou a mão de Liam e examinou a palma. — Você anota? Está trapaceando? — Ela lhe lançou um sorrisinho de flerte e esperou uma reação. Mas Liam simplesmente desviou o olhar e respirou fundo. Rosa Silvestre revirou os olhos. *Não sei por que ainda me dou ao trabalho.*

O olhar de Liam pousou sobre Gustavo, que chacoalhava de uma maneira estranha diante de uma janela aberta.

Minutos antes, Lila tinha saído por ali para escalar a parede externa do palácio até o quarto de Rosa Silvestre. Liam rezou pela segurança dela. E pelo sucesso. E, enquanto a orquestra mandava ver no tango, ele rezou para que ela fosse rápida.

Fig. 25
A valsa

◄●►

Pendurada no parapeito do quarto andar, Lila usou um garfo roubado para abrir a trava da janela de vitral. Ela se jogou por cima do peitoril e rolou para dentro do aposento escuro de Rosa Silvestre. Quando aterrissou, seu pé bateu em um pequeno globo de cerâmica, que tombou do pedestal de ferro, caiu sobre a escrivaninha da princesa e saiu rolando pelo tampo de mogno encerado. Lila tentou segurá-lo, mas a saia de seu vestido ficara presa na beirada da janela. O globo escorregou do canto da mesa.

— Grrr! — grunhiu ela enquanto mergulhava para agarrar o objeto pouco antes de ele cair no chão. Ofegante, ela olhou na direção da porta. Continuava fechada. Os guardas do lado de fora não tinham ouvido nada. *Ainda bem que Rosa Silvestre zela por sua privacidade a ponto de mandar instalar portas antirruído*, pensou.

Então se deu conta de que suas pernas estavam cobertas apenas pela ceroula cheia de babados, até a altura dos joelhos; a saia do vestido de baile tinha se soltado. E, naquele exato momento, sob uma brisa intensa, esvoaçava como uma bandeira sobre a paisagem de Avondell.

Como vou voltar para a festa assim?, pensou ela. *Liam nunca mais vai confiar em mim. Não posso... Não. Pare já com isso, Lila. E daí que você está apenas de roupa íntima? Há um trabalho a ser feito e nenhum tempo para bobagens de menininhas.*

Ela cuidadosamente colocou o globo de volta no pedestal e se apressou até a gaveta da escrivaninha onde vira Rosa Silvestre guardar seu livro misterioso. Ela agarrou o puxador.

— Droga! — sussurrou. A gaveta estava trancada. E ela tinha guardado sua ferramenta de abrir fechaduras na saia.

— Dizem por aí que você gosta de homem que sabe bordar — disse Alfaiade enquanto dançava tango com Ella pelo salão iluminado. — Ai! É a quarta vez que você pisa no meu pé.

— É mesmo? Pensei que fosse a quinta — resmungou Ella, olhando por cima da cabeça de Alfaiade para ver Liam e Rosa Silvestre dançando a poucos metros de distância. Ela percebeu a tristeza estampada no rosto de Liam e, apesar de ainda estar brava com ele, naquele momento não pôde deixar de sentir pena.

— Você precisa se soltar, Cindi — disse Alfaiade. — Permita que Alfaiade, o Pequeno, lhe mostre como faz.

— Não me chame de Cindi — disse Ella. A garota soltou a mão molhada de suor de Alfaiade e a limpou na lateral do vestido. Nesse momento, viu Gustavo perto de uma janela, agitando os braços para chamar sua atenção. Ela balançou a cabeça. *Discretamente, Gustavo*, pensou. Então deu um tchauzinho para que ele soubesse que ela tinha visto e sem querer fez sinal para Duncan virar uma poncheira. — Minha nossa! — murmurou Ella, e rapidamente arrastou Alfaiade na direção de uma condessa com uma peruca empoada, que acabara de entrar no salão de baile, praticamente o empurrando para cima da mulher confusa. — A senhora gostaria de continuar? — perguntou Ella. — Claro. Pode ficar com ele.

Ela saiu em disparada na direção de Gustavo.

— O que foi? — sussurrou.

O príncipe grandalhão apontou na direção da janela. Ella se debruçou para fora e viu Lila agachada feito uma gárgula na beirada do estreito peitoril.

— A gaveta dela está trancada — disse Lila.

— Droga — resmungou Ella. — Tudo bem, é melhor você voltar antes que alguém note sua ausência.

— Não posso — disse Lila. — Só estou com metade do vestido.

— Não vou nem perguntar o que aconteceu — falou Ella.

Ela precisava falar com Liam. Então, disparou rumo ao centro da pista de dança e ergueu a mão sobre a cabeça. Desta vez, Duncan e Branca de Neve jogaram os quadris em um barão de monóculo, que acabou topando com uma mesa cheia de língua de fênix salgada. Enquanto o infeliz rolava pelo chão, levando com ele mais três convidados e uma grande quantidade dos aperitivos grotescos, Rosa Silvestre se virou para ver a confusão.

— O que está acontecendo? — berrou.

Ella agarrou Liam pelo braço e o arrastou até a janela.

— Lila está presa lá fora — revelou Ella. — E a escrivaninha de Rosa Silvestre está trancada.

— A chave está com ela — revelou Liam, se lembrando do bracelete. — Precisamos que alguém...

— Que alguém o quê? — perguntou Rosa Silvestre ao se aproximar deles. — Detenha seus amigos do mato desastrados, espero. Eles estão arruinando meu baile.

— Isso mesmo — disse Liam. — Vou falar com Duncan e Branca de Neve. Gustavo, dance com Rosa Silvestre enquanto isso.

Gustavo mal teve tempo de soltar um "mas" e Liam já havia atirado o amigo nos braços de Rosa Silvestre. A orquestra começou a tocar uma mazurca animada, e Rosa Silvestre saiu dançando em meio aos convidados, acompanhada de um príncipe muito infeliz.

— E agora? — perguntou Ella.

Liam tirou os cabelos dos olhos.

— Precisamos pegar a chave.

Ella olhou ao redor até encontrar Alfaiade, que esfregava a bochecha vermelha e ardente depois de ter levado uma bofetada de uma duquesa muito ofendida. Ella o puxou de lado pela manga de seda escorregadia do paletó.

— Precisamos que faça algo por nós — disse.

◄ • ►

Rosa Silvestre tropeçou, tentando desesperadamente tirar o pé debaixo do de Gustavo.

— Pelo jeito você nunca dançou na vida — disse ela. — Até um iaque empalhado é mais gracioso.

— Tem algum iaque empalhado aqui? — perguntou Gustavo, contrariado. — Porque se tiver será um prazer trocar de lugar com ele.

— Ah, essa foi boa — escarneceu Rosa Silvestre. — Qual dos seus bíceps pensou nessa tirada?

— Está com inveja, Srta. Braços de Vareta? — Gustavo disparou de volta.

— Eu? Com inveja de um homem que parece um triângulo invertido? — Rosa Silvestre deu um sorriso forçado. — Não seja convencido.

— Longe de mim — disse Gustavo. — A convencida aqui é *você*.

Rosa Silvestre estava tão concentrada na disputa com Gustavo que nem notou que Ella e Alfaiade dançavam logo atrás deles. Assim que conseguiram se aproximar, o alfaiate usou toda a sua destreza para passar um fio de linha por dentro do bracelete da princesa. Quando Ella "acidentalmente" esbarrou nas costas de Rosa Silvestre, Alfaiade puxou o bracelete — e a chave — do pulso de Rosa Silvestre.

— Tome cuidado — vociferou Rosa Silvestre, mas imediatamente voltou sua atenção para Gustavo. — Onde eu estava? Ah, sim. Você achou que aquilo foi um insulto? Já ouvi coisas bem piores vindas de um berçário.

◀ • ▶

Ella colocou a chave na palma da mão de Liam e sussurrou:

— Boa sorte.

Liam limpou a garganta e olhou para Alfaiade, que rondava Ella.

— Ah, obrigada, Alfaiade — agradeceu Ella. — Agora você já pode ir.

— Vamos lá. Acabei de ajudá-la — choramingou o alfaiate. — Agora me conte por que você queria tanto aquela chave.

— Ei, olhe ali — apontou Ella. — Aquela não é a baronesa de Bartleby? — Sem muita delicadeza, ela deu um empurrão em Alfaiade, e Liam aproveitou a oportunidade para sair pela janela.

O príncipe olhou para cima e avistou a irmã, de ceroula, empoleirada no peitoril de uma das janelas do segundo andar.

— Vem logo — sussurrou Lila, e saiu escalando a parede, tijolo por tijolo.

— Foi assim que você entrou no quarto de Rosa Silvestre? — perguntou Liam, um tanto impressionado, enquanto a seguia.

— Sou boa com alturas — respondeu Lila, entrando de volta pela janela do quarto de Rosa Silvestre, com Liam logo atrás. Os irmãos engatinharam silenciosamente até a escrivaninha, destrancaram e abriram a gaveta, revelando um livro grosso com capa de couro velha e desgastada: *Recordações dos reis antecessores*. Liam acendeu uma vela enquanto Lila começou a folhear cuidadosamente as páginas amareladas.

— É a história da *nossa* família — disse Liam.

— Uau, somos parentes de um tal Humperdinck? — perguntou Lila.

— Você estava certa, Lila. Isso deve ter alguma ligação com a espada — afirmou Liam.

A garota começou a folhear as páginas mais rapidamente.

— Aqui! Tem um capítulo intitulado "As joias da espada de Eríntia". Nossa, tem uma história aqui para cada pedra da espada. Deve ter umas cinquenta!

— Dê uma passada de olhos apenas — disse Liam. — Veja se algo chama a atenção.

— Vejamos — disse Lila, deslizando o dedo sobre as linhas do texto. — Diamante de uma mina, rubi encontrado embaixo de um sofá, ametista trocada por uma tropa de cavalos alados...

◂•▸

— Ha! Tenho um poodle toy que morde mais forte que você — riu Rosa Silvestre.

— Um poodle? É ele que faz seu cabelo? — revidou Gustavo.

— Ah, quer falar de cabelo? — sorriu Rosa Silvestre. — Já comeu seu mingauzinho?

— Por acaso está me chamando de menininha? Porque se for eu vou...

— Ei, isso me lembra uma coisa — disse Rosa Silvestre. — Você não estava dançando com a srta. Lila? Onde ela está agora?

Rosa Silvestre olhou ao redor.

— Ela acabou de ir ao, hum, você sabe, banheiro — disse Gustavo.

— Já faz tempo que ela saiu, não faz?

Gustavo deu de ombros.

— Não pergunte para mim. Não faço a menor ideia do que as garotas ficam fazendo lá.

— Humm — murmurou Rosa Silvestre. — Não gosto nem de imaginar que a minha cunhadinha tenha se envolvido em algum tipo de confusão. Acho melhor ir atrás dela.

— Tenho certeza de que ela está bem — disse Gustavo. — Fique e... dance mais um pouco. Comigo...

Naquele momento, as últimas notas de uma valsa se esvaíram, e a orquestra parou para um intervalo.

— Voltaremos em cinco minutos — avisou o maestro. — Enquanto isso, saboreiem as asinhas crocantes de fadas.

— Perfeito — disse Rosa Silvestre. E deixou o salão de baile.

◄•►

— Achei! — exclamou Lila, quase alto demais. — Veja! PGJD!

Ela apontou para o título de uma história, "A jade laranja", ao lado do qual Rosa Silvestre anotara as quatro letras misteriosas. A história era sobre o príncipe Dorun, o tatara-tatara-tatara-tatara-tatara-tatara--tatara-tataravô de Liam (acrescente ou tire alguns "tataras").

— Será que o J se refere a "jade"? — perguntou Lila.

Liam e sua irmã rapidamente se puseram a ler a história.

Parecia que centenas de anos atrás, o príncipe Dorun embarcara para uma longa e perigosa jornada rumo às terras desertas de Aridia. Até então, nenhum membro da família real de Eríntia jamais havia deixado o reino. Mas o rechonchudo príncipe era louco por doces e, quando ouviu falar de uma guloseima aridiana chamada *maldente* — feita com doze tipos de açúcar moldados em um caramelo coberto com açúcar de confeiteiro, mergulhado em creme açucarado e recheado com calda doce —, nada o deteve. Infelizmente para Dorun, ele nunca teve a chance de experimentar o lendário *maldente*; ele e sua caravana foram apanhados por uma violenta tempestade de areia e se perderam entre as dunas do deserto.

Eles vagaram por semanas até se deparar com um templo quase enterrado: colunas rachadas e placas quebradas de granito se erguiam da areia. No centro da ruína havia um esqueleto envolto em farrapos de seda magenta, com um objeto cintilante na mão. Quando o faminto príncipe Dorun viu o que imaginou ser uma imensa jujuba brilhante, ele a puxou dos longos dedos ossudos da caveira e deu uma mordida, quebrando seus quatro dentes da frente. Porque, na verdade, ele tinha acabado de morder uma enorme pedra preciosa laranja. Decepcionado por aquilo não ser um doce, mas ao mesmo tempo feliz por ter descoberto um tesouro de valor incalculável, Dorun guardou a estranha pedra brilhante no bolso e continuou tentando sair do deserto.

Meses depois, o príncipe Dorun cruzou sozinho os portões do palácio real de Eríntia. O destino dos demais membros de sua caravana continua desconhecido (apesar de algumas pessoas se perguntarem por que o príncipe não perdera nem um quilinho após ter vagado dias a fio pelo deserto). Dorun presenteou seus pais com a misteriosa gema laranja. Como recompensa, o rei e a rainha lhe conferiram o total controle da cozinha e do cardápio real. Não era uma honraria que Dorun pedira, mas com a qual sonhara desde criança.

— Parece até que vocês leram a minha mente — disse ele.

Naquele tempo, os artesãos reais do palácio estavam finalizando a espada de Eríntia, uma arma adornada com pedras preciosas de um esplendor tal que o mundo jamais vira. E a rara jade laranja de Dorun recebeu um lugar de destaque na base da lâmina.

Liam fechou o livro e olhou para a irmã.

— Se estou entendendo bem Rosa Silvestre, a espada em si não significa nada — disse ele. — É a pedra que ela quer, a jade laranja.

— E aposto que aquela canção de ninar vai nos dizer por quê — disse Lila. — Precisamos ouvi-la esta noite.

Liam concordou.

— Por enquanto, vamos guardar o livro no lugar. Precisamos voltar para o baile.

O ruído dos sapatos de salto de Rosa Silvestre ecoava pelo corredor vazio conforme ela se dirigia ao toalete. Mas, quando tocou na maçaneta, ela se deteve. Será que tinha ouvido passos de mais alguém?

— Rúfio? — sussurrou no silêncio do corredor. Não houve resposta. Ela bufou e girou a maçaneta. Mas, antes que pudesse abrir a porta, ouviu o barulho de algo se quebrando acima, seguido por um grito de socorro.

Rosa Silvestre soltou a maçaneta e se apressou até a escadaria, no outro extremo do corredor. Ela já estava subindo para ver o que tinha acontecido, mas foi barrada no segundo andar por um trio de guardas apressados.

— Volte lá para baixo, Vossa Alteza! — clamou um dos guardas. — É o Espectro Cinzento!

―•―

Justamente quando Lila virou a chave para trancar a gaveta da escrivaninha de Rosa Silvestre, ela e Liam ouviram os gritos do lado de fora do aposento.

— Desça, rápido! — sussurrou Liam apressado. — Não se esqueça de soltar a chave em algum lugar do salão de baile!

— Mas estou de ceroula — protestou Lila.

— Vá! — repetiu Liam.

Lila saiu pela janela, levando consigo a chave de Rosa Silvestre. Naquele exato momento, a porta foi arrombada com um chute do lado de fora, revelando um homem vestido de cinza com dois guardas a seu encalço. Liam reconheceu na hora a intrincada máscara demoníaca do invasor.

O Espectro Cinzento hesitou quando viu Liam.

— Não era quem você esperava? — o príncipe perguntou.

Sem uma arma melhor, ele pegou um espelho de mão de prata da penteadeira de Rosa Silvestre e o balançou de um lado para o outro. Surpreendendo Liam com sua velocidade, o Espectro torceu o braço do príncipe para as costas dele e o empurrou dolorosamente até o corredor. Depois, jogou Liam contra a parede e o derrubou no chão com um chute forte na base das costas.

Caído, Liam ouviu o barulho de passos se aproximando.

— Pare! Ladrão! — gritavam os guardas enquanto corriam pelo corredor. Com um estrondo de vidro estilhaçando, o Espectro mergulhou por uma janela ao fim do corredor e desapareceu na escuridão noturna.

— Está tudo bem, Vossa Alteza? — perguntou um dos guardas enquanto ajudava Liam a se levantar. Liam ignorou a pergunta e se apressou para olhar pela janela. Não havia sinal do Espectro. Ele se ajoelhou para dar uma olhada nos guardas caídos no chão; estavam quase mortos.

— Levem estes homens para um médico imediatamente — disse ele, e correu em direção à escada.

Segundos depois, Liam irrompeu no salão de baile. Enquanto a orquestra tocava uma música lenta, ele disparou até Gustavo, Ella, Duncan e Branca de Neve.

— Ainda bem que você voltou — disse Ella assim que o viu se aproximando. — Rosa Silvestre saiu e...

— Alguém nos atacou lá em cima — ofegou Liam. — Alguém com a máscara do Espectro Cinzento.

— O Espectro Cinzento está aqui?! — gritou Duncan. Violinos desafinaram e oboés chiaram quando a música parou de repente, sendo substituída por gritos de pavor. — Espere — continuou Duncan. — Quem é o Espectro Cinzento?

Antes que alguém pudesse explicar, o salão de baile já havia se transformado em um verdadeiro hospício. Os convidados, antes nobres e muito educados, saíram empurrando uns aos outros conforme lutavam e se arranhavam para alcançar as saídas. A barriga de um conde grisalho caiu pesada sobre o patê de cebola, e o traseiro de uma bela duquesa escorregou sobre uma poça do molho de coquetel. Embocaduras de saxofone eram cuspidas e baquetas de xilofone voavam pelos ares enquanto os membros da orquestra corriam. O barão de monóculo se voltou para sua esposa e disse:

— Esta festa não foi tão boa quanto a do casamento.

Então alguém o empurrou em cima de uma tigela de pudim.

Em poucos minutos, a maioria dos convidados já tinha caído fora, e parecia que um tornado acabara de passar pelo salão de baile. Pratos estilhaçados, clarinetas quebradas e empanados de rinoceronte pisoteados encobriam a pista de dança. Rosa Silvestre surgiu do corredor e começou a puxar os cabelos.

— Ei, Rosa Silvestre — chamou Lila, após ter entrado furtivamente pela janela. — Veja o que seus convidados malucos fizeram com meu vestido!

Em um canto do salão, uma mesa virada se mexeu quando Alfaiade saiu debaixo dela. Seu traje de lamê dourado estava sujo e ensopado de vinho tinto.

— O que aconteceu? — murmurou ele. — Quando finalmente achei que tinha conquistado aquela duquesa, *bam!*

— Alfaiade — perguntou Liam —, será que alguém roubou a máscara do Espectro Cinzento que você fez?

Alfaiade negou com a cabeça.

— Impossível. — E puxou do paletó uma máscara de tecido cinza com apenas metade da elaborada estampa do Espectro bordada. — Eu ainda nem terminei.

Liam olhou para os outros.

— Isso significa que era mesmo o Espectro Cinzento. Ele deve ter nos seguido desde Flargstagg.

— Agora até estou feliz por Frederico não estar aqui — comentou Ella.

◄ • ►

— Bem, acho melhor eu ir andando — disse Frederico.

Ele se levantou, curvou-se com elegância e partiu em direção à porta, com Rapunzel logo atrás.

— Está escuro — disse ela. — Tem certeza de que não prefere esperar até amanhã cedo?

— Tudo bem. Amanhã é o nosso último dia para escarafuncharmos os segredos de Rosa Silvestre antes da missão — disse Frederico. — Dormirei no cavalo mesmo.

Ele caminhou até o estábulo de Rapunzel e lá encaixou um dos pés no estribo do animal, começando a subir na sela.

— Espere — chamou Rapunzel. — É o cavalo errado!

A égua marrom-avermelhada, Poli — com a qual Genoveva, a de Frederico, dividia o estábulo —, se assustou com o estranho que tentava montá-la no escuro e empinou sobre as patas traseiras, derrubando Frederico no chão.

— Frederico, você está bem? — perguntou Rapunzel enquanto corria lá para dentro.

— Acho que sim... AI! — Frederico foi atingido por uma forte onda de dor ao tentar se levantar. — Não. Isso significou não. Nem um pouco. Minha perna. Ai, ai, ai.

Rapunzel se ajoelhou ao lado dele e subiu a perna direita da calça do príncipe para verificar o ferimento.

— Ah, minha nossa — ela engasgou. — Parece feio. Sua perna está inclinada para o lado *errado*.

— Isso explica a dor imensa — disse Frederico, meio azulado.

Rapunzel abaixou a cabeça.

— Não se mexa — falou.

Frederico tentou ao máximo se acalmar. E então viu quando os ombros de Rapunzel estremeceram, e uma única gota de lágrima pingou de seu olho e se esparramou sobre a perna quebrada. Em menos de um segundo, um zunido misterioso tomou conta de tudo. A perna de Frederico começou a vibrar e lentamente foi voltando para o lugar. A dor passou por completo.

— Obrigado — Frederico balbuciou enquanto tentava recuperar o fôlego.

Rapunzel enxugou o olho.

— Você fez isso de propósito — disse ela.

— O quê? — perguntou Frederico, incrédulo. — Eu? Quebrei minha perna de propósito? Você definitivamente precisa me conhecer melhor. Evito a dor a todo custo. Quando bordo, uso dedais em todos os dedos.

— Então não foi uma tentativa de mexer com as minhas emoções? Para me fazer sentir culpada se não estiver lá para salvá-lo quando você se ferir de novo?

— É claro que não. — Frederico parecia magoado pela acusação. — Fui sincero em tudo o que disse esta noite. Eu nunca seria desonesto com você.

Rapunzel fitou os olhos marejados dele e acreditou.

— Desculpe — disse. — Acho que não estou acostumada a esperar o melhor dos homens em minha vida. Meu pai me trocou por alguns nabos e, bem, você sabe o que aconteceu com o Gustavo.

— Tudo bem — disse Frederico. — Eu compreendo.

Ela apanhou uma manta em uma prateleira próxima e a estendeu para Frederico.

— Não vou permitir que vá embora no escuro. Durma aqui. Espero que não se importe de usar uma manta de cavalo.

— Tudo bem — disse Frederico. Ele arrumou um cantinho distante dos animais, empilhou um pouco de feno e deitou envolto na manta.

— Obrigado. E boa noite.

◂ • ▸

— O que pensa que está fazendo? — perguntou Rosa Silvestre rispidamente.

Ella estava limpando o molho de queijo espalhado pelo salão de baile destruído.

— Onde você conseguiu esse esfregão? Meus servos limparão isso. Todos vocês serão acompanhados até seus aposentos.

— Tudo bem — disse Liam.

— E, como medida de segurança, todos contarão com guardas de plantão do lado de fora — continuou a princesa.

— Não precisamos de... — começou Gustavo.

— Pare — ordenou Rosa Silvestre. — O Espectro Cinzento acabou de invadir meu palácio. Ele ainda pode estar escondido em algum lugar por aqui. Estou dobrando o contingente de guardas em torno do palácio. E, até que o Espectro seja preso, todos permanecerão em seu aposento.

— Mas e se ele nunca for pego? — perguntou Liam. — E quanto à missão?

— É claro que poderão sair para cumprir a missão. Eu quero minha espada — disse Rosa Silvestre, revirando os olhos. — Mas, se preciso, vocês ficarão trancados até lá. Ah, e não se preocupem; já falei com o general Costas sobre as catapultas. Estarão à disposição de vocês na manhã da missão. — E, antes que alguém tivesse tempo de argumentar, ela marchou para fora do salão de baile.

— Catapultas? — perguntou Branca de Neve, com o lábio ligeiramente trêmulo.

Liam voltou-se para Alfaiade.

— Depois que tiver terminado aquela máscara, vou precisar que faça asas planadoras também.

Alfaiade deu de ombros.

— Vou começar a trabalhar nelas agora. — E saiu do salão, sendo logo pego pelos braços por dois soldados, que o levaram até seu quarto.

— Pessoal — disse Liam, parando os outros antes que se fossem. — Descobrimos que a Rosa Silvestre não quer a espada, mas uma das pedras que tem nela. A laranja, jade.

— Eu prefiro limonada — disse Duncan.

— Não laranjada — disse Liam. — E sim uma jade cor de laranja.

— Mas eu pensei que jades fossem verdes — comentou Ella.

— Normalmente sim — explicou Lila. — A laranja é muito rara.

— E por que a Rosa Silvestre quer essa pedra em particular? — perguntou Ella.

— Não sabemos — respondeu Liam. — Precisamos ouvir a tal canção do bardo.

— O que não será esta noite, agora que estamos todos de castigo — resmungou Lila.

— Tenho uma pergunta — falou Branca de Neve. — Por que você pediu para aquele homem fazer asas planadoras?

— Porque, se não pensarmos em um jeito melhor de atravessar a Muralha Sigilosa — disse Liam —, Rosa Silvestre vai nos atirar das catapultas em vinte e quatro horas.

◆ 16 ◆

O HERÓI ESQUECE A LETRA DAS MÚSICAS

Nunca subestime o poder da música. Uma pancada de bandolim na cabeça pode fazer você girar de verdade.
— O guia do herói para se tornar um herói

Na manhã seguinte, Frederico acordou com um bafo quente e molhado de cavalo na nuca. Genoveva esfregava o focinho nele.

— Bom dia — disse ele, sonolento, para o animal.

— Bom dia — ele ouviu a resposta animada de Rapunzel.

Frederico abriu os olhos e, ao se sentar, viu Rapunzel ao lado de sua égua, Poli. Ela usava um vestido branco, e seus cabelos estavam presos em um rabo de cavalo. Maçãs e pães despontavam dos alforjes carregados de Poli.

— Pronto para partir? — perguntou Rapunzel. — Estou levando o café da manhã para comermos na estrada.

— Você vai? Tem certeza disso? — perguntou Frederico.

— Bem, não estou indo para o castelo do rei Bandido com você — respondeu Rapunzel. — Não é que eu tenha me transformado em uma pessoa totalmente diferente da noite para o dia. Adeus, Rapunzel, a Curandeira! Olá, Rapunzel, a Combatente do Mal! Não, não seria eu.

Eu não luto. Mas posso estar lá para quem necessitar do meu socorro depois.

— E quanto aos seus pacientes?

— Eles podem esperar — respondeu ela. — Não é à toa que se chamam *pacientes*.

Frederico riu.

— Mas, sério, eles podem precisar de você, não?

— Dei algumas dicas de primeiros socorros para os duendes. Acho que darão conta de cuidar das coisas por alguns dias.

— Eu... eu, humm... não sei o que dizer — gaguejou Frederico.

— Tenho certeza de que você vai pensar em alguma coisa. Você tem jeito com as palavras.

— Você está tirando sarro de mim? — sorriu Frederico. — Eu não imaginava que você pudesse ser tão... espirituosa. Por favor, não se ofenda. É que você normalmente parece tão...

— Séria? — indagou ela. — Curar doentes e feridos não é uma das profissões mais alegres. Talvez seja por isso que eu tenha ficado tão feliz por ter recebido a visita de uma pessoa saudável. Ah! Por falar em saúde... Pegue isso. — Rapunzel pegou um pequeno frasco cheio de um líquido claro e guardou-o no bolso interno do paletó de Frederico. — Um estoque de minhas lágrimas. Caso precise enquanto eu não estiver por perto.

De repente, Frederico se deu conta de que, depois de ter dormido no estábulo, seu cabelo estava todo despenteado.

— Preciso me arrumar antes de partimos. Você tem um espelho?

— Sinto muito — respondeu Rapunzel, negando com a cabeça. — Ah, mas as minhas panelas brilham bastante. Você pode usá-las para ver seu reflexo, se quiser. Estão na cabana, ao lado da tina de lavar louça.

Frederico pediu licença e se apressou para dentro da cabana. Enquanto lavava o rosto e domava as madeixas, alguma coisa no canto da cabana chamou sua atenção. Ele chamou Rapunzel e apontou para o estranho objeto... Bem, na falta de uma palavra melhor, vamos chamar a coisa de escultura. O corpo era um galho retorcido. Os braços, duas pinhas quebradas, o nariz, um seixo redondo, com um sorriso torto entalhado e uma cabeleira desgrenhada de capim.

— Onde você arrumou isso? — perguntou Frederico.

— Bonitinho, né? Supostamente sou eu — disse Rapunzel. — Foi presente de um paciente, um gigante com uma bolha enorme no dedão do pé. Um sujeito muito amável, mas...

— Por acaso o nome desse gigante era Reese?

— Isso mesmo — respondeu Rapunzel, surpresa. — Como você sabe?

— Ele me esmagou uma vez — disse Frederico. — Não daquela vez em que você me curou; foi outro tipo de esmagamento. Acho que sou esmagado mais que o normal.

— Você está me fazendo sentir melhor por ter tomado a decisão de ir junto — comentou Rapunzel.

— Enfim — prosseguiu Frederico —, apesar de todo aquele esmagamento, Reese e eu acabamos nos entendendo. — Ele fez uma pausa, tomado por um súbito pensamento. — Rapunzel, você sabe onde o Reese mora?

Ela assentiu.

— Então teremos de fazer um desvio no caminho de volta para Avondell. Acho que finalmente sei como vamos transpor a muralha do rei Bandido.

⊰•⊱

Depois de passar a manhã toda torcendo a capa de ansiedade, Liam havia transformado a barra da vestimenta em meros fios puídos. Ele abriu a janela para tomar ar fresco e avistou Gustavo inclinado para fora da janela de seu aposento, ao lado.

— Ah, você também está ficando maluco, não? — perguntou Gustavo. — Eu não aguento mais. Vou pular daqui.

— Não seja ridículo, Gustavo — disse Liam. — Em primeiro lugar, a queda poderia matá-lo. E, mesmo que consiga aterrissar em segurança... Bem, dê uma olhada. Tem guardas espalhados por todo lugar: árvore em formato de golfinho, de harpia, *guarda*, arbusto em formato de crocodilo, de troll, *guarda*, em formato de camarão, de coelho, *guarda*. Não tem como escapar sem ser visto.

— Então bole um de seus famosos planos — disse Gustavo.

Bem que eu gostaria, pensou Liam.

De repente, a cabeça de Duncan surgiu na janela ao lado da de Gustavo.

— Ei, alguém falou de camarão? — perguntou ele. — Pois estou faminto.

— Estamos tentando pensar em um jeito de dar o fora daqui — respondeu Gustavo.

— E não parece nada bom — acrescentou Liam.

— O que não parece bom? Os camarões? — perguntou Duncan, colocando tanto o corpo para fora que acabou tombando sobre uma árvore que estava logo abaixo de sua janela. Foi quando a árvore em formato de troll se mexeu e amparou com seus gramíneos braços verdes o príncipe que caía.

— Obrigado, árvore — agradeceu Duncan.

— Peludão, é você? — gritou Gustavo para baixo.

O sr. Troll acenou para ele.

— Você devia ter ido embora — disse Liam. — Eu disse que não precisaríamos mais de você.

— Troll discordar — disse a criatura. — Por isso Troll ficar.

Os três guardas mais próximos abandonaram seus postos e correram até o troll com suas longas alabardas.

— Diga que foi um acidente — instruiu Liam. Mas o sr. Troll nocauteou os três soldados de uniforme listrado. — Ou não — suspirou ele.

— Ei, Troll, estou descendo também! — avisou Gustavo. Ele pulou da janela. O sr. Troll apanhou seu príncipe Homem Bravo com um sorriso satisfeito.

— O que pensa que está fazendo? — Liam gritou para baixo.

— Não podemos esperar até a noite. Com todos confinados, essa pode ser a nossa chance — disse Gustavo. — Vamos atrás do bardo pegar a música dele. — Ele se voltou para Duncan e para o sr. Troll. — É a vez do time reserva. Prontos para a ação?

Os dois balançaram a cabeça vigorosamente.

— Não, Gustavo! — gritou Liam. — Espere!

— É agora ou nunca, sr. Capa — disse Gustavo. — Já vencemos três guardas. — Quanto a isso ele tinha razão.

Liam pensou em pular da janela para se juntar a eles, mas temeu que o troll não conseguisse segurá-lo. Além disso, o trio já estava a caminho, engatinhando por entre a floresta de árvores em formato de animais. Ele não poderia impedi-los.

— *Discretamente*, Gustavo — gritou Liam. — *Discretamente!*

Gustavo fez sinal de positivo antes de desaparecer em uma curva.

— Ele não faz ideia do que essa palavra significa — murmurou Liam.

Liam bateu na porta trancada de seu quarto, rezando para que Gustavo e Duncan não tivessem estragado tudo ainda.

— Guardas! Guardas! — gritou. — Por favor, vocês precisam me deixar sair! É uma emergência!

— Emergência? — ele ouviu o guarda perguntando do corredor. — Não é o Espectro Cinzento outra vez, é?

Liam ponderou por um segundo.

— É ele mesmo — gritou. — Vi o Espectro lá fora. Deixe-me sair. Posso ajudar a detê-lo!

— O Espectro voltou! — anunciou o guarda para os companheiros ao longo do corredor. Através da porta, Liam ouviu um murmurinho e uma comoção e, em seguida, o estrondo de dúzias de botas correndo na direção da escada.

Com um bom chute, a porta do aposento do príncipe se abriu com um rompante, e ele saiu correndo pelo corredor deserto. Seguiu para o lado oposto e arrombou a porta de outro quarto com o ombro, arrebentando a fechadura e escancarando a porta. Ella pulou assustada quando o viu.

— Preciso de sua ajuda — disse ele. — Podemos dizer que temos um problemão.

◄•►

— Para alguém que é do tamanho da minha sala de estar, você sabe passar despercebido direitinho — disse Duncan enquanto o trio engatinhava pelo jardim, e eles se escondiam atrás do sr. Troll todas as vezes que um guarda passava.

— Homem Opa também não ser ruim — respondeu sr. Troll.

— Muito bem, rapazes — disse Gustavo. — Uma vez que todos no palácio supostamente estão trancados em seus aposentos, isso significa que o sr. Lalalá também está trancado no quarto dele. E, pelo jeito, todos os quartos ficam no andar superior.

— Muito bem pensado, Gustavo — disse Duncan.

Gustavo fez uma pausa e sorriu.

— Você tem razão, foi mesmo — disse ele. — Mas não sabemos qual é o quarto do bardo.

— Sabe para quem poderíamos perguntar? — disse Duncan, apontando para uma janela ao alto. — Para a pessoa daquele aposento com cortina de estampa de notas musicais.

Os olhos de Gustavo reluziram.

— Só pode ser aquele! É hora de voltarmos para o andar de cima.

— Como? — perguntou Duncan.

— Do mesmo jeito que descemos, só que ao contrário — respondeu Gustavo. — Sr. Garras Medonhas, qual altura atinge seu arremesso?

◆ ● ▶

Reinaldo, o duque da Rima, não era (como Liam gostava de deixar claro para as pessoas) um duque de verdade. No entanto, ele era o bardo real de Avondell e um dos mais famosos dos Treze Reinos. Sua canção *A história da Bela Adormecida* havia estourado nas paradas de sucesso — um sucesso que durou até aquele picareta de Harmonia, Penaleve, o Melífluo, começar a inundar o mercado com as suas músicas sobre a Liga dos Príncipes. O que as canções de Penaleve tinham de tão especial? Talvez por ele ter dado *nome* aos príncipes? Um golpe baixo! E coisa que, se virasse moda, poderia significar mais trabalho para os bardos. Reinaldo não podia nem imaginar a trabalheira que teria se tivesse de começar a se certificar dos acontecimentos citados em suas histórias.

Fig. 26
Reinaldo,
o duque
da Rima

Mas ele tinha certeza de que derrotaria Penaleve em seu próprio jogo. A música de Reinaldo sobre o casamento, *A Liga dos Príncipes fracassa novamente*, já estava fazendo sucesso — e ele não tinha mencionado um único nome nela (além do de Rosa Silvestre, claro). Não, Reinaldo voltou a chamar todos os homens de Príncipe Encantado. O que tornou a história extremamente difícil de ser acompanhada, mas ninguém parecia se importar — as pessoas simplesmente gostavam de ouvir sobre um personagem que já conheciam. Ou pensavam que conheciam.

Reinaldo estava sentado na beirada da cama, dedilhando seu alaúde e compondo uma música sobre ele superando o sucesso de Penaleve, quando um gigante loiro entrou voando pela janela — e caiu sobre uma prateleira cheia de pandeiros. Gustavo rosnou enquanto arrancava um dos guizos enroscados em sua bota.

Reinaldo gritou e largou o alaúde. Ele correu em direção à porta e girou a maçaneta, se esquecendo de que estava trancada.

— Guardas! Estou sendo atacado! — gritou.

Mas seus guardas, assim como todos os outros, tinham ido atrás do Espectro Cinzento.

— Você é o Espectro Cinzento? — choramingou, pressionando o corpo contra a porta como se esperasse escapar pelo buraco da fechadura.

— Minha nossa, vocês, bardos, não prestam atenção em nada, não é mesmo? — bufou Gustavo. — Eu sou o príncipe Gustavo, um dos caras que o salvou daquela bruxa.

— Um dos dezesseis príncipes heróis de Sturmhagen? — perguntou o bardo de cabelos encaracolados, encolhido num canto e tentando se proteger com a boina de pena.

— Não, sou o décimo sétimo e, para sua informação... — Gustavo foi interrompido por Duncan, que entrou voando pela janela e trombou com o suporte de partituras. O príncipe, bem menor que o primeiro, levantou atordoado, com as mãos na cabeça.

— Agora eu sei por que os pinguins preferem andar.

Reinaldo tentou alcançar a cama, mas Gustavo o segurou pela calça e o puxou de volta.

— Sou muito talentoso para morrer! — choramingou o bardo.

— Ei! — exclamou Gustavo. — Tudo que você precisa fazer é cantar uma música e nós o deixaremos em paz.

Reinaldo não precisou ouvir duas vezes. No mesmo instante, se pôs a cantar:

— "Ouçam, meus queridos, a história que vou contar, sobre os *Príncipes Encantado* que o casamento foram estragar..."

— Essa não! — rosnou Gustavo.

— E o correto é *Príncipes Encantados* — pontuou Duncan. — Quantas vezes terei de lembrar as pessoas disso?

Gustavo ergueu Reinaldo pelos tornozelos, de cabeça para baixo.

— Certo, Príncipes *Encantados* — gritou o bardo. — Príncipes *Encantados*!

— Não, na verdade concordo com você nesse ponto — disse Gustavo ao bardo. — Só não quero fugir do assunto. Cante a canção de ninar que você entoa todas as noites para a Princesa Azedinha.

— *A história da perigosa gema jade do djinn?* — perguntou Reinaldo, seu rosto foi ficando vermelho conforme o sangue lhe descia para a cabeça.

— Perigejadodjin? — perguntou Gustavo, confuso.

— A perigosa gema jade do djinn! — gritou Duncan, triunfante. — Descobrimos, Gustavo! PGJD!

— Odeio estragar sua descoberta — disse Gustavo. — Mas a sigla não tem J no final.

— Não, é PGJD — insistiu Duncan.

Gustavo remoeu as palavras.

— Tudo bem, já ouvi dizer que a letra g às vezes tem som de j, mas não de d.

— O D de "djinn" é mudo — explicou Duncan.

— Língua boba — resmungou o grandalhão. Então largou Reinaldo e ordenou: — Cante para nós a música da gema perigosa!

— E tente não desafinar dessa vez — acrescentou Duncan, estreitando os olhos numa tentativa de parecer durão.

— Sinto muito — disse Reinaldo. — Minha voz não é das melhores quando estou temendo por minha vida. — O bardo limpou a garganta e cantarolou: — "Ouçam, meus queridos, uma história de alarmar, de morte e destruição causada pela ambição..."

Gustavo e Duncan ouviram atentamente a antiga história, mas, em vez de simplesmente transcrever a letra toda aqui, vou apresentar um resumo. Acredite, são tantas rimas tolas de "gema" com "ema" que acaba irritando.

Na história, um aventureiro sem nome abriu uma misteriosa garrafa e libertou um espírito havia muito cativo: um "djinn", ou gênio. O djinn concedeu um desejo ao homem, mas o homem achou que poderia enganá-lo, fazendo dois pedidos de uma só vez.

— Eu desejo riqueza *e* poder — disse ele.

O djinn, então, ofertou ao aventureiro uma rara jade cor de laranja, a pedra preciosa mais valiosa do mundo.

— E a segunda parte do meu desejo? — perguntou o homem, enfurecido.

— Essa pedra tem valor incalculável — respondeu o djinn. — Ela tem o poder de controlar a mente alheia. Enquanto você estiver em contato com a pedra, todos na sua presença poderão ser manipulados por você. Basta pensar no que quer que a pessoa faça, e ela vai fazer, independentemente da própria vontade. Mas uma única pessoa por vez e só enquanto você estiver olhando para ela.

O ambicioso aventureiro se apressou de volta para casa e imediatamente passou a usar a joia para fazer os outros realizarem suas vontades. Mas, como ele não era uma pessoa muito criativa, acabou usando seu poder para fazer vendedores ambulantes lhe darem água de coco de graça e coisas assim. Até que um ladrão lhe roubou a pedra.

O ladrão era muito mais esperto que o aventureiro e soube tirar proveito da pedra. Todos os seus inimigos, convenientemente, resolveram matar uns aos outros — depois de lhe entregarem todos os seus tesouros, claro. De repente, o insignificante batedor de carteiras tinha a maior casa já vista, os cavalos mais velozes e os robes de seda magenta mais finos. Não muito tempo depois, ele estava governando a cidade onde morava.

Mas uma coisa o ladrão não tinha: amor. Havia anos que ele paquerava uma garçonete, mas a garota sempre rechaçava suas investidas. Então, um dia, o ladrão se aproximou da garçonete, a pediu em casamento e usou a pedra para fazê-la dizer sim. Mas ele não tinha ouvido as regras do djinn sobre o uso da pedra mágica. Assim que o batedor de carteiras ficou cansado e fechou os olhos, não mais vendo sua noiva, seu controle sobre ela se desfez. Ela fugiu para o deserto. Cego pelo desejo de encontrar a moça, o ladrão viajou pelas dunas em busca de sua amada. Mas ele saiu despreparado, sem comida, sem água e sem mapa. Não demorou muito para que estivesse perdido. E foi lá, em algum lugar nas areias do deserto, que ele morreu.

Reinaldo terminou a música e se curvou em agradecimento enquanto Duncan aplaudia.

— Foi um tanto sombria — comentou Duncan. — Mas gostei da parte da água de coco.

Antes que Gustavo pudesse revirar os olhos, a porta foi arrombada. Liam e Ella deram uma olhada no aposento bagunçado — pandeiros quebrados, suporte de partituras virado, bardo tremendo —, e ambos bateram a mão na testa.

— *Discretamente*, Gustavo — disse Liam. — Venho lhe dizendo isso há dias. Precisamos agir *discretamente*.

— Foi o que fiz! — retorquiu Gustavo. — Discretamente. Tudo no maior silêncio, o bardo não desconfiava de nada, e então discretamente: BUM! Nós atacamos.

— Gustavo? — disse Duncan gentilmente. — Acho que você confundiu com "de repente".

— Não — disse Gustavo. — De repente é quando... Ah. Sim. Bem, hum... E daí? Conseguimos ouvir a música. E agora sabemos o que significa PGJD!

— Perigosa Gema Jade do Djinn! — anunciou Duncan.

— Apesar de quase todas as palavras terem som de J — adicionou Gustavo.

— Jade — disse Liam. — Uma jade laranja, como a pedra da espada?

Duncan e Gustavo assentiram.

— Mas o que essa pedra tem de tão especial? — perguntou Ella.

— É uma joia amaldiçoada que dá o poder de controlar a mente das outras pessoas — explicou Duncan. — Você pode forçar os outros a fazer o que você quiser: cacarejar, usar um chapéu engraçado...

— Pôr um reino inteiro a seus pés — acrescentou Liam, e seu rosto ficou pálido. — Agora tudo faz sentido. É assim que ela pretende dominar o mundo.

— Quem vai dominar o mundo? — perguntou uma voz aguda vinda do corredor. Rosa Silvestre entrou no aposento, empurrando Liam e Ella de seu caminho e repetindo a pergunta: — Quem vai dominar o mundo?

— Descobrimos o que você está tramando — disse Liam. — Sabemos por que quer tanto a espada de Eríntia: a perigosa gema jade do djinn.

Rosa Silvestre o encarou furiosa, mas não disse nada.

— Com o poder da pedra, você pretende assumir o governo dos Treze Reinos, um a um — continuou ele. — Forçar o rei de Valerium a abdicar de seu trono, fazer os pais de Gustavo acabarem com o exército de Sturmhagen, enganar os pais de Duncan para que se percam na floresta...

— Você leu meu diário! — esbravejou Rosa Silvestre. — Pensei que tivesse mais respeito pela propriedade alheia, Príncipe Encantado.

— Então você não nega — retrucou Liam.

Rosa Silvestre se aproximou da cama em formato de harpa do bardo e sentou-se na beirada do colchão.

— Crescer fugindo de uma maldição pode ser muito cansativo — disse ela, em um tom muito mais doce que o normal. — Até humilhar os criados acaba perdendo a graça depois de um tempo. E sabe o que foi que eu fiz? Li muito. E, como eu sabia que estava prometida a você, Liam, li sobre a história de sua família. Quando me deparei com a história daquele balofo, o príncipe Dorun, na mesma hora fiz a ligação com uma de minhas antigas canções de bardo preferidas: *A história da perigosa gema jade do djinn*. Como não gostar de uma história com tanta morte e destruição? Mas, continuando, a jade laranja, o esqueleto no deserto de Aridia, os robes de seda magenta, a história sobre o cardápio real; não precisava ser gênio para perceber que a pedra preciosa de Dorun *era* a gema do djinn. E...

— E agora você quer a pedra para dominar os Treze Reinos — interrompeu Ella.

Rosa Silvestre cerrou os dentes.

— Estou explicando...

— Você não tem como justificar isso, Rosa Silvestre — disse Liam.

— Acredite no que quiser — respondeu Rosa Silvestre. — Apenas diga se ainda está dentro da missão ou não. Pois os ninjas de Kom-Pai acabaram de chegar. E ficarei imensamente feliz em enviá-los para Rauberia amanhã, caso não estejam mais dispostos a ir.

Ella e os príncipes se entreolharam.

— Não, nós vamos — respondeu Liam.

— Ótimo — disse Rosa Silvestre, levantando-se. — Porque, de um jeito ou de outro, aquela espada tem de ser tirada das mãos de Deeb Rauber. — Ela passou pela porta arrombada e se virou. — Acho incrível como vocês estão tão preocupados comigo quando tudo o que fiz foi executar um contrato de casamento que já existia e mandar prender um bando de gente que invadiu meu palácio. No entanto, vocês não parecem nem um pouco preocupados com o fato de aquela pedra preciosa estar em um castelo cheio de criminosos desconhecidos. Tem gente muito pior do que eu neste mundo, sabe.

← 17 →

O VILÃO SÓ QUER SE DIVERTIR

Se alguém estiver em seu caminho para a glória, passe por cima.
Se alguém o impedir de atingir seus objetivos, passe por cima.
Se alguém usar muitos "hums" nos discursos, passe por cima.
— O CAMINHO DO GUERREIRO PARA ALCANÇAR O PODER:
ANTIGO MANUSCRITO DE SABEDORIA DARIANA

O chefe militar de Dar fechou a porta do aposento de hóspedes que estava ocupando: um quarto luxuoso forrado de tapetes de pele de animais furtados e mobiliado com poltronas e armários sofisticados que Rauber roubara ao longo dos anos. Ele se virou para falar com os soldados darianos que reunira ali. O primeiro era Madu, o guardião da cobra. Alto e esguio, Madu trajava um kilt maltrapilho e uma túnica aberta que exibia as inúmeras tatuagens de serpentes que lhe cobriam a pele.

Ao lado do guardião da cobra estava um guarda-costas corpulento, chamado Jezek, coberto dos pés ao pescoço com uma armadura cheia de cravos pontiagudos. E, ao lado dele, estava Camisa-Vermelha, um bárbaro de pescoço grosso que gostava de lamber a ponta de seu machado.

O último do grupo de conspiradores de Randark era Baltasar, o carcereiro da masmorra. Uma massa de músculos ambulante, Baltasar era maior que Randark (maior que todos os irmãos de Gustavo também — só para servir de parâmetro). Uma máscara vermelha e preta cobria seu rosto da metade para cima, enquanto a parte de baixo era praticamente encoberta por um espesso bigode que descia até o peito, como dois rabos de cavalo faciais. As duas pontas do bigode eram unidas por um osso: um pedaço de garra de leão talvez, ou um dedo humano, ou, quem sabe, um pé de galinha (não que alguém fosse perguntar).

Lorde Randark descobrira Baltasar havia alguns anos. O chefe militar estava liderando um pelotão de soldados bárbaros em uma missão que incluía invadir e saquear uma vila em Dar, chamada de Foiceira, mas, quando chegou, ele viu que a cidade já tinha sido reduzida a um campo enegrecido de carvão e fumaça. Parado em meio a toda aquela destruição estava Baltasar. Quando o chefe militar se aproximou da besta mascarada, a única coisa que Baltasar falou foi:

Fig. 27
Capangas de Randark

— O povo de Foiceira não gostou do meu bigode.

Randark respondeu oferecendo trabalho ao homem. Desde então, o mascarado se tornou a arma secreta do chefe militar.

— Diga o que quer, lorde Randark — disse Baltasar. Quando ele falava, parecia que sua boca estava cheia de cacos de vidro (o que era verdade; ele gostava de mascar garrafas entre as refeições).

— Como previamente discutido — começou o chefe militar —, Rauberia em breve será nossa. E, depois que tivermos transformado a base geograficamente mais bem localizada em Nova Dar, todas as outras nações estarão esperando para ser anexadas, como se estivéssemos fazendo espetinhos de reinos. Mas o garoto continua sendo um problema.

— Então devemos tirá-lo da jogada agora? — perguntou Baltasar.

— Não posso eliminar o rei Bandido até entender o mistério que o cerca — respondeu Randark. — Não entendo a popularidade que tem entre seus homens. Nem sua fama entre os habitantes dos reinos vizinhos. Rauber é um criminoso atrapalhado. É preguiçoso, teimoso e, pelo que vi, não tem estômago para o mal verdadeiro. Resumindo, é uma criança.

— Vocês já estiveram no telhado do castelo? — perguntou Madu, o guardião da cobra. — Ele tem um campo de minigolfe lá. Se você conseguir jogar a bola entre as patas de um elefante, ele esguicha água. Não entendi isso.

— A masmorra me dá nojo — vociferou Baltasar. — Vocês precisam ver as coisas que ele chama de "aparelhos de tortura": um funil para pingar saliva no ouvido do torturado e uma máquina de dar cuecão. É deplorável. — Ele agarrou uma poltrona, partiu-a ao meio com uma mordida e cuspiu os pedaços no chão.

— Entendo a frustração de vocês, mas por enquanto vamos ter que tolerar o comportamento insuficientemente malvado do garoto — disse lorde Randark. — Por mais fortes que nós cinco sejamos, duvido que a gente consiga deter uma rebelião de trezentos bandidos. Precisamos primeiro trazer os homens de Rauber para o nosso lado.

— Precisamos de bardos — sugeriu Camisa-Vermelha. — Rauber tem muitas canções sobre ele, por isso é tão famoso. As pessoas escutam as músicas dos bardos e é por isso que querem se juntar ou fugir dele. Há anos venho dizendo que Dar precisa de um bardo.

Randark agarrou Camisa-Vermelha pelo colarinho de sua camisa vermelha e o atirou pela janela do quarto andar. Mais comida para as enguias.

— Bardos não servem para nada além de entretenimento vazio — vociferou Randark para os homens que sobraram. — Não é um homem arranhando um violãozinho que vai dizer ao mundo quem temer, mas um verdadeiramente poderoso como eu. Estamos treinando os bandidos de Rauber aos moldes de Dar; eles vão acabar se dando conta de como é um vilão de verdade. Foi para esse propósito que reuni vocês quatro... quer dizer, *três* aqui. Precisamos começar a trabalhar com os bandidos de Rauber, espalhar a semente da discórdia entre eles. E prestar mais atenção naquele espadachim, Vero. Se conseguirmos fazê-lo mudar de lado, outros o seguirão.

Houve uma rápida batida à porta, e Falco, a sentinela careca de dentes afiados, abriu e entrou, parecendo agitado.

— O que foi, Falco? — perguntou Randark.

Falco se ajoelhou e começou a andar de joelhos, fazendo uma careta engraçada.

— Rauber está vindo? — indagou Randark.

Falco assentiu.

Segundos depois, outra batida à porta, dessa vez bem mais alta. Falco abriu e revelou Deeb Rauber cutucando o nariz.

— Pois não? — entoou Randark.

— Vou receber um circo amanhã, às quatro da tarde — anunciou Rauber. — Vai ser legal. Palhaços, ursos dançantes, gatos malabaristas... Acho que eles têm até um macaco que atira dardos em um porco.

Jezek caminhou até a porta.

— Fiquei de ensinar técnicas de arremesso de lança para os seus homens amanhã à tarde — disse ele.

— Isso pode esperar, Espinhoso — respondeu Rauber. — Você ouviu o que eu disse? *Gatos malabaristas!*

— O que isso significa? — desdenhou Jezek. — São homens que fazem malabarismo com gatos, ou gatos que fazem malabarismo com outras coisas?

— Tanto faz — retorquiu Rauber.

— Bater em retirada, Jezek — disse Randark. Ele se aproximou de Rauber. — Meus homens e eu não vamos assistir ao espetáculo — falou, mal disfarçando o desprezo.

— Não acredito, cara — disse Rauber. — Você não pode perder. Quer dizer, vai se arrepender muito se não for.

O chefe militar suspirou lenta e profundamente.

— Se significa tanto para você, vou tentar dar uma passada.

— E vai correr o risco de perder a melhor parte? — disse Rauber. — De jeito nenhum. Você vai se sentar ao meu lado, no meu camarote particular. São os melhores lugares. Especialmente para o final. Vai ser demais.

Randark encarou o garoto em silêncio por alguns segundos. Então seus lábios se curvaram em algo parecido com um sorriso.

— Você venceu — disse em sua voz amigável (que ainda assim era bem assustadora). — Estarei lá às quatro em ponto.

— Excelente — comemorou Rauber. — Você não vai se arrepender. Esse circo é tudo de bom. — E então saiu assobiando desafinado.

Assim que o rei Bandido sumiu de vista, os homens de Randark começaram a resmungar.

— Um circo? — perguntou Jezek, desconfiado

— Rauber insistiu não só para que eu fosse, mas também para que me sentasse em um lugar específico — disse Randark. — O garoto acha que é igual a mim; meu *rival*, talvez. Era só questão de tempo para que tentasse me eliminar. E ele vai dar o golpe agora. Está planejando me matar ao fim do espetáculo do... *circo*. — Ele cuspiu a palavra. — Vou permitir que ele tente. Depois que tiver fracassado diante de todos, não terei muito trabalho para fazer com que seus homens passem para o meu lado. Vou aproveitar a oportunidade e matar o garoto.

◆ 18 ◆

O HERÓI TEM AMIGOS NOS ALTOS ESCALÕES

Não tem essa de "eu" na Liga dos Príncipes.
— O guia do herói para se tornar um herói

— O que me diz, Reese? — perguntou Frederico. — Vai nos ajudar?

O gigante contorceu o enorme rosto.

— Hummmm... Acho que não — respondeu.

Após quase um dia inteiro de viagem, Frederico e Rapunzel finalmente tinham encontrado Reese às margens do lago Dräng, na fronteira do reino de Jangleheim. O homem de quase trinta metros de altura estava sentado à margem, usando calça e camisa feitas de vários sacos de farinha emendados. Em uma das mãos, ele segurava uma árvore inteira, que esculpia com uma faca, confeccionada por ele mesmo com trinta escudos de ferro soldados. Ao seu redor, havia várias esculturas de madeira malfeitas recostadas nas pedras. Os cabelos eram de junco, musgo ou palha; os rostos tinham sido pintados com amoras ou feitos de conchinhas. Algumas tinham braços longos e finos de galhos; outras, membros rijos e grosseiros de remos de barco abandonados. Nenhuma parecia nem remotamente uma pessoa, mas mesmo assim várias tinham uma plaquinha em que se lia VENDIDO pendurada ao "pescoço".

— Não me entenda mal, senhor — continuou Reese. — Sinto-me honrado por ter vindo me fazer esse pedido. Mas estou apreciando a vida pacata daqui. Para onde olho, vejo uma linda paisagem, estou fazendo o que amo e os negócios estão indo bem.

Em quase todos os sentidos, o gigante era um péssimo artista. Mas teve a sorte de se estabelecer em Jangleheim, um reino cujo povo era famoso pelo mau gosto. O que prova que há lugar para todo mundo.

Frederico respeitava o fato de Reese ter trocado o perigoso e violento trabalho de capanga por uma vida totalmente honrada. Ele respirou fundo, se sentindo um pouco culpado pelo que estava prestes a dizer.

— Compreendo sua relutância, Reese. De verdade. Eu acho que só estava esperando que, depois de termos *salvado sua vida...*

— E curado suas bolhas — completou Rapunzel, lançando um rápido sorriso para Frederico.

— Sim, depois de toda a ajuda que lhe demos — continuou Frederico —, esperávamos que fosse cavalheiro o suficiente para retribuir o favor.

— É verdade — disse Reese. — Se você não tivesse me convencido a correr na hora certa, agora eu seria uma imensa montanha de bacon. Sei que lhe devo essa. E aquela bolha, ohh, aquilo foi horrível; mas, mesmo assim, não posso me envolver em nada perigoso. Prometi para minha mãe.

— E como você acha que sua mãe vai se sentir se souber que você foi tão insensível diante de um amigo em apuros? — perguntou Frederico.

— Ei, vocês estão tentando me fazer sentir culpado — disse Reese.

— Isso mesmo, filho, eles estão — reverberou uma voz estrondosa vinda do bosque atrás deles. — Ainda bem que você não caiu nessa.

Frederico e Rapunzel deram meia-volta e se depararam com uma mulher gigantesca, muito mais alta que Reese, parada na praia. Ela vestia uma túnica de couro feita de no mínimo mil animais. Seus dentes pareciam lápides, as sobrancelhas, arbustos mal aparados. Famílias inteiras poderiam se perder naquela floresta de cabelos grisalhos eriçados.

— Pode deixar que dou um fim nessas pragas para você.

A gigante ergueu o imenso pé descalço.

— Não, mãe, espere! — gritou Reese, pulando e causando um deslizamento de pedras, que acabou soterrando várias de suas peças de arte. — Por favor, não esmague essas pessoas. Elas não são más. Eu juro.

Ela abaixou cuidadosamente o pé. Então agachou e olhou desconfiada para a dupla de humanos insignificantes.

— A senhora deve ser a mãezinha do Reese... Quer dizer, mãe — disse Frederico.

— Meu nome é Maude — respondeu ela com uma voz áspera, porém feminina. — Só porque meu filho pediu gentilmente, não vou esmagá-los. Mas parem de incomodar o garoto. Ele é um bom menino. Não quero que ele se envolva com pessoas erradas. Por isso vão embora antes que eu resolva esfoliar meus dedos dos pés na cara de vocês.

— Senhora — disse Frederico —, Reese sempre falou muito bem de você. Sei que é uma mulher inteligente e sensível. Se ao menos pudesse nos ouvir... — E ele prosseguiu falando sobre a missão e o plano que contava com Reese para ajudar Gustavo, Ella e Lila a transportar a Muralha Sigilosa de Rauber. — Por isso, como pode perceber, nós *precisamos* do Reese.

— Não, não precisam — respondeu Maude. — Vocês precisam de um gigante. E este parece ser *meu* tipo de trabalho.

— Mãe, você não pode estar falando sério — soltou Reese. — Você disse que tinha se aposentado desse tipo de coisa. Que queria levar uma vida calma e sossegada.

— Eu queria isso para *você*, Reese — disse a mãe gigantesca. — Quanto a mim, sinto saudade dos velhos tempos. — Ela olhou saudosa para as estrelas que despontavam no céu.

— Com licença, senhora — disse Frederico. — Velhos tempos?

— Fui um tanto ousada em minha juventude — confessou Maude. — Pisoteando vilas, lutando contra dragões, arrancando telhados de palácios com os dentes. Tive mais cavaleiros e aventureiros tentando me matar que árvores para atirar contra eles. Atingi o auge da fama depois do incidente com o pé de feijão.

— Eu não sabia que o gigante daquela história era mulher — disse Rapunzel, surpresa.

— Bem, os bardos não são muito atentos a detalhes, não é? — respondeu Maude. — Mas isso é passado. Depois que me tornei mãe, decidi parar e dar um bom exemplo ao meu menino.

Reese abriu um sorriso meigo.

— Mas, ei, já fiz meu trabalho, certo? — continuou Maude. — Reese se tornou uma boa pessoa. Missão cumprida. Vamos esmagar umas coisas por aí.

A enorme mulher começou a se alongar.

— Humm, na verdade não precisamos que a senhora esmague nada — disse Frederico.

— Ah, sim... Não se preocupe — desdenhou Maude. — Farei o que você precisar que eu faça: carregar pessoas, ajudá-las a transpor muralhas, esmagar uma coisa qualquer.

— Não, sério — disse Frederico. — Nada de esmagar.

Maude acenou com a mão.

— Não se preocupe. Não vou esmagar nada muito grande. — A mulher se abaixou e colocou a dupla de humanos na palma de uma mão e os cavalos na outra. Rapunzel segurou no ombro de Frederico para se equilibrar.

— Hum, antes de partirmos — falou Frederico, acenando com a cabeça na direção do lago. — Maude, você poderia, por favor, pegar uma daquelas canoas velhas também?

Enquanto o sol se erguia sobre o palácio de Avondell, na manhã do solstício de verão, Ella olhou pela janela de seu aposento e ficou furiosa com o que viu. Liam e Alfaiade seguiam em direção aos portões principais, sozinhos. Ainda de camisola, Ella deixou o quarto e correu atrás deles.

— Onde vocês pensam que estão indo? — repreendeu ela quando conseguiu alcançá-los na estrada, distante do palácio. — Fugindo sozinhos? Fazendo exatamente a mesma coisa pela qual você ficou tão bravo com Frederico?

Liam se deteve.

— É diferente — disse ele. — Estou fazendo isso para impedir que o resto do time morra.

— Nossa, obrigada por confiar em mim — disse Ella sarcasticamente.

— Você viu as catapultas alinhadas do lado de fora do palácio? — perguntou ele. — Não vou deixar que você ou a minha irmã, nem mesmo Gustavo, sejam arremessados daquelas coisas.

— Eu fiz as asas planadoras que você pediu — disse Alfaiade. Mas foi ignorado.

— Nada de catapultas, entendi. E o que vai ser então? Você está planejando fazer tudo sozinho? — perguntou Ella, tentando decidir se estava mais incrédula ou ofendida.

— Bem, não sozinho — respondeu Alfaiade, passando o braço ao redor do ombro de Liam. — Alfaiade, o Pequeno, também vai estar lá.

— Escute — disse Liam. — Você sabe tanto quanto eu que Rosa Silvestre estava mentindo para nós na noite passada.

— Mentindo sobre o quê? — perguntou Alfaiade. Ella fez sinal para que ele se calasse.

— Mas ela tinha razão quanto a uma coisa — continuou Liam. — Nós ainda precisamos tirar aquele tesouro das mãos de Rauber.

— Quando dizemos "tesouro", estamos falando sobre um tesouro em particular? — perguntou Alfaiade, dando um tapinha no ombro de Liam. — Ou estamos falando em termos gerais?

Ella fez sinal para que ele se calasse.

— Sabe de uma coisa, estou começando a achar que estou sobrando aqui — disse Alfaiade.

— Por que não vai indo na frente? — sugeriu Liam, dando um empurrãozinho em Alfaiade. — Eu o alcançarei em uma hora no nosso ponto de encontro, e então você poderá me "capturar".

Contrariado, o alfaiate seguiu sozinho.

— Ella — disse Liam, olhando-a nos olhos. — A espada de Eríntia precisa ficar nas nossas mãos, não nas de Rosa Silvestre, de Rauber ou de qualquer outro. Até lá, ninguém estará seguro. É por isso que estou indo pegá-la. E durante o processo não vou colocá-los em perigo.

Ella agarrou a mão dele e começou a puxá-lo de volta para o palácio.

— Vamos — disse ela. — Se acha mesmo que não precisa da gente, então diga isso na cara de todos.

Pouco tempo depois, Liam estava parado no jardim, tentando se explicar para Duncan, Gustavo, Lila, Branca de Neve e o sr. Troll. Mas eles não estavam engolindo nada daquilo.

— Somos um time — disse Gustavo. — Se você for, todos nós vamos também.

— Pessoal — disse Liam —, essa missão não é brincadeira. Para tudo correr bem, as coisas terão de funcionar como um relógio.

Branca de Neve ergueu a mão.

— Não sei como funciona um relógio.

— Nem eu — concordou Duncan.

— É só uma expressão — bufou Liam. — Não tem nenhum relógio de verdade.

— Os relógios não existem de verdade? — indagou Duncan.

— Mas tem um enorme logo ali — Branca de Neve apontou para a torre do palácio.

— Pessoal! — Liam soou mais enfático desta vez. — Vocês estão perdendo o foco. Como planejam passar pela Muralha Sigilosa? — perguntou, frustrado.

— Humm, que pergunta esquisita — comentou Rosa Silvestre ao se aproximar, girando uma sombrinha apoiada em seu ombro. — Pensei que todas aquelas catapultas fossem para isso.

— E são — disse Gustavo. Liam balançou a cabeça vigorosamente, mas mesmo assim Gustavo continuou. — O Capitão Cabeça de Capa só está nervoso porque ainda não testamos as catapultas. Vamos fazer isso agora mesmo e, se funcionarem, estaremos prontos para partir.

— Um pedido justo — disse Rosa Silvestre. — Mas é melhor vocês se apressarem. Vim aqui desejar boa sorte a vocês, pensando que já estivessem de partida. Mas metade ainda está de pijama. Se não começarem a acelerar as coisas, nunca conseguirão chegar em Rauberia a tempo. — Ela se virou e gritou para um homem grisalho de farda azul-petróleo com um fascinante capacete de madrepérola. — General Costas, prepare uma catapulta para o príncipe Gustavo.

— Pois não, Vossa Alteza — respondeu o general. Ele marchou até uma das catapultas instaladas além dos muros do jardim, onde oito de seus homens puxavam e tensionavam as várias cordas necessárias para colocar o braço da máquina em posição de tiro.

— Gustavo, tem certeza de que quer fazer isso? — perguntou Liam.

Gustavo deu de ombros e agarrou um par das frágeis asas de tecido. Naquele instante, a terra tremeu. Todos olharam para cima e viram o sol da manhã desaparecendo atrás da cabeça repleta de cabelos eriçados de uma gigante carrancuda.

— Ataque de monstro! — gritou o general Costas. Soldados correram de todos os lados para pegar suas lanças e machados, prontos para defender o palácio. — Carreguem a catapulta, rápido — berrou Costas. — O demônio está quase nos alcançando.

Um trio de soldados posicionou uma pedra pesada na cesta da catapulta armada.

— Fogo! — gritou um deles enquanto cortava a corda para que o braço carregado da máquina disparasse.

Todos assistiram, esperando que a pedra maciça fizesse a curva e acertasse o gigante invasor — mas não funcionou. A pedra voou *direto* para o alto. Bem alto. Muito, muito alto. E então mergulhou verticalmente de volta, espatifando a catapulta em mil pedaços e se enterrando profundamente. Todos viraram e olharam para Gustavo.

— Bem, eu estaria usando as asas planadoras — disse ele. Então, enfiou os braços por entre as tiras, e as asas partiram ao meio. — Que seja. Mesmo assim eu estaria bem.

O general Costas reagrupou seus soldados na outra catapulta, mas todos paralisaram quando ouviram uma voz suave, que definitivamente não era do gigante, chamando do alto.

— Não atirem! — gritou Frederico. Maude agachou e levou a mão ao chão para soltar os passageiros. Frederico foi o primeiro a descer, então esticou a mão para Rapunzel para ajudá-la a caminhar pelo enorme dedo mínimo. — É hora de apresentá-la a todos — disse Frederico ao ver seus amigos se aproximando.

Ella foi a primeira a alcançá-los. Ela ergueu Frederico, rodopiou com ele e deu-lhe um beijo estalado nos lábios. Frederico recuou, meio surpreso. Aquela era a primeira vez que Ella o beijava desde a noite em que dançaram no baile.

O HERÓI TEM AMIGOS NOS ALTOS ESCALÕES

E então uma série de coisas aconteceu ao mesmo tempo.

Liam, que vinha correndo para saudar Frederico, parou no meio do caminho. Rapunzel, que tentava timidamente se afastar de Frederico e Ella, acabou trombando com Gustavo, que gritou, dando meia-volta e fingindo não ter visto a garota. O general Costas perguntou a Rosa Silvestre o que deveria fazer com relação à gigante, e a princesa o mandou se calar. Duncan avistou um sapo e o chamou de Dante Saltitante. E Maude pigarreou, o que soou como o trovão mais nojento do mundo.

— Hum... — começou Frederico, tentando se recuperar da surpresa do beijo. — Obviamente, muitas coisas precisam ser esclarecidas. Para aqueles que não a conhecem, esta é Rapunzel. — Rapunzel fez uma tímida reverência, o que fez Gustavo revirar os olhos. — Ela é uma curandeira. E vai ficar nos esperando aqui no palácio para o caso de alguém retornar, digamos, como eu retornei de nossa última aventura.

— E *esta* — continuou Frederico, apontando para o alto — é Maude. Ela vai nos ajudar a passar pela Muralha Sigilosa.

Naquele momento, Liam nem se importou com quem tinha beijado quem; ele não pôde deixar de sentir orgulho do amigo.

— Seja bem-vindo de volta, Frederico.

E então, só para garantir que ninguém mudaria de ideia, Maude esmagou as catapultas que sobraram.

E assim o plano para o Grande Roubo da Espada foi concluído.

1. Alfaiade, o Pequeno, disfarçado de Espectro Cinzento, entrega Liam e Frederico a Deeb Rauber, colocando os dois príncipes na masmorra do rei Bandido.

2. Duncan e Branca de Neve entram sorrateiramente no castelo, se passando por palhaços do circo dos Irmãos Flimsham. Ali dentro, servirão de vigias.
3. Enquanto o sr. Troll distrai os guardas nos portões principais, Maude passa Gustavo, Ella e Lila por cima da muralha — assim como a canoa.
4. Eles usam a canoa para atravessar o fosso, então escalam a parede externa do castelo, utilizando ganchos de fixação.
5. Quando chegarem ao telhado, Lila descerá pelo Buraco da Cobra para destravar o cofre.
6. Exatamente uma hora depois do início do espetáculo do circo, Alfaiade liberta Liam e Frederico das celas para que possam pegar a espada de Eríntia de dentro do cofre aberto.
7. Depois que o espetáculo tiver terminado, todos fogem escondidos entre os artistas do circo.

Assim que os últimos heróis partiram para Rauberia, Rosa Silvestre correu para o seu aposento. Ela espiou pela janela; seus olhos passaram ligeiramente pela catapulta defeituosa que com certeza teria matado Gustavo. Ela se afastou, se apressou até a penteadeira e tirou o diário do esconderijo atrás do espelho. Então olhou as anotações no mapa dos Treze Reinos, a lista de provas que ligavam a Perigosa Gema Jade do Djinn à espada de Eríntia e se deteve na parte sobre "Como pegar a PGJD". Embaixo, ela rascunhara dúzias de ideias, todas riscadas, exceto uma: "Use a Liga dos Príncipes".

Seu plano estava em andamento.

Concentre-se no objetivo, disse a si mesma. *Como sempre fez. Em algumas horas, você finalmente conseguirá o que tanto deseja.*

— Vossa Alteza.

Assustada pela voz inesperada, Rosa Silvestre fechou o diário com força. Mas relaxou quando viu quem acabara de entrar pela janela, sujo e ofegante.

— Já era hora de você aparecer, Rúfio — repreendeu ela. — Você tem noção de quanto tempo estou esperando...

— Poupe-me de seu falatório — resmungou o caçador de recompensas. — Não estou com paciência para isso agora. Dias atrás, no acampamento em Sturmhagen, vi o Espectro Cinzento espionando você e a Liga, por isso o segui. Ele passou por Rauberia e pegou um atalho até Flargstagg, onde consegui alcançá-lo. E, quando eu estava prestes a alertar seu marido, *humpf*, sofri uma emboscada dos outros príncipes.

— Você ia alertar Liam de que ele estava sendo seguido pelo Espectro Cinzento? — perguntou Rosa com a voz ainda mais firme e alta que o normal.

— Não — respondeu Rúfio. — Eu ia alertar Liam de que o homem que ele havia acabado de contratar *era* o verdadeiro Espectro Cinzento.

Rosa Silvestre arfou, aflita.

— E isso não é tudo — adicionou Rúfio. — Também descobri que Rauber não está sozinho no castelo. Ele está hospedando o chefe militar de Dar. Seu marido e os amigos dele vão se colocar nas mãos dos homens mais perigosos dos Treze Reinos.

Rosa Silvestre atirou o diário na parede.

— Vossa Alteza? — indagou Rúfio. — Espero que tenha o bom senso de cancelar seus planos.

Rosa Silvestre ficou de pé.

— Nem em um milhão de anos — disse com muita determinação. — Só teremos de agir mais rápido. Vamos logo.

PARTE III

INVADINDO O CASTELO

← 19 →

O VILÃO ESTÁ NO CONTROLE

Se alguém não estremecer ao ouvir seu nome, tente escrevê-lo em um quadro negro. E bata com ele na cabeça da pessoa.
— O caminho do guerreiro para alcançar o poder:
antigo manuscrito de sabedoria dariana

— É aqui que deveríamos encontrar Alfaiade? — perguntou Frederico, tentando caminhar naturalmente enquanto Liam os conduzia por uma estrada imunda próxima à fronteira de Rauberia.

— Sim — sussurrou Liam. — Mas, se você continuar fazendo esse tipo de pergunta, vai acabar com o propósito da encenação do nosso sequestro.

Naquele exato momento, Frederico caiu com as pernas presas por um fio comprido e grosso. Liam foi derrubado um segundo depois e amarrado do mesmo modo. O Espectro Cinzento saltou de uma fenda na montanha rochosa, enrolando um carretel de linha vermelha.

— Vejo que os dois conseguiram — disse o Espectro. — Muito bem.

— É você, Alfaiade? — sussurrou Frederico enquanto o Espectro amarrava suas mãos.

— Shh... — alertou Alfaiade por trás da máscara. — Rauber tem batedores ao longo de todas essas trilhas.

— Mas escute — disse Frederico. — Agora me ocorreu que talvez os homens de Rauber queiram nos revistar antes de nos colocar na prisão, e tem algo que não quero que encontrem. Dentro do meu paletó tem um frasquinho cheio das lágrimas da Rapunzel. É melhor você guardá-lo.

— Rapunzel? Aquela que cura as pessoas? — indagou Alfaiade, enquanto remexia o paletó de Frederico para apanhar o recipiente. — Isso é fantástico.

— Pessoal, era para estarmos lutando — sussurrou Liam. — Espectro, seu maldito! — ele gritou para quem quer que estivesse ouvindo. — Você vai pagar por isso!

Alfaiade amarrou as mãos de Liam e, em seguida, lhe deu um soco na cara, que o derrubou.

— Ei! — protestou Frederico. — Não precisava bater nele!

— Eu sei — disse Alfaiade. Ele deu um soco em Frederico também. Porque, na verdade, ele era mesmo o Espectro Cinzento. E era um maluco brutal.

Parte do que Alfaiade, o Pequeno, contara para os príncipes era verdade. Ele era de fato um alfaiate (apesar de ter sido demitido por alfinetar "acidentalmente" os clientes). E Deeb Rauber realmente tinha lhe roubado anos antes. Mas o roubo só serviu para despertar a veia criminosa de Alfaiade. Desde então, tudo o que ele mais queria era se juntar ao bando do rei Bandido, na esperança de algum dia ficar ao lado de Rauber como seu leal escudeiro. Mas isso não era para ser.

Sempre que o rei Bandido abria vagas, Alfaiade pleiteava um posto em seu exército. E, todas as vezes, Rauber o dispensava sem cerimônia, caçoando de suas armas antes que ele tivesse chance de mostrar sua destreza em usá-las.

— Linha e agulha? Por acaso pretende me assustar tricotando um suéter feio? — dizia Rauber.

E os bandidos sempre caíam na gargalhada. Mas o eterno desprezo de Rauber nunca desanimou Alfaiade; serviu apenas para que ele se esforçasse ainda mais para conquistar o respeito do rei Bandido. Foi assim que ele adotou a persona do Espectro Cinzento e partiu para uma carreira de roubo, assassinato e destruição — tudo para impressionar Deeb Rauber. Bem, e também porque Alfaiade era um lunático desalmado e cruel.

Deeb Rauber estava sentado em seu trono, parecendo um pouco mais um rei de verdade que o normal. Ele trocara a calça de algodão e o colete de sempre por um belo conjunto preto com acabamento dourado. O traje fora roubado, anos antes, de um jovem príncipe de Carpagia, e, apesar de ainda estar grande demais para o seu tamanho, ele achou que ficaria parecendo mais velho com a vestimenta.

Como sempre, Vero estava ao lado direito de Rauber, e lorde Randark e seu guarda-costas coberto de cravos, Jezek, também estavam a postos. Quando Rauber tomou conhecimento de que o infame Espectro Cinzento solicitara uma audiência — para lhe entregar um presente —, ele fez questão de que o chefe militar estivesse presente para vê-lo receber um visitante tão ilustre. Dúzias de guardas bandidos esperavam ansiosos quando as portas da sala do trono se abriram e o Espectro entrou, arrastando os príncipes amarrados atrás de si.

— Bem, ele tem sido desnecessariamente rude — sussurrou Frederico no ouvido de Liam. — Mas ao menos nos colocou aqui dentro.

— Carambolas! — exclamou Rauber ao vê-los. — Veja só se não são dois da minha lista dos Dez Mais Odiados. É sério, vejam. Aqui está a lista. — Ele puxou um papel com os nomes do bolso de trás e mostrou para eles. — Este é um dia glorioso, homens — anunciou Rauber, erguendo dramaticamente acima da cabeça um cetro cravejado de pedras preciosas. — Pois capturei dois de meus arqui-inimigos, o príncipe Lamúrias e príncipe Fedegoso.

— Na verdade, fui eu quem os capturou — anunciou o Espectro.

— Ah, sim, o Espectro Cinzento — disse Rauber, tirando um inseto do cabelo e jogando em Frederico. — Tenho ouvido falar muito a seu respeito ultimamente. Você

Fig. 28
Heróis capturados

fez umas coisas bem sórdidas. E agora que me trouxe esses presentes maravilhosos... Bem, deve haver um lugar para você dentro desta organização.

— O senhor está falando sério? — perguntou o Espectro. — Vai me aceitar no seu imbatível exército de bandidos? Finalmente poderei servir sob o comando do glorioso Deeb Rauber?

— Tudo bem, você está começando a me assustar — disse Rauber. — Vamos tentar por um período de experiência e ver como você se sai.

— Sim! — festejou o Espectro. — Finalmente poderei lutar ao lado do rei Bandido! Sou Alfaiade, o Pequeno! — Ele arrancou a máscara, revelando seu sorriso e seus óculos. — Lembra de mim?

Liam e Frederico se entreolharam, horrorizados.

— O que é que ele está fazendo? — sussurrou Frederico. — Ele vai estragar tudo!

— Espera um pouco! — berrou Rauber. — Você de novo? O cara da linha? Não pode ser. Você *não* é o Espectro Cinzento.

— Ele não é nem um bom alfaiate — comentou Vero. — Alfaiade, o médio, costura muito melhor.

— Não, é sério, eu sou o Espectro — insistiu Alfaiade. — E vou lhe mostrar quanto posso ser valioso, rei Bandido. Esses dois príncipes pensam que estou trabalhando para eles.

— Essa, não; essa, não — murmurou Frederico. — Por que ele está dizendo isso?

Liam fechou os olhos.

— Porque ele finalmente está dizendo a verdade. Ele é mesmo o Espectro.

— Eles me contrataram para entregá-los a você, acreditando que eu o trairia e os libertaria da cela para que pudessem roubar seu cofre — disse Alfaiade de maneira exaltada.

— Sério mesmo? — caçoou Rauber. — Os dois mocinhos patetas iam tentar me roubar? Ah, essa é boa. Só por curiosidade: Como os dois cérebros de pipoca pensam que iam conseguir *abrir* meu cofre. Eu o mantenho trancado, vocês sabem.

— Eles sabem sobre o Buraco da Cobra no telhado — explicou Alfaiade alegremente. — Iam colocar um troll para distrair suas sentinelas enquanto alguns amigos se atiravam por cima da Muralha Sigilosa com a ajuda de catapultas. Mas não se preocupe, eu sabotei as catapultas.

— Seu patife — soltou Liam.

— Portanto, Vossa Alteza — disse Alfaiade a Rauber —, creio que provei meu valor. Posso oficialmente dizer que faço parte de seus leais seguidores?

Rauber recostou-se no trono e riu.

— Ah, Alfaiade, você me faz chorar de tanto rir. Mas, sério, não. Cai fora. Ainda não consegui esquecer aquele lance da linha com agulha. São as piores armas que já vi.

Alfaiade ficou triste.

— Homens! Acompanhem esse farrapo mal-acabado para fora do meu castelo — ordenou Rauber, dando uma cotovelada em lorde Randark. — Pegou essa? Farrapo, alfaiate, mal-acabado?

Uma dúzia de bandidos se aproximou de Alfaiade, mas o homenzinho ágil não ia a lugar algum. Ele girou, chutou, enlaçou, puxou; e, assim como fizera na Perdigueiro Rombudo, em pouco tempo acumulou ao seu redor uma pilha ainda maior de homens com os pés amarrados às mãos.

Lorde Randark se aproximou do ofegante alfaiate e aplaudiu.

— Você é um mestre do Fio-Chi — disse o chefe militar. — Há anos não vejo alguém com talento tão nato. Você *deve* fazer parte deste exército de bandidos. Na verdade, merecia ser um general.

— Ei, espere! — Rauber pulou do trono, apontando o dedo na direção de Randark. — Você não pode... — Vero deu um tapinha no ombro do rei e meneou a cabeça discretamente. — Humm, quer dizer, você não pode ir nomeando esse sujeito como general sem meu gesto oficial de "boas-vindas". — Rauber tocou a ponta do nariz com o polegar e balançou os outros dedos. — Pronto — disse. — Agora você é um general. Eu acho. — Ele fez uma careta nas costas de Randark.

No chão, Frederico se contorceu sobre Liam e cochichou no ouvido do amigo:

— Isso não está indo nada bem.

Vero ergueu os príncipes amarrados e os empurrou porta afora, com Alfaiade saltitando alegremente no encalço deles.

— Creio que agora você cancelará a vinda do circo — Randark disse a Rauber.

— Cancelar? Por quê? — perguntou o rei Bandido.

— Há um ataque planejado contra a sua fortaleza, e você quer se divertir? Não se preocupa nem um pouco com o que seus homens possam pensar de você?

— Meus homens me acham demais — disse Rauber. — Creio que os seus também. — Ele apontou para Jezek. — O que me diz, Espinhudo? Sou demais, não sou? De qualquer modo, você ouviu o que disse o Espectro: *havia* um ataque planejado contra meu castelo. Um ataque incrivelmente estúpido que, por sinal, nunca teria dado certo. Mas que já foi para o brejo.

— Não está preocupado com a invasão? — Randark sentia um misto de fascínio e repulsa.

Rauber deu um tapinha no ombro do chefe militar (ficando de pé em seu trono para alcançar).

— Randark, não sei por que está tão preocupado — disse sorrindo. — Veja bem, se se sentir melhor, direi aos meus arqueiros do portão principal para não se assustarem quando avistarem um troll. E colocarei mais um bando de guardas extras na muralha dos fundos para ficar de olho nas catapultas. Só que os caras que estiverem lá vão perder o circo; e, se me perguntarem por quê, vou dizer que a culpa foi sua.

Fervendo de raiva, Randark se foi com Jezek logo atrás.

— Só faltam algumas horas para a apresentação, senhor — informou Jezek.

— São as últimas horas do reinado de Rauber — disse Randark com desprezo.

A masmorra do castelo do rei Bandido era uma mistura espantosa de câmara de tortura com fábrica de doce. Por exemplo, ali havia literalmente chicotes de doces de alcaçuz. Uma calda fora espalhada pelo piso frio de pedra de propósito, só para que a cada passo seus pés fizessem um barulho grudento. Só isso já tinha sido o bastante para enlouquecer Frederico enquanto ele e Liam eram levados para suas celas. Ele se encolheu quando passaram por um aparelho que soprava açúcar nos olhos dos prisioneiros, por outro que mergulhava a pessoa de ponta-cabeça em caramelo derretido e por um terceiro que enfiava colheradas de canela em pó na boca dos torturados.

Eles viraram e entraram em um corredor sem saída cheio de celas de pedra frias e pegajosas. Esperando por eles no meio do pavilhão, estava uma figura de formato vagamente humano, quase do tamanho de um ogro.

— Senhores, gostaria de lhes apresentar Baltasar, nosso carcereiro — disse Vero educadamente. — Ele será, como dizemos em meu país, o *anfitrião* de vocês.

Baltasar soltou vapor pelas narinas.

— Ele tem rabos de cavalo pendurado no rosto? — perguntou Frederico, sem poder acreditar.

Vero se curvou na direção dele e sussurrou:

— Aquilo é um bigode. Eu não ousaria fazer essa pergunta.

— Saiam — Baltasar rosnou para Vero e Alfaiade, enquanto segurava os príncipes pela cabeça, empurrava cada um para sua cela e fechava as grades com um baque. Em seguida, ele pendurou o molho de chaves em um prego na parede no fim do corredor e ficou ali, bufando. Liam e Frederico se encolheram, pensando como alguém era capaz de transformar o simples ato de respirar em algo tão assustador.

— Ah, quase esqueci — disse Alfaiade para Vero enquanto eles subiam a escadaria de volta. Ele enfiou a mão no bolso da camisa e tirou dali um frasquinho de vidro. — Lágrimas curativas mágicas da Rapunzel — disse. — Você acha que o rei Bandido gostaria de ter isto em sua coleção de tesouros?

— Talvez. — Vero pegou o frasco, guardou no bolso do colete e lançou um sorriso gentil. — Não se preocupe. Cuidarei disso para você.

◆ 20 ◆
O HERÓI AGE COMO PALHAÇO

Os melhores disfarces são tão bons que nem você é capaz de se reconhecer. Para não esquecer quem é, talvez seja melhor você se disfarçar de si mesmo.
— O GUIA DO HERÓI PARA SE TORNAR UM HERÓI

O circo dos Irmãos Flimsham tinha sido fundado décadas atrás por Jaques e Dimitri Flimsham, dois gêmeos que entretinham as visitas da família fazendo o irmão mais novo, Rufus, saltar por um arco equilibrando uma bola no nariz — e jogavam um peixinho para ele como recompensa. A notícia se espalhou, e os Flimsham acrescentaram mais números e começaram a cobrar ingressos. Confeccionaram sozinhos pernas de pau, contrataram uma menina da vizinhança que era capaz de escalar altas luminárias, e até treinaram os peixinhos para pular sozinhos para dentro da boca de Rufus. Com o tempo, o pequeno entretenimento de fim de semana acabou se transformando em uma trupe de circo itinerante.

Mas eles só tinham se transformado em um grande sucesso havia poucos anos, quando o circo estava sob o comando do sofisticado e elegante Estanislau Flimsham, que também atuava como apresentador do espetáculo. Foi o amor de Estanislau pelas luzes e pelo brilho, combinado a seu faro para encontrar números realmente inusitados (como o da famosa justa de galinhas, ou o de El Stripo, o tigre que cospe bebês humanos para a plateia), que transformou o espetáculo dos Irmãos Flimsham no circo mais renomado dos Treze Reinos.

Fig. 29
Estanislau
Flimsham

Crianças de todos os cantos corriam para as margens das estradas para ver a caravana circense passar: vinte carroças brilhantes pintadas nas cores do arco-íris, conduzidas por fortões em trajes de lantejoulas. A garotada não tirava os olhinhos treinados das janelas, na esperança de avistar de relance um chapéu pontudo, uma peruca de palhaço saltitante ou um rabo listrado balançando. Duncan fizera o mesmo muitas vezes durante a infância.

Aquela sensação familiar de "friozinho no estômago" remexia lá no fundo enquanto ele se escondia atrás de uma enorme pedra na floresta, esperando a caravana passar pela estrada. Ele não podia esquecer que Branca de Neve e ele não estavam ali apenas para ver o circo passar, mas para se infiltrar na trupe.

Seguindo as instruções, Duncan e Branca de Neve cavaram um buraco imenso na estrada e o cobriram com folhas secas. E a carroça que vinha à frente caiu direitinho na armadilha. A roda direita entrou no buraco e escapou do eixo. Enquanto o condutor descia para ver o que tinha acontecido, a caravana toda parou.

Estanislau Flimsham abriu com tudo a porta lateral da carroça inclinada.

— O que aconteceu? — perguntou, tocando no cabelo para ter certeza de que seu topete preto brilhante estava no lugar.

— Perdemos uma roda — lamentou o condutor. — Vai demorar um pouco.

— Então ande logo — reclamou Estanislau. — Você sabe para quem vamos nos apresentar hoje. Não podemos nos atrasar. — Ele pediu que os outros condutores viessem ajudar.

Com a distração instalada, Duncan e Branca de Neve se esgueiraram até a carroça convenientemente identificada com letras cor-de-rosa como: PALHAÇOS. Duncan caminhou até a porta traseira, onde um imenso aviso de NÃO PERTURBE estava pendurado. Ele bateu mesmo assim. A porta se abriu, e um homem baixinho com uma peruca verde encaracolada pôs a cabeça para fora e perguntou:

— Que parte do "NÃO PERTURBE" você não entendeu?

Duncan pensou um pouco.

— Turbe — respondeu.

O homem de peruca verde bateu a porta na cara dele. Duncan bateu outra vez.

— Sr. Palhaço, gostaríamos de lhe fazer uma oferta — disse, puxando um saquinho de moedas do cinto. — Minha esposa e eu gostaríamos de trocar de lugar com você. Não posso revelar o motivo, mas garanto que não tem nada a ver com roubar uma espada mágica do rei Bandido. Mas nós vamos te recompensar por isso. Dando-lhe dinheiro.

O palhaço ficou indignado.

— Você está tentando me subornar? — perguntou. — Por acaso pensa que *eu*, um mestre da arte da palhaçada, vou permitir que *você*, um joão-ninguém leigo, atue em meu lugar no espetáculo desta tarde?

— Eu *e* a minha esposa — acrescentou Duncan, esperançoso.

O homem parecia ter acabado de engolir uma colherada de iogurte azedo.

— Nunca ouviu falar do Código de Honra dos Palhaços? — E bateu a porta mais uma vez.

— Isso foi um não? — perguntou Duncan do lado de fora.

— Sim — berrou o palhaço. — Quer dizer, não. Quer dizer, sim, a resposta é não. Você está tentando me confundir.

— Quantos palhaços tem aí dentro? — perguntou Branca de Neve, colocando-se ao lado do marido.

— Estamos em quatro — respondeu o homem de cabelo verde, abrindo a porta novamente com força. — Mas somos todos honrados. Nenhum de meus companheiros artistas vai concordar com a sua oferta suja.

— Seus palhaços! — vaiou uma voz irritadiça atrás deles. Era Rosa Silvestre. — Acabei de fazer um insulto, não uma observação.

— Quem diabos é você? — perguntou o palhaço.

Rosa Silvestre bateu na cabeça dele com seu martelo dourado. O palhaço despencou de dentro da carroça e caiu sobre um montinho na estrada de terra.

— Princesa, eu disse para esperar — repreendeu Rúfio, o Soturno, se aproximando.

Duncan ficou perplexo.

— O que vocês dois estão fazendo aqui? Liam sabe disso?

— Claro que sabe — lançou Rosa Silvestre enquanto subia na carroça, com Rúfio em seu encalço.

Branca de Neve cutucou o palhaço caído no chão.

— Ele está inconsciente — falou.

— Não olhe para mim — disse Duncan. — Eu não vou beijá-lo.

Então, mais três palhaços fantasiados foram arremessados de dentro da carroça: duas mulheres e um homem, todos desacordados. Rúfio saiu logo atrás.

— Atrás daquela pedra — instruiu ele. — Rápido. Antes que todos os condutores retomem seus lugares. — Ele, Duncan e Branca de Neve tiraram os quatro palhaços inconscientes da estrada.

— Quando exatamente Liam mudou o plano? — perguntou Duncan.

— Ele não mudou — respondeu Rúfio. — A princesa mudou. Sinto muito por ter de fazer isso. — Ele tirou uma corda do cinto e começou a amarrar Duncan e Branca de Neve juntos.

— Desculpe, sr. Soturno — falou Branca de Neve. — Vai ser muito mais difícil nos vestirmos de palhaço se estivermos amarrados deste jeito.

Rúfio amordaçou os dois e voltou para dentro da carroça, se juntando a Rosa Silvestre.

Depois de vários minutos, durante os quais os dois ficaram ali sentados no chão e amarrados, Duncan finalmente falou:

— Não acho que isto realmente faça parte do plano. — (O que, com a mordaça, soou como: Nooh ararroo eeh irrrroo arrra parrrre do paaano.)

Branca de Neve, que o entendeu perfeitamente, respondeu:

— Acho que você tem razão. — (Arrrrooo rre rorre rremm rrarrão.)

Sorte sua, leitor, que eles não precisaram continuar se comunicando desse jeito por muito tempo. Porque a Rapunzel apareceu, saindo de trás de uma pedra próxima.

— Estou tão feliz por você ter aparecido — disse Branca de Neve assim que as mordaças foram removidas. — Eu estava querendo mesmo perguntar o que você usa para deixar os cabelos tão lisos e sedosos.

— Humm, eu ia perguntar se você está bem, mas acho que está — comentou Rapunzel.

— Rosa Silvestre deixou os palhaços desacordados e mandou nos amarrar — disse Duncan. — Não tenho total certeza, mas acho que ela está tramando algo.

— Foi por isso que resolvi seguir o homem de capuz e ela — explicou Rapunzel. — Frederico me alertou sobre Rosa Silvestre. Ele estava com medo de que ela tentasse passar a perna em todos vocês. Por isso, quando a vi deixando o palácio às escondidas, eu soube que precisava segui-la. O que é uma loucura! Não sei o que deu em mim. Sou uma pessoa pacífica! Cultivo nabos e cuido dos gnomos com a ajuda dos elfos! Eu não devia estar aqui.

— Tudo bem, Rapis — disse Duncan. — Branca e eu podemos assumir daqui.

— O que estamos assumindo? — perguntou Branca de Neve.

— Estamos assumindo o quê? — Duncan respondeu com uma pergunta.

— Seja lá sobre o que você esteja falando.

— Sobre o que eu estava falando?

— Sobre o almoço, espero. Pois estou morrendo de fome.

— Certo — disse Rapunzel, resignada. — Acho que ficarei com vocês mais um pouco.

— Excelente. O que vamos fazer agora? — perguntou Duncan, então emendou rapidamente: — Espere! Não me digam. De nós três, eu sou o herói de verdade. Vou descobrir.

— Por que não continuamos com o plano original? — perguntou Branca de Neve.

— Humm — ponderou Duncan. Então puxou um papel e uma pena e fez uma anotação para o seu livro: "Um verdadeiro herói escuta sua esposa". Em seguida, guardou a folha e anunciou: — Vamos fazer isso. Temos fantasias perfeitas de palhaço aqui. Por acaso há palhaços dentro delas; mas, ei, a gente precisa se contentar com o que tem.

Duncan, Branca de Neve e Rapunzel trocaram de roupa com três dos palhaços inconscientes.

— Eu devia estar curando essa mulher, não roubando suas roupas — Rapunzel suspirou enquanto vestia um largo macacão branco com pompons coloridos na frente, no lugar dos botões. — Voltarei para chorar em você — ela sussurrou para a palhaça.

Assim que Branca de Neve terminou de trocar suas roupas por uma camisa solta com listras azuis e roxas, uma calça larga laranja e chapéu rosa, Duncan, que se trocara atrás de um arbusto para ter privacidade, surgiu com um pulo e perguntou:

— Como estou?

— Dunky, pensei que você ia vestir a fantasia do palhaço — disse Branca de Neve, desapontada.

— Mas eu vesti — respondeu ele, dando uma olhada em si mesmo.

— Mas parece exatamente com a sua roupa.

— O cinto não — comentou Duncan, balançando os quadris para badalar os sininhos pendurados. — Tem sininhos!

E então o comboio de carroças começou a se mover novamente. O trio correu para alcançar a última delas — onde estava escrito ANIMAIS — e pulou para dentro antes que ela ganhasse velocidade. Os três acabaram em um espaço escuro e apertado, cercados de dúzias de criaturas selvagens, nem todas em jaulas — incluindo um porco carrancudo e um macaco que segurava um punhado de dardos.

— Era para ser um passeio divertido — disse Duncan.

— Ei, vejam. — Branca de Neve tirou uma bandeja de amoras das mãos de um filhote de urso muito tristonho. Ela esmagou uma frutinha com o indicador e tocou a ponta do próprio nariz para pintar uma bolinha vermelha. — Não podemos ser palhaços sem maquiagem!

◂•▸

Assim que a caravana cruzou os portões principais da Muralha Sigilosa, as carroças estacionaram em um pátio aberto, e, quando os artistas começaram a desembarcar, ninguém notou os três palhaços novos com enormes círculos de amora na ponta do nariz e nas bochechas. Ajudou muito o fato de os palhaços dos Flimsham terem uma panelinha e raramente se socializarem com o restante da trupe. A maioria dos acrobatas e dos domadores de leão nem era capaz de diferenciar um palhaço do outro.

Duncan, Branca de Neve e Rapunzel se misturaram à multidão de acrobatas, dançarinos e trapezistas que atravessavam a ampla ponte levadiça de madeira, carregando caixotes com cenários e empurrando jaulas de animais selvagens. Dentro do castelo, a trupe foi conduzida a um imenso anfiteatro, onde começaram a preparar tudo para o espetáculo.

Empolgado, Duncan observava fortões carregando escadas muito altas, barris cheios de tochas acesas, baldes para o número dos furões e uma porção de outros objetos estranhos. Incapaz de conter a curiosidade, ele espiou pelas cortinas para além do "picadeiro", que ficava no mesmo nível do chão, com fileiras de cadeiras dispostas ao redor. Centenas de bandidos já estavam entrando, assobiando e arrotando enquanto ocupavam seus assentos. Muitos brigavam para se acomodar na primeira fileira. No entanto, nenhum dos homens de Randark estava presente; estavam todos patrulhando os corredores do castelo, de acordo com as instruções do chefe militar.

Os gritos e urros da plateia se calaram de repente com a chegada de Deeb Rauber. O rei Bandido adentrou uma área privativa, isolada por uma corda, que contava com três cadeiras estofadas de veludo vermelho. Ele ocupou a cadeira ao centro, e lorde Randark, que já parecia aborrecido pelo péssimo comportamento dos bandidos ao redor, se acomodou à esquerda de Deeb.

— Sujeito interessante — murmurou Duncan. Ele, Branca de Neve e Rapunzel seguiram pela movimentada área dos bastidores. Atrás de uma imensa pilha de caixotes, o trio encontrou Rúfio e Rosa Silvestre. A princesa vestia um macacão verde-limão com fitas amarelas penduradas nas mangas e pernas, e um chapeuzinho pontudo se equilibrava no topo de seu imenso coque de cabelos castanho-avermelhados. Rúfio estava com uma peruca azul encaracolada, uma imensa gravata-borboleta de bolinhas e, como não podia deixar de ser, seu capote com capuz.

Assim que avistou Duncan e os outros, Rosa Silvestre deu um beliscão no braço de Rúfio.

— Você não consegue fazer nada direito?

— Arrá! — exclamou Duncan, triunfante. — Pegamos você!

Ela olhou bem na cara dele.

— Idiotas! Eu estava tentando mantê-los em segurança. Vocês fazem ideia de onde acabaram de se meter? Vocês vão acabar morrendo. — Ela se voltou para Rapunzel. — E *você*! Quem é você mesmo?

— Rapunzel.

— Bem, você também não devia estar aqui — disse ela, ainda soando muito irritada.

— Me permitam mostrar algo a vocês — disse Rúfio. Ele avançou até um pequeno rasgo na cortina e apontou pelo buraco. — Aquele é lorde Randark, chefe militar de Dar, conhecido como o tirano mais cruel e malvado do mundo. Lorde Randark é muito mais perigoso que o rei Bandido.

— Minha nossa! — exclamou Duncan. — Se o chefe militar de Dora está aqui, precisamos alertar Liam e Frederico.

— E Gustavo, Ella e Lila — acrescentou Branca de Neve.

Rúfio encarou Rosa Silvestre.

— A menina está aqui? — perguntou, enfurecido.

— Todos calados e me deixem pensar! — berrou Rosa Silvestre. — Vim até aqui com um propósito, e vocês, seus fracassados, estão no meu caminho.

— Bem, permita que eu saia de seu caminho — disse Duncan. — Estou indo avisar os outros sobre o nosso rude novo inimigo. É isso que um herói de verdade faria. — Ele saiu às pressas, gritando: — Boa sorte, Branca de Neve! Voltarei logo!

— Fantástico — resmungou Rosa Silvestre, batendo o pé.

◆ • ▶

— Essas coisas levam uma eternidade para começar — reclamou Rauber, se remexendo no assento. Ele estava ansioso pelo primeiro número, mas ainda mais pelo último, quando ele convidaria Randark para ir ao picadeiro e o presentearia com um "troféu" explosivo, cheio de excremento de elefante e bexigas de tinta. *Quero só ver a cara de pavor do Randorque quando ele estiver com a cabeça cheia de caca colorida*, pensou Rauber. *Meus homens vão expulsá-lo do castelo às gargalhadas. E, quando ele estiver saindo, vou roubar aquele seu capacete irado de caveira.*

Ele estava rindo sozinho quando Vero tentou ocupar o assento vago da área reservada. Rauber ergueu a mão e bloqueou o lugar.

— Hum, sinto muito, Vero — disse Rauber. — O Espectro Cinzento vai ficar com o melhor lugar hoje.

Vero franziu o cenho.

— Mas, senhor, tenho algo... — Ele foi enfiar a mão no colete, mas Rauber o interrompeu mais uma vez.

— Não vai rolar, cara. Você está fora, e o Espectro dentro.

Vero estreitou os olhos e se foi. O frasco permaneceu em seu colete. Alfaiade passou apressado por ele e se estatelou no assento.

Uma alta e súbita explosão chamou a atenção de todos quando Estanislau Flimsham foi arremessado de um canhão. O apresentador de manto vermelho se curvou no ar, aterrissou dando cambalhotas, então ficou de pé, inclinou a cabeça para trás e cuspiu um jato de fogo. Na mesma hora foi atingido na cabeça por um sapato velho, atirado por um bandido da plateia.

— Uuuuhhhh! — vaiou o bandido. — Faça alguma coisa interessante!

Flimsham alargou o colarinho, verificou seu topete e respirou fundo.

— Senhoras e senhores...

Um tomate se espatifou em seu ombro.

— Bem, esperem um pouco, deixem-me ver... Tudo bem, apenas senhores!

Alguém atirou um pedaço de ferro que caiu bem perto do pé do apresentador.

— *Homens* apenas? — ele tentou. — Assim fica melhor? Homens? Muito bem... Homens! Chegou o grande momento! Permitam-me lhes apresentar o único circo do mundo com luzes e brilhos: o Circo dos Irmãos Flimsham!

A plateia cuspiu e resmungou quando um quinteto de acrobatas entrou no picadeiro dando cambalhotas com as calças em chamas. O espetáculo tinha começado.

Nos bastidores, Branca de Neve estava aflita com o desaparecimento de Duncan.

— Pare de roer as unhas — disse Rosa Silvestre.

— Eu não estava roendo as unhas — defendeu-se Branca de Neve. — Eu estava batucando nos dentes.

— Ah, seja lá o que estiver fazendo, continue então — desdenhou Rosa Silvestre. Então deu uma olhada ao redor e se atentou a várias saídas. Quando chegasse o momento certo, ela teria de agir com rapidez — não importava quão perigoso pudesse ser.

Houve uma rodada de vaias enquanto os acrobatas saíam correndo do picadeiro, pingando algo parecido com maionese. Um deles estava aos prantos. Duas mulheres de chapéu brilhante engoliram em seco e entraram no picadeiro, empurrando um carrinho cheio de gatinhos para apresentar o número de malabarismo.

— Ei, palhaços, vocês deviam estar ensaiando — disse um dos acrobatas enquanto limpava a maioneses dos olhos. — Vocês vão entrar em menos de uma hora, e a plateia é de matar.

◆ 21 ◆

O HERÓI É LANÇADO POR TERRA

Quanto mais alto, maior o tombo. Por isso sugiro ser baixinho.
— O guia do herói para se tornar um herói

Quando se tem mais de trinta metros de altura, não é nada fácil encontrar um lugar para se esconder. Para a sorte de Maude, o Castelo von Deeb ficava à sombra do imenso e torto monte Morcegasa. A gigante tirou a cabeça de trás da montanha para espiar a fortaleza abaixo.

— Tenha cuidado, Mãezona! — repreendeu Gustavo. — Eles vão ver você!

Maude voltou a cabeça monstruosa para trás do pico da montanha. Ela levou a mão até o rosto para poder dar uma bronca diretamente em Gustavo, que estava sentado com Ella e Lila na pequena canoa de madeira, na palma da mão gigantesca da mulher.

— Por acaso já contei sobre a última vez em que um cavaleiro metido a engraçadinho me chamou de um nome rude? — Maude falou na cara do príncipe robusto. — Eu o esmaguei entre as minhas sobrancelhas.

— Desde quando Mãezona é um nome rude? — perguntou Gustavo. — Na verdade, é bem apropriado.

— Ah, então você é do tipo espertinho? — zombou ela.

— Quem você está chamando de espertinho? — retrucou Gustavo.

— Ei, dá um tempo — repreendeu Ella. — Precisamos trabalhar juntos.

— Tá bom, tá bom — disse Maude. — Só estou um pouco irritada. Faz tempo que não esmago nada. E estou com esta canoa aqui, na palma da mão...

— Maude, me deixe dar uma espiada com a luneta outra vez — disse Ella. A gigante ergueu a canoa a um ângulo que permitisse que Ella enxergasse o castelo, para além do monte Morcegasa e dos campos desertos abaixo. — O circo já está lá há mais de uma hora. O espetáculo deve começar logo. E não sei por que ainda tem tantos guardas ao longo da muralha, atrás do castelo. Esperávamos que só tivessem dois.

— Algum sinal do Garras Medonhas? — perguntou Gustavo.

— Não — respondeu Ella. — Espero que não tenha acontecido nada de errado. Ah, espere um pouco. Lá está ele! O sr. Troll está seguindo para os portões principais agora.

— É isso aí! — exclamou Lila. Ela e os outros ergueram a gola de seus disfarces pretos de ladrão. — É hora de entrar em ação.

◄•►

O sr. Troll saiu de trás de uma pedra, rosnando e batendo os imensos punhos na terra seca e rachada. Esperou então os gritos de "Troll!" escoarem pelo deserto. Mas não houve nada.

Ele marchou ruidosamente até a Muralha Sigilosa e viu dez arqueiros bandidos com arcos e flechas apontando em sua direção — todos tinham sido alertados por Rauber sobre o ataque troll. De repente, um assobio, e o sr. Troll sentiu uma ferroada no braço direito. Ele deu uma olhada e viu uma flecha espetada em seu braço peludo.

— Humm — gemeu ele. — Isso não é bom.

Ella baixou a luneta, frustrada.

— Não estou entendendo — disse. — Deve ter uns vinte guardas na muralha dos fundos. Por que nenhum deles está correndo para deter o troll?

Gustavo pegou a luneta e olhou.

— Uau, tem um montão de arqueiros em cima da muralha, e eles estão disparando contra o Peludão.

— O que vamos fazer? — perguntou Lila.

Fig. 30
Sr. Troll, flechado

Maude rosnou, irritada.

— Este é o problema com vocês, humanos — disse ela. — Sempre perguntando "O que vamos fazer?". Façam alguma coisa e pronto.

E, com isso, Maude saiu de trás do monte Morcegasa. Todos na canoa se abaixaram, se segurando firme no lugar.

— Pare! As sentinelas vão ver você! — gritou Ella. Mas, antes que as assustadas sentinelas tivessem tempo de erguer o arco, a mulher gigantesca esticou a mão livre até a muralha, apanhando todos de uma só vez. Então, ela simplesmente os atirou longe. Os bandidos voaram gritando pelo céu, passaram pelo monte Morcegasa e sumiram de vista. Provavelmente acabaram aterrissando em algum lugar de Jangleheim.

— Viram? Dei um jeito — disse Maude. — Vocês, humanos, precisam aprender a confiar em mim.

— Maude, não podemos começar uma guerra agora! — gritou Ella.

— Precisamos entrar *às escondidas* no castelo. Estamos em uma missão *secreta*!

— Quem traz um gigante para uma missão secreta? — perguntou Maude, frustrada.

De repente, um rugido longo e arrastado do sr. Troll reverberou pelas montanhas.

— Vou nessa! — disse Maude.

E então, com dois passos enormes, ela passou a canoa — e seus passageiros — por cima da Muralha Sigilosa e a colocou na frente do fosso que cercava o castelo. A canoa rachou ao atingir o chão. Gustavo ergueu os braços e segurou Lila antes que ela fosse jogada da embarcação.

— Peguei você, Corajosa! — exclamou ele. Em seguida, foi arremessado de seu assento e caiu de costas com um gemido. — Acho que odeio gigantes mais do que odeio anões — resmungou.

— Obrigada por ter me salvado — ofegou Lila. Ela olhou ao redor. — Onde está a Ella?

— Estou bem — sussurrou Ella, engatinhando ao encontro deles, despois de ter caído sobre um monte de terra. — Vamos colocar a canoa no fosso, rápido. Antes que alguém nos veja.

— Hum, você tem um plano B? — perguntou Lila, olhando para baixo. A canoa estava rachada de ponta a ponta. — Acho que não vamos conseguir cruzar o fosso com isso.

— Talvez não seja tão grave quanto parece — disse Gustavo. Lila e ele desceram da canoa, arrastaram-na até o fosso e a jogaram na água. Ela afundou na hora.

Ella deu uma olhada no fosso de sessenta metros de largura diante deles. Vez ou outra, ondas sinistras quebravam a calmaria — sinais reveladores das enguias-dentes-de-aço espreitando sob a superfície.

— Alguém aqui sabe voar?

◀ • ▶

Acima dos portões principais, os arqueiros bandidos estavam prontos para disparar outra saraivada de flechas contra o troll invasor. Mas nem chegaram a atirar. Nenhum deles estava preparado para o choque de ver uma mulher de trinta metros de altura correndo em sua direção. Todos ficaram boquiabertos diante de Maude.

A gigante levou o braço para trás, pronta para dar um impulso e derrubar da muralha o maior número de bandidos que conseguisse. Mas uma mordida do sr. Troll em seu dedão do pé a impediu.

Maude agachou e sussurrou para ele:

— Qual é o problema? Por que você me mordeu?

— Mulher Gigante precisa seguir plano — respondeu o sr. Troll. — Não poder estragar as coisas para amigos que estão dentro.

— Não estou nem aí para aquelas criaturinhas; quero um pouco de ação — disse Maude.

O sr. Troll se considerava um bom juiz de caráter, especialmente quando se referia a outros monstros. E ele tinha certeza de que aquela gigante não era um monstro ponderado e razoável como ele; ela estava mais para o tipo que bota para quebrar. Se quisesse que o Homem Bravo e os outros tivessem êxito, ele teria que ficar de olho nela.

— Troll promete muita ação se Mulher Gigante fizer o que Troll diz.

— No que você está pensando? — sussurrou Maude.

— Mulher Gigante luta com Troll — respondeu ele. — Se bandidos ficarem vendo *nossa* briga, bandidos *não* vão ver amigos lá dentro.

— Sabe de uma coisa, eu gosto de você, troll — disse Maude. — Você lembra um jovem ogro que me arrependi de ter esmagado.

Maude bateu o pé no chão, derrubando o sr. Troll de costas. Ele se ergueu e acertou um soco na canela da gigante. Ela tentou pisar nele, mas ele fez cócegas no pé dela.

Do alto da muralha, os bandidos assistiam assombrados à cena.

— Tá aí uma coisa que não se vê todos os dias — comentou um deles.

◆ 22 ◆

O HERÓI ODEIA FRUTOS DO MAR

Você já deve ter ouvido a expressão "Esperarei por você tocando sinos". Ela não deveria se aplicar a uma missão secreta.
— O guia do herói para se tornar um herói

Atipicamente, Gustavo ficava cada vez mais preocupado olhando para a corda bamba que Ella acabara de improvisar. A corda se estendia da margem do fosso em que estavam — presa em um tronco de árvore petrificado — até a margem rochosa oposta, onde as pontas do gancho de metal se prenderam com firmeza.

— Caso não tenham notado, existe um motivo para eu não ter sido colocado na equipe do circo — disse ele. — Não sou o cara mais hábil do mundo.

— Você tem uma ideia melhor? — perguntou Ella.

— Mesmo que eu conseguisse me equilibrar nessa coisa, sou muito pesado. Assim que eu pisar na corda, ela vai arrebentar.

— É melhor você ir por último, então — disse Lila, pisando na corda bamba e cruzando a toda velocidade até a outra ponta. Ela aterrissou em terra firme com um pulo e acenou para os amigos do outro lado.

Ella se virou para Gustavo.

— Viu? — disse.

— Vi, mas sou quatro vezes mais pesado que ela — falou Gustavo.

Ella pisou na ponta da corda e ergueu os braços para se equilibrar.

— Sinto muito, mas não temos muito tempo nem opções. Lila e eu teremos de seguir sem você. Tente encontrar um bom lugar para se esconder e junte-se a nós quando o circo estiver partindo.

Ella deu início à sua lenta e cautelosa jornada sobre o fosso, movendo um pé de cada vez, parando a cada metro para se equilibrar. Evitando o tempo todo olhar para as águas agitadas e borbulhantes, poucos metros abaixo.

Sem nenhum aviso, um vulto prateado parecido com uma cobra saltou da água. Uma enguia-dentes-de-aço saltou no ar e passou pertinho da corda, a poucos centímetros dos pés de Ella.

— Ufa — ofegou ela. — Essa foi por pouco.

Então outra enguia saltou, espirrando água, e essa passou voando entre os pés de Ella. A jovem começou a bater os braços como se tentasse alçar voo, mas não conseguiu se manter de pé. Acabou perdendo o equilíbrio e tombou na direção do fosso.

Lila arfou e tampou os olhos, mas, como não ouviu barulho de água, tratou rapidamente de abri-los. Ella estava dependurada, com os braços e as pernas entrelaçados na corda.

— Estou bem — disse confiante.

Mas Lila se deu conta de que ela estava errada.

— Sua trança! — avisou a garota. O cabelo de Ella pendia para baixo, e a ponta de sua trança estava mergulhada na água como uma linha de pesca. E os vultos escuros das enguias-dentes-de-aço se aproximavam dos dois lados.

— Vamos detonar — soltou Gustavo. Ele apanhou um dos remos que tinham caído da canoa e pisou devagar na corda bamba. Na ponta dos pés, seguia delicadamente (bem, de maneira delicada para Gustavo,

Fig. 31
Ella dependurada

o que significava que ele pisava como se estivesse esmagando um besouro em vez de um rato enfurecido). Ele estava quase alcançando Ella quando as enguias começaram a pular novamente.

Ella balançou o corpo para a esquerda e para a direita com o intuito de desviar das dentadas que tentavam abocanhá-la, mas com isso fez Gustavo girar. Sem querer, ele deu uma pirueta e escorregou, caindo sentado na corda com os pés patinando na água. Ele começou a bater o remo de um lado para outro, *paft! poft!*, acertando uma enguia atrás da outra. Mas, quando tentou repetir o movimento pela terceira vez, acabou virando e ficando pendurado embaixo da corda, na mesma posição de Ella.

A jovem começou a deslizar pela corda, desviando das enguias saltitantes.

— Escorregue pela corda — apressou-se. — O mais rápido que puder.

— Eu não escorrego! — rosnou Gustavo. Uma enguia o atingiu bem na cara. Ele se livrou do bicho e começou a deslizar também, logo atrás de Ella.

Eles estavam a apenas dez metros da outra margem.

— Vamos conseguir — disse Ella, pouco antes de uma enguia saltar e arrancar sua trança com uma mordida. — Sem problemas! — Ela piscou por causa da água escura que respingara em seus olhos. — Eu estava mesmo pensando em cortar.

Uma enguia grande e brilhante saltou da água para abocanhar um pedaço do tornozelo de Gustavo. O grandalhão viu o perigo se aproximando e tratou de tirar rapidinho o pé do caminho.

— Ha! — tripudiou Gustavo. A enguia acabou errando o alvo, mas seus dentes afiados se prenderam na corda bamba. Ele olhou para trás e viu a criatura pendurada pelos dentes — e podia jurar que a coisa estava sorrindo para ele. Com uma mordida certeira, a enguia cortou a corda em duas. Gustavo e Ella se espatifaram na água.

Em segundos, as enguias estavam ao redor deles, mordendo seus braços e pernas em um ataque voraz. A água virou uma tremenda confusão de respingos e chutes, golpes e dentadas, e eles mal conseguiam avistar para que direção nadar. Então, de repente, sentiram que estavam sendo arrastados para a margem. Alguém estava puxando a corda. Gustavo e Ella seguraram firme conforme eram erguidos pela ribanceira rochosa do fosso. Os dois desabaram no chão, exaustos, doloridos e machucados — mas felizmente vivos.

— Lila — disse Ella. — Você conseguiu nos puxar. Obrigada.

— Contei com uma ajudinha — disse Lila.

— Olá — saudou Duncan.

— O que você está fazendo aqui? — perguntou Gustavo.

— Não que estejamos reclamando — acrescentou Ella.

— Bem, dei uma escapadinha do circo para procurar Liam e Frederico. Mas logo percebi que não faço ideia de onde fica a masmorra, por isso estava andando pelos corredores. O rei Bandido tem umas coisas muito engraçadas lá dentro: uma cabeça de alce com chapéu, um urso-pardo enorme empalhado, um relógio em formato de gato cujo rabo balança de um lado para o outro...

— Duncan!

— Ah, sim, continuando, eu estava passando por uma linda janela quando olhei para fora e vi a irmã de Liam com problemas na pescaria. Só que ela não estava pescando. Estava tentando tirá-los da água. Mas essa parte vocês já devem saber. Foi uma grande coincidência, não? Sinto que minha velha sorte está voltando.

— Não comece com essa bobagem de sorte mágica outra vez — rosnou Gustavo. — Isso não existe.

— Ah, não? Bem, como você explicaria o fato de Duncan ter aparecido bem na hora em que eu estava tentando salvá-los das enguias? — perguntou Lila.

— Não foi *sorte* — disse Gustavo. — Foi outra coisa qualquer. Hum... *Destino!*

— Sinônimos, Gustavo — Lila balançou a cabeça. — Sinônimos.

— Não importa, Duquesa Livro — resmungou ele.

— Acho que você quis dizer "dicionário" — disse Lila.

— Você está *tentando* me irritar, assim como o seu irmão faz?

— Duncan — interveio Ella. — Você disse que estava atrás de Frederico e Liam. Por quê?

— Ah, bem, nós estávamos nos bastidores com Rosa Silvestre...

— Rosa Silvestre veio atrás de nós? — reclamou Ella. — Eu sabia que aquela bruxa ia tentar passar a perna na gente.

— Ah, mas não era sobre isso que eu queria alertá-los — falou Duncan. — Rúfio disse para a gente que tem um cara lá na plateia que é ainda mais assustador que o rei Bandido.

— O rei Bandido não é assustador — disse Gustavo.

— Bem, mas esse outro cara com certeza é — falou Duncan. — Ele tem um esqueleto na cabeça. Acho que é de um bode. Ou talvez de um porco-do-brejo. De qualquer maneira, o animal está morto. E é dentuço. Mas, continuando, esse cara é o cronista-mor de Dar.

— O cronista-mor de Dar? — perguntou Lila. — O homem encarregado de registrar a história e o folclore daquele reino?

— Não, era muito mais assustador que isso. — Duncan coçou o queixo. — Deixe-me pensar... Ah, era *chefe militar* de Dar.

— Espere aí! — exclamou Ella. — Você está dizendo que o chefe militar de Dar está no castelo? O tirano mais sanguinário do mundo?

— Tanto faz. Eu dou conta dele — desdenhou Gustavo.

— Isso é sério, Gustavo — disse Ella. — O chefe militar com certeza não viaja sozinho. E, se ele trouxe um exército de soldados darianos, isso significa que teremos uma batalha de verdade pela frente. Duncan, volte para onde estava. Tente encontrar Alfaiade. Conte sobre o chefe militar e peça que ele solte Frederico e Liam imediatamente. — Ela se impôs. — Nós continuaremos com o plano original. Talvez a gente consiga pegar a espada e cair fora daqui antes que alguma coisa dê errado.

Duncan assentiu e pulou de volta pela janela aberta.

Lila deu uma olhada em Ella e Gustavo.

— Vocês têm certeza de que conseguem seguir em frente? — perguntou ela. — Sem querer ofender, mas vocês estão péssimos.

As roupas de Ella estavam rasgadas em vários lugares, revelando marcas vermelhas de dentes em sua pele. Gustavo estava ainda pior; sua calça fora transformada em um shortinho esfarrapado, e dava até medo de olhar para suas pernas, de tantos cortes e hematomas escuros.

— Vou sobreviver — disse Ella.

Gustavo tirou a camisa preta e a amarrou na cintura para cobrir as pernas um pouco mais.

— Estou me sentindo ótimo — disse ele, ignorando a dor. — Tenho certeza de que nenhum dos meus irmãos jamais sobreviveu a um ataque de enguias-dentes-de-aço. Ou andou em uma corda bamba, na verdade.

— Fico feliz em saber que você leva suas prioridades a sério. — Lila deu um tapinha nas costas dele e, sem querer, o fez franzir o cenho. — Desculpe!

— Não foi nada — disse Gustavo. — É só uma leve indigestão. Acho que eu não devia ter comido burritos antes de sair para uma aventura. Ei, não temos de escalar uma parede?

De volta ao anfiteatro, a dupla de gêmeos siameses domadores de animais enfiava a cabeça dentro da boca de um leão de duas cabeças.

— Chaaaaato! — berrou um incomodado da plateia. Alguém jogou uma perna de pau nos gêmeos.

Apesar de radiante por finalmente ter conseguido se sentar à direita do rei Bandido, Alfaiade também estava ficando entediado.

— Com licença, senhor — ele se curvou para Rauber. — Mas preciso dar uma saidinha. — E saiu pelo corredor.

Em algum lugar no castelo, Jezek, com sua armadura de cravos, marchava pelos brilhantes corredores de mármore, de olho em qualquer atitude suspeita. Mas foram seus ouvidos que captaram algo.

— Que barulho foi esse? — murmurou consigo mesmo.

Então ele ouviu novamente: um tilintar de sininhos. O forte dariano correu na direção do barulho, dobrou o corredor e deu de cara com Duncan. O príncipe ficou paralisado.

— Você está terrivelmente longe do anfiteatro, não acha? — perguntou o soldado. — Parece perdido.

— E *você* — retrucou Duncan — parece um abacaxi.

— O que está fazendo aqui? — perguntou Jezek, perdendo a paciência.

— Respondendo as suas perguntas.

— Você entendeu o que eu disse. Por que abandonou o circo?

— Eu não abandonei o circo. Acabei de *entrar* para o circo. E é maravilhoso! Você deveria se juntar também! Tenho certeza de que devem ter um lugar para um abacaxi humano.

— Está tentando me irritar?

— Não — disse Duncan. — Se eu estivesse tentando irritá-lo, provavelmente teria feito algo assim. — O príncipe arrancou um sininho do cinto e o jogou em Jezek. Com um estalido, o objetou acertou a testa do guarda-costas. O homem rosnou e avançou para cima de Duncan, que deu meia-volta e saiu correndo pelo caminho de onde viera.

Enquanto corria, Duncan foi arrancando mais sininhos e atirando-os por cima do ombro em Jezek. Mas os sininhos não estavam conseguindo deter o avanço da entidade enfurecida. Duncan tentou fazer uma curva, mas seus sapatos de feltro escorregaram no mármore liso e ele acabou trombando na barriga de um enorme urso-pardo empalhado, em um pedestal no canto.

— Desculpe — disse Duncan ao urso morto havia muito tempo, e então se agachou entre as pernas do animal. Com um sorriso malvado, Jezek vinha logo atrás a toda velocidade, quando Duncan atirou seu último sininho.

Jezek riu.

— Quem você pensa que vai conter com um siniiiinhooo! — O guarda-costas pisou no sininho rolando, tropeçou e caiu de cara nos braços do urso-pardo empalhado.

Duncan saiu rindo de trás do urso.

— Pelo jeito você ganhou um abraço de urso.

Jezek tentou se livrar, mas os cravos de sua armadura tinham fincado no animal empalhado, e tudo o que conseguiu fazer foi arrancar o urso do pedestal. Ele e o animal se tornaram uma coisa só e partiram desajeitados atrás de Duncan, em movimentos que mais pareciam uma paródia de valsa.

— Eita! Você ainda está vindo! — Duncan pulou de volta pela janela por onde acabara de entrar. Jezek tentou se espremer para pular atrás dele, mas fazer isso preso ao enorme urso se mostrou muito difícil. Jezek e o urso ficaram entalados.

— Volte aqui — berrou o guarda-costas enquanto tentava desesperadamente se soltar.

— Não, obrigado — disse Duncan. Ele se agarrou a uma das duas cordas penduradas na parede e começou a escalar.

Subindo a parede, Gustavo, Ella e Lila avistaram Duncan logo abaixo. Eles pararam e esperaram até que o amigo os alcançasse.

— Acho que eu deveria simplesmente fazer um cartaz escrito "O que você está fazendo aqui?" para lhe mostrar sempre que aparecer — falou Gustavo.

— Fui expulso do castelo por um homem porco-espinho gigantesco e um urso morto — explicou Duncan.

— Isso me parece uma boa justificativa — disse Lila.

— Agora shhh — alertou Ella. — Estamos quase chegando ao telhado. Lembrem-se de que estamos em uma missão secreta.

Gustavo apontou para Duncan, logo abaixo.

— Ah, claro, essa calça com estampa de pirulito colorido é muito discreta mesmo.

— Ei! — exclamou Duncan. — Pelo menos me livrei dos sininhos.

Alguns minutos depois, eles subiram por uma calha até a laje de pedra no topo do Castelo von Deeb.

← 23 →

O HERÓI SABE CONTAR

Evite a todo custo ser capturado. Masmorras são horríveis, sujas e fedidas. Elas são frias. E apertadas. Isso porque nem comecei a falar do serviço de quarto.
— O GUIA DO HERÓI PARA SE TORNAR UM HERÓI

— Cinquenta e oito, cinquenta e nove... nove! — resmungava Frederico, praticamente sussurrando. — Um, dois, três, quatro...

— Frederico, você está bem? — perguntou Liam, pressionando o rosto entre as barras de ferro de sua cela para tentar enxergar o amigo do outro lado. — O que está fazendo?

— ... catorze, quinze... Shh! Dezessete, dezoito...

— Frederico, não faz nem seis horas que estamos aqui — disse Liam. — Você já ficou maluco?

Liam não ficaria surpreso se Frederico enlouquecesse. *E a culpa seria minha*, pensou ele. *Não acredito na enrascada que consegui nos meter, invadindo o castelo do rei Bandido com um plano tão capenga. Tudo deu errado porque não pude desistir de ser um herói. Porque não consegui admitir a verdade sobre mim. Porque não pude...*

— Quarenta e cinco, quarenta e seis, quarenta e sete...

— Frederico, eu sinto muito, mas não estou mentalmente muito bem agora e acho que a sua contagem vai me levar ao limite.

— ... cinquenta e oito, cinquenta e nove... dez!

Com um clique, a porta do corredor se abriu. Eles ouviam aquele estalo de tempos em tempos desde que tinham sido trancafiados na masmorra, então já sabiam o que significava: Baltasar estava de volta.

O homem gigantesco adentrou o pavilhão com passadas pesadas, avançou até a cela de Frederico e deu uma batida na grade. Frederico se encolheu como uma bolinha. Baltasar cruzou o corredor e se aproximou da cela de Liam, que baixou os olhos para evitar contato visual.

O carcereiro sorriu, revelando uma fileira de dentes esverdeados e manchados. Ele cuspiu dentro da cela de Liam, então se virou e deixou o pavilhão. Assim que ouviram o barulho da porta fechando, os prisioneiros voltaram a respirar. Frederico ficou de pé.

— Dez minutos! — disse ele. — Exatamente dez minutos!

— O quê? — perguntou Liam.

— Nosso carcereiro é incrivelmente pontual — explicou Frederico. — Ao longo do dia, comecei a notar que havia um intervalo regular entre as visitas de Baltasar. Por isso, contei o tempo. Ocorrem a cada dez minutos.

Liam bufou.

— Parabéns, Frederico. Você sabe marcar o tempo.

— Se soubermos quanto tempo ele vai ficar fora — continuou Frederico —, saberemos quanto tempo teremos para fugir.

— É muito otimismo de sua parte — murmurou Liam. — Mas não importa muito saber quanto tempo ele ficará ausente se não tivermos como sair da cela.

— As chaves estão penduradas lá na parede! — disse Frederico, apontando para o molho pendurado em um prego próximo. — É como se ele estivesse nos *desafiando* a pegá-las.

— Talvez esteja — ponderou Liam. — Acho que não deveríamos tentar nada de que possamos nos arrepender.

— Bobagem — disse Frederico. — Só precisamos descobrir um jeito de pegá-las.

— Não tem jeito. É inútil.

— O que deu em você, Liam? — perguntou Frederico. — Você está agindo como se não quisesse fugir.

Liam suspirou.

— Eu quero que *você* fuja, Frederico — disse. — Mas não estou certo quanto a mim. Talvez eu mereça ficar preso.

— Você está sendo muito duro consigo mesmo, Liam — disse Frederico. — Seu plano não saiu exatamente como você esperava. Isso não significa que...

— Não é isso, Frederico — disse Liam com pesar na voz. — Eu... Eu fiz uma coisa horrível.

— Horrível é uma palavra forte — comentou Frederico. — Tenho certeza de que, seja lá o que você tenha feito, não chega a esse nível.

— Eu conscientemente deixei dois inocentes na prisão — disse Liam.

— Certo, isso é horrível. Mas tenho certeza de que você teve um bom motivo.

— Eu não queria que eles contassem para as pessoas que não sou um herói de verdade.

— Hummm, certo... Não é um bom motivo — ponderou Frederico. — Você poderia dar mais detalhes?

— Na prisão de Avondell, conheci dois atores que me revelaram que o resgaste dos pais de Rosa Silvestre, quando eu era criança, o incidente que fez com que todos pensassem que eu era um herói, não passou de uma farsa. — Liam recostou a testa nas barras de ferro. — Eles estavam apodrecendo ali há anos, e eu devia ter libertado os dois na mesma hora, mas fiquei com medo de as pessoas pensarem que sou uma fraude. Lembrei de todos os enganos e erros que cometi e questionei se seria capaz de continuar sendo um herói. Mas, quando descobri o plano de Rosa Silvestre, pensei que aquela seria a oportunidade perfeita para me testar. Apostei a vida dos meus amigos nisso. E falhei.

— Uau. E pensei que *eu* tivesse problemas — Frederico esfregou as têmporas. — Você realmente acredita que não é um herói só porque não salvou a vida de um rei e de uma rainha *quando tinha apenas três anos de idade*? Por acaso pensa que uma única fraude pode negar todas as coisas boas que fez ao longo da vida? Nunca conheci ou ouvi falar de alguém com tantos atos heroicos quanto você. Mas talvez você esteja certo, talvez você não seja mais um herói. E, se assim for, não é por causa de uma encenação tola do passado, quando você não passava de uma criancinha. Mas porque você abandonou aqueles dois homens inocentes na semana passada.

Liam ficou em silêncio.

— Ninguém pode ser definido por um único ato — continuou Frederico. — Tenha ele acontecido anos ou semanas atrás. Todos temos uma segunda oportunidade para tentar consertar algo que fizemos de errado. O modo como agarramos essa oportunidade é que realmente importa. Por quase toda minha vida, fugi e me escondi de qualquer coisa que pudesse ser minimamente perigosa. Isso faz de mim um covarde agora? Não. Se agora sou um covarde é porque me encolhi, choramingando, quando um homem medonho olhou feio para mim. Mas quer saber de uma coisa? Da próxima vez que Baltasar aparecer, posso até me erguer diante dele. Não estou dizendo que vou fazer isso; provavelmente vou choramingar de novo, mas eu *poderia* me erguer diante dele. Assim como você. E você poderia voltar a ser um herói.

Liam assentiu.

— Você tem razão. Essa situação não diz respeito somente a mim. Outras pessoas estão contando comigo — disse ele suavemente.

— E você não vai decepcioná-las.

— Não — falou Liam, tentando se erguer. — Não sem lutar.

— É assim que se fala! — Frederico deixou escapar um sorriso. — Esse é o Liam que eu estava procurando!

— É isso aí. — Liam estufou o peito. — Sou Liam de Eríntia! Sair de situações difíceis é a minha especialidade!

— Eba! — Frederico deu um soco no ar. Ele estava rindo como um maluco.

— Ainda temos alguns minutos antes de Baltasar voltar. Vamos cair fora daqui. — Liam segurou firme nas barras de ferro e olhou fundo nos olhos de Frederico. — Mas não pense que vou fazer isso sozinho. Frederico, preciso da sua ajuda.

Se a intenção de Liam era levantar o moral de Frederico, ele não poderia ter dito nada mais eficaz que aquelas cinco palavras. Frederico esfregou uma mão na outra e fez o que costumava fazer quando se via em uma situação complicada; ele se perguntou: *O que sir Bertram, o Pomposo, faria?* Eles precisariam de um tipo de ferramenta para alcançar as chaves. Mas os bandidos haviam retirado todos os seus pertences, deixando-os apenas com as roupas do corpo. Ahá! Era isso!

— As minhas roupas! — animou-se Frederico. — Em *Sir Bertram, o Pomposo, e o caso da lavanderia encardida*, ele amarrou fios de seda das gravatas para laçar um vidro de amaciante de tecido mágico. Se ele não tivesse conseguido pegá-lo, todas as roupas dos nobres teriam ficado ásperas e desconfortáveis. Mas por sorte...

— Qual é a sua ideia, Frederico? — perguntou Liam.

— A trança dourada do meu paletó. Se eu conseguir arrancá-la e desfazê-la, tenho certeza de que ficará longa o suficiente para alcançar aquele molho de chaves.

— O plano parece bom — disse Liam. — Mãos à obra.

Frederico tirou o paletó e tentou arrancar a trança dourada que contornava as mangas.

— Grrr, os pontos são muito justos. — Ele puxou com toda força, chegando até a pisar no paletó para ajudar a descosturar. — Sabe quem seria útil aqui neste exato momento? Alfaiade, o Pequeno.

Então eles ouviram o estalo na maçaneta mais uma vez.

— Pare de descosturar — sibilou Liam. — É o Baltasar.

Mais do que depressa, Frederico escondeu o paletó amarrotado atrás de si e começou a assobiar assim que o carcereiro pisou no pavilhão.

Fig. 32
Frederico descosturando

— O que está escondendo? — perguntou Baltasar.

— É apenas meu paletó. Fiquei com calor — respondeu Frederico, enxugando a testa com a manga da camisa. — *Ufa*, que quente!

Baltasar se aproximou da cela do príncipe e, como um eclipse humano, impediu toda a luz de entrar.

— Não acredito em você — disse ele.

— Por quê? — indagou Frederico. — Só porque estamos em uma masmorra fria e úmida? Nunca ouviu falar de suar frio de nervoso?

Baltasar encarou o príncipe de tal modo que as pernas de Frederico fraquejaram.

— Me dá isso aí.

Tomado pelo medo, Frederico passou o paletó pelas barras de ferro. Baltasar checou a peça por dentro e por fora, a apertando e a cheirando. Ao constatar que não havia nada de estranho, ele limpou a boca no paletó e o jogou em um canto, fora do alcance das celas dos príncipes. Então se virou e saiu novamente.

Assim que ouviram o clique da porta, Frederico falou:

— Ainda podemos escapar, Liam, mas você terá de sacrificar sua capa.

Liam soltou a longa capa azul do pescoço e olhou para ela com pesar.

— Você foi muito útil, velha amiga.

— Dez minutos, Liam — disse Frederico. — Continuarei contando. Trinta e um, trinta e dois, trinta e três...

Liam rasgou a capa em várias tiras, que foram torcidas e amarradas para formar uma longa corda improvisada.

◄●►

No andar de cima, Falco fazia a ronda pelos corredores quando ouviu os gritos:

— Me tirem daqui!

Assim que dobrou um corredor, ele deu de cara com Jezek entalado em uma janela com um urso empalhado. Foi preciso certo esforço para soltar o guarda-costas e arrancá-lo do urso. Assim que conseguiu, ele ergueu uma sobrancelha indagadora para Jezek.

— Está acontecendo alguma coisa aqui — afirmou Jezek. — Tem um palhaço maluco à solta. Pode ser parte daquela invasão sobre a qual o Espectro falou. Precisamos relatar o ocorrido ao chefe militar.

Eles dispararam rumo ao anfiteatro, mas se detiveram assim que avistaram um grupo de homens de Rauber correndo na direção da entrada do castelo.

— O que está acontecendo? — perguntou Jezek aos bandidos que passavam.

— Tem um troll e um gigante brigando! — gritou um deles enquanto desaparecia pela ponte levadiça. — Muito melhor que o circo!

— Vou dar uma olhada — Jezek disse a Falco. — Você vai contar tudo sobre o palhaço para o chefe militar.

Falco assentiu. Os dois saíram correndo em direções opostas.

◄•►

Esticando o braço por entre as barras de ferro, Liam atirou a corda feita com tiras de sua capa na direção do molho de chaves pendurado na parede — pela décima quinta vez. E, mais uma vez, errou.

— Droga — resmungou.

— Seis minutos se passaram, Liam — disse Frederico. — Vamos lá, você consegue.

— Sim, vou conseguir — concordou Liam, e jogou a corda novamente. Dessa vez, o pesado nó da ponta enroscou no molho de chaves e o arrancou do prego. As chaves caíram no chão de pedra com um tilintar agudo.

— ... quarenta e quatro, quarenta e cinco... Excelente!... Quarenta e sete...

— Muito bem, agora só preciso arrastá-las até aqui. — Liam sacudiu a corda improvisada que, por um milagre, foi parar bem no meio da argola que segurava todas as chaves. Frederico pulou de alegria.

Lenta e cuidadosamente, Liam começou a puxar o molho.

— Temos três minutos — alertou Frederico. — Dois, três, quatro, cinco...

O familiar clique da porta ecoou no corredor, seguido por passos que se aproximavam.

— Essa não! — exclamou Frederico. — Ele está adiantado!

— Adiantado? — perguntou Alfaiade ao adentrar no pavilhão de celas. — Vocês estavam esperando por mim?

Só de ver o homem, as mãos de Liam se fecharam com força.

— Oh-oh! O que é isso? — indagou Alfaiade, apanhando o molho de chaves do chão e puxando a corda da mão de Liam. — A dupla de meninos travessos estava tentando fugir? O rei Bandido vai me amar ainda mais depois que eu contar isso para ele.

— Você é desprezível — disse Liam entre dentes. — Já nos sentenciou à morte quando nos traiu; por que desceu até aqui agora? Para esfregar isso na nossa cara?

— Na verdade, sim — concordou Alfaiade, girando a argola de chaves no dedo indicador. — Sabe, eu estava sentado à direita do rei Bandido, assistindo ao espetáculo do circo. Eu consegui o que sempre quis e deveria ter ficado feliz. Mas não fiquei. Algo estava me corroendo. E então vi Deeb Rauber atirando um bule no engolidor de espadas. O bule quebrou o nariz do cara, e Rauber caiu na risada. Ele riu de um jeito divertido que eu nunca vi. Então me dei conta de que era aquilo que me faltava: Eu não tive a chance de rir na cara das minhas vítimas. É por isso que aqui estou eu.

Ele caiu na gargalhada.

— Você é completamente louco — disse Liam.

— Ha! Vocês é que são loucos — retrucou Alfaiade. — Enganei vocês direitinho. Na primeira vez em que os vi, acampando perto daquela torre em Sturmhagen, quase entrei em ação ali mesmo. Mas então ouvi sobre o plano de roubar o rei Bandido e que vocês precisariam de alguém para servir de cúmplice. Corri direto para a Perdigueiro Rombudo e cuidei de ser o escolhido. Vocês acreditaram mesmo que eu trairia o rei Bandido, o vilão mais sensacional que já existiu, para ajudar uns Príncipes Encantados?

— Sabe, quando você apareceu aqui agora, tive esperança de que tivesse vindo nos ajudar — disse Frederico, tristonho.

— Ah, sim, *isso* mesmo — soltou Alfaiade sarcasticamente. — Eu, Alfaiade, o Pequeno, o Espectro Cinzento, desci até aqui para libertá-los, exatamente como tínhamos planejado. E agora vou destrancar as celas para que nós três possamos sair correndo e juntos roubar o valioso cofre de Deeb Rauber.

Ele estava se divertido tanto com sua encenação que nem percebeu quando Baltasar entrou no pavilhão atrás dele (bem na hora, por sinal). E, para azar de Alfaiade, o carcereiro só ouviu a última parte do que ele dissera.

— Então você é um traidor — disse Baltasar. — Eu sabia que tinha alguma coisa em você que não me agradava.

— Ah, não, espere, você não entendeu — gaguejou Alfaiade. — Eu não ia soltá-los de verdade.

— Você está segurando as chaves — disse Baltasar.

Instintivamente, Alfaiade soltou o molho, sacou seu carretel e, mais que depressa, puxou um pedaço de linha para usar como arma. Baltasar avançou, agarrou Alfaiade pelo pescoço e o atirou contra a parede de pedra mais próxima. A parede veio abaixo, esmagando-o completamente. Tudo o que restou de Alfaiade, o Pequeno, foi um carretel de linha, que saiu rolando por entre os escombros até parar nas imensas botas pretas de Baltasar.

Fig. 33
Carretel
sem dono

— Hum, acho que usei força demais, hein? — Baltasar deu de ombros. — Acontece.

Liam e Frederico ficaram verdes de medo.

Baltasar apanhou o molho de chaves e o prendeu ao cinto. Em seguida, puxou um banquinho do canto, o posicionou no meio do corredor e se sentou.

— Agora eu vou ficar aqui — disse. — Ninguém vai sair destas celas.

← 24 →

O HERÓI SENTE CHEIRO DE RATO

O elemento surpresa pode dar ao herói uma grande vantagem numa batalha. O elemento oxigênio também é muito importante.
— O guia do herói para se tornar um herói

Deeb Rauber acreditava fortemente que os telhados das residências eram áreas destinadas à recreação. No topo de seu primeiro esconderijo havia uma área para torneios de luta de polegar; o telhado de seu último castelo abrigava uma mistura de arena para duelo e solário; e, agora que ele era um rei de verdade, o telhado de sua fortaleza mais parecia um parque de diversões. Dúzias de barracas despontavam da cobertura de madeira e pedra; algumas eram destinadas a uso oficial dos bandidos e serviam como depósito de punhais ou espaço para triagem de material roubado, enquanto outras nem tanto — como a que abrigava o tanque de mergulho e a cabine de pintura facial. Vielas se estendiam entre as miniconstruções como um intrincado traçado de ruas, todas desembocando na enorme cúpula central de marfim entalhado (roubada da famosa Catedral Nossa Senhora das Cúpulas Luxuosas, de Hithershire), que abrigava a escadaria principal.

Ella, Gustavo, Lila e Duncan se esgueiraram por uma estreita passagem entre a barraca de arrancar a ponta dos dedos das luvas e outra com uma plaquinha de "cuspe para bolinhas de papel".

— Não acredito no tanto de coisas que tem aqui — sussurrou Lila.

— Acho que vi uma barraca de churros lá atrás — comentou Duncan. — Fiquei muito tentado.

— Fique de olho no guardião da cobra — disse Ella.

— Isso mesmo — acrescentou Gustavo. — Não importa o que aconteça, precisamos encontrar uma cobra de nove metros de comprimento. Não tem como esconder um animal desse tamanho.

— Esperem um pouco — sussurrou Ella, aflita, parando na esquina da barraca para conserto de sacos de pilhagem rasgados.

Logo após a curva se erguia a imensa cúpula, e diante dela havia um homem, que na hora adivinharam ser o guardião da cobra (as sessenta e três tatuagens de cobra que lhe cobriam o corpo meio que entregaram Madu). O dariano abriu uma portinhola de madeira na parede da cúpula e puxou uma corda de dentro, trazendo para cima um enorme cesto.

— O que ele está fazendo? — perguntou Gustavo.

— É um elevador de comida — sussurrou Lila. — Temos um desse no palácio, em Eríntia. Tem um fosso bem comprido que usam para mandar comida e mensagens para cima e para baixo entre os andares.

— E ratos, pelo jeito — disse Gustavo enquanto observavam Madu erguer pelo rabo um ratinho marrom, que não parava de chiar, de dentro do cesto. Ele aproximou do nariz o roedor se debatendo e cheirou.

— Jerry — disse Duncan.

— Nem se apegue — alertou Ella. — Acho que o Jerry vai virar almoço de cobra.

Duncan deu de ombros.

— É o ciclo da vida — disse ele.

— Onde *está* a cobra? — perguntou Gustavo. Ele estava ficando cada vez mais agitado só de ver Madu caminhando de um lado para outro, brincando com o ratinho briguento, dando pancadinhas e cutucando-o com o dedo. Um ou dois minutos depois, o homem tatuado colocou a língua para fora e deu uma lambida na pelagem eriçada do roedor.

— Já vi o bastante — disse Gustavo. — Vou pegar esse esquisitão agora. Stuuuuuuurrm-haaaa--gennnnn!

Ele explodiu de trás da barraca e se precipitou sobre Madu. Enquanto Gustavo o derrubava, o dariano, surpreso, soltou o rato, que tratou logo de fugir.

— Corra, Jerry, corra! — gritou Duncan.

— Onde está a cobra? — Gustavo exigiu saber enquanto pressionava Madu contra o chão de pedra. Ella sacou a espada e correu para o lado dele.

— Como subiu aqui? — esganiçou Madu.

— Onde está a cobra? — demandou Gustavo mais uma vez.

— Esqueça o animal — disse Ella. — Só precisamos saber onde fica o Buraco da Cobra.

— De jeito nenhum — discordou Gustavo. — Subi até aqui para lutar contra uma cobra gigante e não saio deste lugar enquanto não lutar contra uma. Agora, onde está ela?

— Gustavo, não temos tempo para isso — explicou Ella. — Mais bandidos podem aparecer a qualquer momento.

Fig. 34
Hora do lanchinho

— Acho que encontrei o buraco — anunciou Lila, a poucos metros deles.

Havia um pequeno alçapão de metal, rodeado por pedaços de pele de cobra secos e translúcidos no chão. Ella e Duncan correram até Lila enquanto ela girava a trava da portinhola e a erguia, revelando um túnel escuro e profundo de cerca de quarenta e cinco centímetros de diâmetro.

— Bom trabalho, Lila — elogiou Ella. E soltou um rolo de corda do cinto. — Pronta para descer?

Lila assentiu e começou a amarrar uma ponta da corda ao redor da cintura.

— Vamos detonar! — berrou Gustavo. — Da última vez era para eu ter lutado contra um dragão. Mas *isso* não rolou! Desta vez supostamente eu teria que lutar contra uma cobra gigante. E a gente não conseguiu nem encontrar esse animal estúpido!

— Você quer tanto ver a cobra — escarneceu Madu, ainda embaixo do príncipe. — Eu odiaria decepcioná-lo. — De repente, o homem começou a tremer e a se contorcer. A pele dele pareceu rachar por todo o corpo, criando milhares de escamas. O nariz ficou achatado, os olhos, amarelos, e o corpo todo começou a se alongar.

— Caraca! — exclamou Lila. — Aquele cara não é só o *guardião* da cobra. Ele *é* a cobra.

Com um barulho de sucção, os braços de Madu foram sugados para dentro do torso, e as pernas se grudaram, virando uma cauda monstruosa. Em segundos, ali estava uma serpente cor de areia, abandonando o colete e o kilt de Madu. A criatura envergou, ergueu a cabeça escamosa e mostrou a comprida língua bifurcada para Gustavo, chocado.

— O que estão fazendo, seus vagabundos? — berrou Jezek para os bandidos admirados que observavam feito idiotas dos baluartes da muralha da frente.

Um deles apontou timidamente para a briga do troll contra a gigante.

— Estou vendo, idiota — disse Jezek. — Por que estão parados aí, olhando? Isso é parte da invasão sobre a qual fomos alertados. Vocês estão com arcos e flechas, disparem contra eles.

— Hum, sabe, senhor — iniciou um dos bandidos. — Disparamos flechas contra o peludão, mas ele não sentiu nada. Quanto à grandalhona, não sei se vale a pena desperdiçar munição.

Jezek olhou para os dois monstros.

— Trolls são durões, mas não invencíveis. Isso vai acabar em algum momento. Quanto à gigante... Vamos precisar de reforço. — Ele apontou para dois bandidos. — Sabem aqueles caixotes com soníferos deixados no castelo pelo antigo dono? Tragam o máximo que conseguirem. Vamos precisar de muito.

Lá embaixo, uma flecha atingiu o sr. Troll no ombro.

— Ei, de onde veio isso? — perguntou o monstro.

— Aquelas baratas, na muralha, estão atirando contra você outra vez — disse Maude.

— Melhor Mulher Gigante tomar cuidado — disse o troll. — Homens Flecha atirar contra Mulher Gigante também.

Maude virou-se e viu sete flechas espetadas em suas costas. Ela nem tinha sentido.

— Veja — disse Maude, colocando-se de lado. — Você não vai dizer que ainda não podemos reagir, vai?

O sr. Troll coçou o queixo peludo.

— Certo, Troll e Mulher Gigante podem reagir. Mas esmagar não. Luta precisa demorar bastante.

Maude deu de ombros.

— Melhor que nada. Muito bem, vamos botar pra quebrar.

◂•▸

Paf! O rabo da cobra gigante acertou em cheio o peito de Gustavo, empurrando-o para trás. Com um gorgolejo, Gustavo escorregou pela lateral da cúpula e caiu de quatro no chão.

— Rápido, rápido! — encorajou Ella. Ela segurou uma ponta da corda enquanto Lila, com a outra ponta amarrada na cintura, descia pelo Buraco da Cobra.

— Uau, as cobras devem ter uma supervisão noturna ou algo assim — murmurou a menina. — Não consigo enxergar absolutamente nada. — Ela mal conseguia mover o joelho ou o cotovelo sem esbarrar nas paredes. Claustrofobia nunca fora um problema para Lila, mas, até então, ela nunca se enfiara em um buraco que parecia não ter fundo e em que mal cabia seu corpo. Ela estava começando a ficar apavorada. Mas respirou fundo, pensou em Liam e continuou a descida. Então ouviu Ella gritando do alto.

E Lila começou a cair. Ela gritou, despencando, até parar abruptamente.

Fig. 35
Cobra gigante

— Não se preocupe, irmã do Liam! — Duncan gritou para ela. — Estou segurando a corda!

— O que aconteceu com a Ella? — berrou Lila, aliviada, mas um pouco preocupada (do mesmo modo que muitos se sentiam quando Duncan vinha em seu socorro).

— Gustavo e ela estão lutando com a cobra — gritou Duncan. — Mas não estão se saindo muito bem. A cobra nocauteou Gustavo, que atravessou a parede da barraca de sacos. Ele saiu de lá engatinhando com um saco de estopa na cabeça. Eu gostaria que a nossa vida não estivesse em risco, pois do contrário a situação seria muito engraçada.

— Duncan, segure firme, por favor — disse Lila. Ela desceu pelo túnel escuro e estreito o mais rápido possível, e seu coração pulava a cada pancada, grito ou gemido que vinha lá do alto. Então, seus pés tocaram o fundo.

— Cheguei — disse, sem ter certeza se Duncan conseguira ouvir lá de cima. — Só preciso encontrar a alavanca. — Ela tentou agachar, mas bateu a cabeça na parede do estreito túnel. — Não tenho espaço nem para me abaixar aqui — resmungou, tateando com o pé na escuridão até encontrar uma saliência no fundo do fosso. — Ahá!

Com os dois pés, Lila empurrou a alavanca de um lado para o outro. No mesmo instante, uma série de engrenagens e dispositivos mecânicos entrou em ação.

Cinco andares abaixo — sob Gustavo e Ella lutando para sobreviver, sob Estanislau Flimsham se preparando para anunciar seu mundialmente famoso número de palhaços, e alguns corredores distante de Liam e Frederico, que olhavam desesperados para o carcereiro desumano —, a porta do cofre de Deeb Rauber estalou, estremeceu e se escancarou.

⇇ 25 ⇉

O VILÃO VIRA O POLEGAR PARA BAIXO DUAS VEZES

Dizem que o riso é o melhor remédio. Acabem com os palhaços!
— O caminho do guerreiro para alcançar o poder:
antigo manuscrito de sabedoria Dariana

— A gente tem mesmo que entrar? — perguntou o líder de uma apavorada equipe que montava ursos em pelo, encolhendo-se atrás da cortina do anfiteatro. Um grupo após o outro tinha sido sujeitado à fúria dos bandidos insatisfeitos, que atiravam de ovos podres a pés de cabra.

— Claro que tem! — rosnou Estanislau Flimsham, cujo estômago estava dando mais saltos que seus acrobatas. — Quer que todos acabemos mortos? Entrem agora!

Tremendo, os equitadores de urso entraram no palco. Até os animais pareciam nervosos. Estanislau voltou-se para o irmão, Armando, responsável pelo agendamento de espetáculos.

— Por que é que agendou essa apresentação aqui? — questionou Estanislau.

— Eles prometeram uma farta mesa de comida nos bastidores — respondeu Armando. E saiu correndo antes que Estanislau tivesse tempo de alcançá-lo.

Estanislau se virou, levou as mãos à boca para amplificar o som e chamou:

— Palhaços! Vocês serão os próximos!

Minutos depois, quando os equitadores deixaram o picadeiro, cheios de hematomas e atordoados por causa das pedradas que tinham levado, um silêncio desconfortável se abateu sobre a plateia. Um minuto se passou, e os bandidos começaram a berrar e arrebentar com machadadas as grades que os separavam do picadeiro.

Finalmente, Estanislau correu para a frente das cortinas.

— Não temam, não temam, meus bons, hum, homens — disse ele. — Vocês estão prestes a se divertir como nunca. — Ele ergueu os braços para o alto. — Que entrem os palhaços!

Nada.

— Que entrem os palhaços! — gritou de novo, umedecendo nervosamente os lábios. — Preparem-se para a grande surpresa — adicionou, com seu topete mole caindo na lateral da cabeça. — É difícil saber o que esses palhaços vão aprontar. Ou quando vão aprontar.

Nos bastidores, Rosa Silvestre deu uma olhada no relógio de bolso que escondera no cinto da fantasia de palhaço. *O cofre será aberto a qualquer minuto*, pensou e se afastou discretamente dos outros, seguindo rumo à saída. Ela estava quase alcançando a porta que lhe daria acesso ao restante do castelo quando a mão de Rapunzel pousou sobre seu ombro.

— Você está tramando algo terrível, não está? — disse Rapunzel. — Não gosto de julgar as pessoas sem conhecê-las, mas sou obrigada a dizer que você não passa boas vibrações.

— Você não entende — disse Rosa Silvestre, impaciente. — O cofre será aberto a qualquer minuto. Preciso descer até lá.

— Não precisa, não — afirmou Rapunzel. — Frederico e Liam cuidarão disso.

— O que devo fazer, então? Entrar naquele picadeiro e participar do número dos palhaços? — escarneceu Rosa Silvestre.

— É exatamente isso que você vai fazer — berrou o fortão do circo vestido de leopardo, que viera atrás delas, ao lado de Armando Flimsham. — Vocês, palhaços, se acham melhores do que nós — acrescentou. — Mas, se tivemos de nos apresentar e sobreviver àquela plateia, vocês também terão que fazer isso.

Com as mãos nos ombros delas, ele virou as duas mulheres e as empurrou até o picadeiro.

Ella agachou-se em uma posição de esgrima que Liam lhe ensinara, mas, ao se dar conta de que estava de cara com uma cobra de nove metros, a correta postura de esgrimista não foi de muita utilidade. A garota avançou contra a cobra, mas a criatura facilmente curvou o corpo para se esquivar do golpe e acertou-lhe o peito com sua cabeça chata e escamosa. Ella cambaleou para trás e caiu de costas enquanto a cobra se erguia sobre ela. A fera abriu a boca, e Ella viu o veneno pingando das presas. Mas tudo o que o animal monstruoso conseguiu fazer foi soltar um gemido sufocado, pois Gustavo o agarrou pelo pescoço.

Ele arrastou a criatura até a beirada do telhado e, com um nó apertado, a amarrou na cerca de ferro. A cobra silvou e cuspiu furiosa.

— Ha! — festejou Gustavo. — Derrotei você, cobra idiota! — O príncipe ergueu os punhos vitorioso e marchou de um lado para o outro, rosnando como um troll. Essa era a primeira vez que Gustavo vencia de verdade um monstro em uma batalha, e mal podia esperar para esfregar isso na cara dos irmãos. Ele achava que até Rapunzel o olharia com outros olhos depois disso.

— Gustavo transformou a cobra em um belo laço — Duncan berrou para Lila, ainda dentro do buraco. — Vamos tirá-la daí, irmã do Liam!

Lila nunca tinha ficado tão feliz em ouvir algo. Mas, assim que sentiu que estava sendo erguida por Duncan, gritou para que ele parasse.

— Espere! — pediu. — Assim que eu tiro o pé da alavanca, ela começa a deslizar de volta. Acho que o cofre vai fechar assim que eu sair do buraco.

Ella se aproximou correndo. Olhou para o cronômetro que Liam lhe dera para que ela não perdesse a noção do tempo. Infelizmente, os relógios não funcionam bem quando são mergulhados em fossos cheios de enguias-dentes-de-aço — e com este não tinha sido diferente.

— Bem, *acho* que deve ter passado uma hora — murmurou ela. — O que significa que Alfaiade soltará os rapazes a qualquer minuto. Aguente um pouco mais, Lila.

Lila começou a sentir falta de ar, rezando para que aqueles minutos passassem rápido. Como costumava dizer, ela não tinha problema com alturas. Mas acabara de descobrir que não era tão boa com profundidades.

Fig. 36
Lila descendo

As cortinas se abriram e os quatro "palhaços" foram empurrados para o picadeiro sem nenhuma cerimônia. Branca de Neve rodopiou sob as luzes ofuscantes, deu de cara com trezentos rostos enfurecidos que nunca vira antes e caiu atordoada nos braços de Rapunzel.

Não que Rapunzel estivesse mais à vontade diante de uma plateia como aquela. Ela nunca estivera em um circo. Não tinha ideia do que os palhaços faziam. Davam cambalhotas? Faziam palhaçadas? Encenavam algo engraçado? Enquanto tentava descobrir o que aquilo tudo podia significar, ela percebeu que Rosa Silvestre e Rúfio cochichavam de maneira conspiratória.

A multidão começou a reclamar.

— Branca de Neve — disse Rapunzel baixinho. — Você precisa fazer alguma coisa. Aja como um palhaço.

E então Branca de Neve tropeçou em Rosa Silvestre, fazendo-a cair sentada.

— Como ousa? — ralhou a princesa. Mas a plateia caiu na risada.

Rosa Silvestre se levantou, e Branca de Neve a derrubou novamente. Mais risadas.

— Pare com isso — brigou Rosa Silvestre. Ela agarrou Branca de Neve pelo tornozelo e a puxou para o chão. Mais risadas ainda.

Mas Rosa Silvestre não estava se divertindo. *Não posso permitir que esses idiotas continuem desperdiçando meu tempo,* pensou ela. *Vim até aqui para uma missão só minha e vou até o fim.* Ela ficou de pé e saiu pela lateral do picadeiro. Em seguida, lançou para os outros uma cesta de bolinhas de malabarismo, lenços coloridos e outros brinquedos de palhaço.

— Peguem — disse ela. — Vocês querem dar um show? Pois então deem.

O VILÃO VIRA O POLEGAR PARA BAIXO DUAS VEZES

E deixou o picadeiro pisando duro.

Branca de Neve remexeu dentro da cesta de brinquedos e pegou um aro de bambu.

— O que você acha que podemos fazer com isso? — perguntou para Rapunzel.

Mas Rapunzel estava distraída com a súbita saída de Rosa Silvestre.

— Boa sorte — ela disse para Branca de Neve, e deixou correndo o picadeiro.

Branca de Neve ficou ali, segurando o arco na mão. Ela olhou para Rúfio em busca de uma dica do que fazer, mas o caçador de recompensas ficou parado feito uma estátua, como se estivesse de guarda. Então, Branca de Neve jogou o arco sobre a cabeça dele.

Ela arrancou gargalhadas da plateia. E mais sete arcos foram atirados em seguida. Bem como qualquer coisa que Branca de Neve conseguisse encontrar para atirar nele.

Rúfio bufou.

— Finalmente algo divertido — disse Rauber, chutando a grade diante de si.

— Fico feliz que esteja... se divertindo — comentou Randark, obviamente entediado.

— Veja como o palhaço grande apenas fica parado enquanto o pequenino não para de jogar coisas na cara dele — disse Rauber, rindo. — A cena é tocante.

Lorde Randark cruzou os braços. *É patético*, pensou ele, *que seus últimos suspiros sejam gastos em risadas.*

Alguns assentos distante, Vero avistou Falco entrando apressado no anfiteatro. O batedor seguia direto para lorde Randark, mas Vero o segurou pelo pulso.

— O que aconteceu, Falco? — perguntou.

Falco começou a balançar o braço, numa dança engraçada. Então apontou para o corredor.

— Um macaco do circo está à solta pelo castelo?

Falco balançou a cabeça. Então fechou a mão sobre o nariz como uma bola, desenhou um triângulo no ar sobre a cabeça e cambaleou para frente e para trás.

— Tem um unicórnio narigudo tentando se passar por um pinguim? — arriscou Vero.

Frustrado, Falco balançou a cabeça outra vez, rangendo os dentes.

— Não entendo por que o chefe militar insiste em um usar um homem mudo como mensageiro — disse Vero.

Falco apontou para Branca de Neve e Rúfio, em seguida de volta para o corredor.

— Palhaços! — disse Vero, orgulhoso de si. — Tem um palhaço andando pelo castelo. Ah, sim, agora que mencionou, parece que estão faltando alguns palhaços. Isso é, como dizem em meu país, *suspeito*. Falco, espere no corredor. Vou informar o chefe militar.

Falco correu de volta, mas Vero foi direto a Deeb Rauber. Ele cochichou no ouvido do rei Bandido, que arregalou os olhos. Algo estranho estava acontecendo lá fora. Será que ele fora arrogante demais e desprezara muito rápido a invasão da Liga dos Príncipes ao seu castelo? Ele pulou do assento para seguir Vero.

— Está saindo? — perguntou Randark.

— Odeio estragar a surpresa, mas farei uma participação especial no último ato — respondeu Rauber, apressado. — Preciso ir aos bastidores para me preparar. Divirta-se com o espetáculo.

— Ah, vou sim — disse Randark.

Esgueirando-se pelos corredores do castelo de Rauber, Rosa Silvestre se deteve ao ouvir o som de passos após uma curva. Ela se escondeu atrás de uma armadura do tamanho de um ogro e viu dois bandidos abrindo a porta de um armário e tirando dali um caixote com várias garrafas.

— Você acha que é o bastante? — um dos bandidos perguntou ao outro.

— Vai ter que ser — respondeu o segundo. — Não consigo carregar mais que isso. Se for preciso, voltamos para pegar mais.

— Acho que vai ser preciso — disse o primeiro. — Vamos derrubar um gigante.

Eles viram o gigante?, pensou Rosa. *É melhor eu andar logo.*

Assim que os dois bandidos se foram, Rosa Silvestre correu até o armário. Ali dentro, no chão, havia um caixote de madeira com a marcação POÇÕES DO SONO — PROPRIEDADE DE Z.

Não sei quem é esse tal de Z, pensou a princesa enquanto pegava um dos frascos cheios de líquido rosa e o agitava, *mas agradeço pelo presentinho.*

Fig. 37
Poções

Nos portões principais, arqueiros a postos na Muralha Sigilosa seguiam disparando a chuva de flechas contra Maude e o sr. Troll. Mas agora os homens de Rauber tinham também de desviar das pedras imensas que o sr. Troll atirava contra eles.

— HUAARR! — rosnou o sr. Troll enquanto atirava outra pedra para o alto e derrubava o quarto bandido da muralha. — Ahá! Derrubei mais um.

Maude, que estava de joelhos, se curvou para frente para dar cobertura ao troll, pegou outra rocha imensa e a transformou em dúzias de pedras menores.

— Tem certeza de que não posso simplesmente derrubar a muralha com um chute? — perguntou a mulher gigantesca.

— Assim batalha acabar muito rápido — disse o sr. Troll. — Troll e Mulher Gigante não podem deixar Homens de Arco entrar no castelo. Precisamos dar tempo para amigos pegarem espada brilhante. Isso ser muito importante para...

— Menos conversa, mais pedras — interrompeu Maude.

— Ah, sim — disse o sr. Troll, e atirou mais duas pedras imensas.

Maude pegou outra rocha para quebrar, mas de repente se deteve.

— Humm — disse. — Não sei por quê, mas estou me sentindo tão cansada.

— Do que Mulher Gigante cansou? — perguntou o sr. Troll. — Troll está fazendo todo o trabalho.

— Acho que já não sou mais jovem como antes — comentou Maude.

— He-he! — o sr. Troll riu. — Ninguém é jovem como antes. Ser cientificamente impossível.

Do alto da muralha, Jezek ordenara aos arqueiros que encharcassem a ponta das flechas de poção do sono antes de atirá-las. As últimas vinte flechas que tinham atingido Maude estavam com sonífero. E, a cada segundo, ela era atingida por mais.

— Sério, troll — disse Maude, lutando para manter-se de pé, com os olhos quase fechando. — Acho que eu vou...

Com um forte baque, a mulher gigantesca caiu de costas no chão, e uma nuvem de poeira se ergueu, encobrindo tudo.

— Quanto tempo ainda? — berrou Lila do fundo do Buraco da Cobra. O espaço minúsculo parecia ficar mais apertado a cada segundo, e ela tinha a sensação de que pararia de respirar.

— Acho que mais ou menos cinco minutos devem ser suficientes — disse Ella. — Pressupondo que tudo na masmorra tenha saído como planejado.

— Ei, pessoal — chamou Duncan.

— O que foi, Duncan? — perguntou Ella.

— A cobra sumiu.

Ella e Gustavo se viraram para ver que realmente a cobra gigante não estava mais atada à grade de ferro.

Gustavo rosnou e bateu os pés.

— Você viu o que aconteceu? — perguntou Ella.

— Bem, primeiro ela se curvou, depois se contorceu, e então acho que se sacudiu...

— Duncan! — gritou Ella.

— Ela se transformou no homem com vários desenhos pelo corpo — disse Duncan. — E então ele disparou para o outro lado da cúpula.

— Fique com a Lila — ordenou Ella, sacando a espada.

Então a garota e Gustavo correram na direção que Duncan apontara — onde deram de cara com Madu. E Vero. E Falco. E Deeb Rauber. E dois outros bandidos quaisquer cujo nome nem vale a pena mencionar.

26

O HERÓI CONTA TUDO TIM-TIM POR TIM-TIM

Se quiser alguma coisa, a melhor maneira de conseguir é pedindo. Se não funcionar, recorra a um grupo de doze homens fortemente armados.
— O guia do herói para se tornar um herói

Nas profundezas da masmorra, agachado no chão sujo e frio de sua cela escura, Liam de repente se pôs de pé com um pulo, quando lhe ocorreu uma ideia. Uma boa ideia. Pela primeira vez em mais de uma semana. Seria mesmo uma boa ideia? Ele não tinha certeza. Ainda tinha dificuldade em confiar em si mesmo. Mas, quando viu o estado de calamidade do amigo na outra cela, soube que precisava tentar.

— Frederico, há quanto tempo você acha que a apresentação começou?

— O quê? — indagou Frederico, erguendo os olhos. — Acho que há pouco mais de uma hora. Por que resolveu me perguntar isso agora? Que diferença faz?

— Isso mesmo, o que te *interessa* naquele espetáculo inútil? — perguntou Baltasar, sentado feito uma pedra em seu banquinho.

— Você acha que os outros conseguiram? — Liam perguntou para Frederico.

— Que outros? — perguntou Baltasar.

— Liam — disse Frederico de canto de boca. — O Você-Sabe-Quem está sentado *logo ali*.

— Ele sabe que estou escutando — disse o carcereiro. — O que é que você está tramando? — Ele se inclinou em seu assento, seus olhos perscrutaram um príncipe e em seguida o outro.

Liam o ignorou.

— Bem, Frederico, vou pressupor que nossos amigos conseguiram cumprir a missão — disse. — O que significa que está na hora de cairmos fora destas celas. Ei, pegue! — Ele se levantou e estendeu o braço como se estivesse prestes a jogar algo.

Baltasar ficou de pé com um pulo, derrubando o banquinho, e com um passo foi parar na frente da cela de Liam, que rapidamente escondeu as mãos para trás.

— Que brincadeira é essa? — rosnou Baltasar. — Mostre as mãos.

Liam trouxe os braços para a frente do corpo, mas manteve as mãos juntas, fechadas.

— Você já deve ter ouvido falar em quanto eu *gosto* de prisioneiros metidos a espertinhos — disse Baltasar. — Abra as mãos! Antes que eu abra para você.

Liam abriu as mãos só um pouquinho.

— Mostre! — ordenou Baltasar.

Liam estendeu os braços perto da grade e abriu a mãos, revelando uma mosquinha em sua palma.

— Hum?

Quando Baltasar pressionou o rosto contra as barras de ferro para ver mais de perto, Liam puxou as duas longas pontas do bigode do carcereiro pela grade e amarrou uma na outra.

— Consegui! — gritou Liam, triunfante. — Ele caiu na armadilha. Agora é só pegar as chaves. — Mirando o punho exatamente entre as barras, Liam desferiu um soco na cara do grandalhão.

— Uauuuu! — gritou Liam, chacoalhando a mão. — Que cabeça dura!

Furioso, Baltasar puxou a cabeça para trás, arrancando os pelos faciais amarrados. Liam e Frederico engoliram em seco.

— Grrrr! Vai demorar *dias* para o meu bigode crescer novamente — berrou o carcereiro. Furioso demais para se dar ao trabalho de pegar as chaves, ele arrancou a grade de ferro da cela de Liam e jogou no corredor com um tinido forte. Liam grudou na parede ao fundo. Ele estava encurralado.

— Agora você vai morrer — disse Baltasar.

E então o carcereiro sentiu um dedinho delicado cutucando suas costas.

— Ei, feioso — disse uma voz por trás. Assim que ele se virou, Rosa Silvestre despejou um vidro da poção do sono na cara dele, dopando-o com o líquido rosado.

— O que é...? — Baltasar caiu no chão, roncando.

— Rosa! — exclamou Liam. — Por que está fantasiada de palhaço? O que você está fazendo aqui?

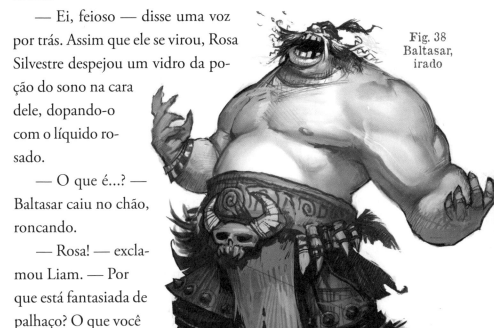

Fig. 38
Baltasar,
irado

— Salvando o seu traseiro patético, pelo jeito — disse ela. — Ah, e por falar nisso, *de nada*.

— Chega dessa farsa — disse Liam. — Você veio até aqui para pegar a espada antes de nós.

— Então por que é que não estou no cofre? — revidou ela.

— Porque você viu Baltasar e sabia que ele poderia impedir sua fuga — disse Liam.

— Por falar nisso, o que você fez com ele? — perguntou Frederico de sua cela.

Rosa Silvestre ergueu o frasquinho.

— Poção do sono.

— Você só jogou isso nele? — perguntou Liam.

— O que mais eu devia ter feito, oferecido uma xícara de chá? — rebateu Rosa Silvestre.

— Esqueça. Acho que agora estamos todos juntos nessa. — Liam se abaixou para dar uma olhada em Baltasar. — Ella e Gustavo já devem ter aberto o cofre, então vamos pegar as chaves da masmorra e tirar Frederico daqui.

— Ná-ná-ni-ná-não! — disse Rosa Silvestre. Ela pousou o sapatinho de ponta curvada sobre o ombro de Liam e o empurrou para longe do carcereiro dorminhoco. — Bem, eu confio em você tanto quanto você confia em mim. *Primeiro*, nós dois vamos pegar a espada. Se você se comportar e não tentar me passar a perna, voltamos para libertar seu amigo.

— E se eu não concordar? — indagou Liam, encarando-a de baixo para cima.

Rosa Silvestre chacoalhou a garrafinha de poção na cara dele.

— Está com sede?

— Vão logo — disse Frederico. — Não temos tempo para discussão. Não sabemos por quanto tempo Baltasar ficará apagado.

Liam e Rosa Silvestre saíram correndo juntos.

Do lado de fora, a poeira finalmente estava começando a assentar em torno da Muralha Sigilosa.

— Acho que estou conseguindo ver o gigante de novo — anunciou um dos arqueiros, enxergando por entre a fina nuvem de poeira Maude inconsciente, deitada no chão. — Sim, ainda está caído.

— Atire mais algumas flechas como precaução — ordenou Jezek. — Alguém está vendo o troll?

— Hum, eu estou — relatou um dos bandidos. — Ele está pulando.

O sr. Troll subira na imensa barriga de Maude e a estava usando como trampolim para chegar cada vez mais alto, até que finalmente conseguiu se lançar até a muralha. Ele saiu voando e aterrissou no baluarte, de onde foi logo empurrando dois bandidos que saíram rolando por um longo lance de escadas até o pátio abaixo.

— Atirem! Atirem! — berrou Jezek.

— Senhor, sinto ter que informar — disse um dos arqueiros —, mas estamos usando arco e flechas. E essas armas foram feitas para combates a longa distância. *Longa* distância. Não funcionam muito bem quando o inimigo está bem em frente. Para isso, precisamos de armas *brancas*, espadas, clavas e outras coisas que podem ser usadas em combates corpo a cooorrrpoo...

E o sr. Troll o jogou da muralha.

Como um redemoinho de pelos verdes, o sr. Troll saiu girando contra os arqueiros, uivando e estraçalhando os arcos em mil pedaços.

— Agora somos você e eu, Troll! — gritou Jezek, flexionando o pescoço. — Vamos nessa.

O sr. Troll soltou os arqueiros que estava segurando e balançou a cabeça para Jezek.

— Troll gostar disso.

No picadeiro, Rúfio nem ligava para as bolas e galinhas de borracha que batiam na sua cabeça. Rosa Silvestre estava lhe pagando para ficar de olho no chefe militar, e era isso que estava fazendo. Apesar de estar cada vez mais preocupado com a ausência de Deeb Rauber. Se o garoto tinha ido para onde Rúfio imaginava... Bem, as instruções de Rosa Silvestre não tinham mais importância.

Sem pronunciar uma única palavra, Rúfio deu meia-volta e abandonou o picadeiro. O rolo de macarrão que Branca de Neve atirara em sua direção caiu inofensivo no chão.

Branca de Neve deu uma olhada na cesta de coisas engraçadas. Ela estava completamente sozinha no picadeiro. E trezentos bandidos, além do chefe militar de Dar, olhavam para ela.

— Achei! — gritou Liam ao avistar o cofre, com a espessa porta de aço aberta.

— Sim! — Rosa Silvestre o empurrou e saiu correndo na frente.

— Ah, não, você não — gritou Liam, puxando-a pelas fitas da fantasia. Eles lutavam na soleira do cofre e acabaram mergulhando nas pilhas de ouro e joias.

Havia tesouros espalhados por todos os lados, artefatos de valor incalculável jogados como brinquedos lançados dentro de um armário por uma criança bagunceira (o que era basicamente o que tinha acontecido). Não havia nenhuma caixa de vidro para a espada de Eríntia — o artefato de valor incalculável simplesmente fora espetado em um balde qualquer cheio de moedas. Mas pelo menos tinha sido fácil encontrá-lo.

— Saia de cima de mim — repreendeu Rosa Silvestre enquanto ela e Liam rolavam pelo chão.

— Você não vai pegar aquela pedra — rebateu ele.

Rosa Silvestre esticou o braço para alcançar a espada, mas quando fez isso Liam pegou o frasco da poção do sono.

— Ahá! — exclamou Liam. — Ha! Ha! E mais uma vez *ha*! Seu plano de estragar o meu plano de estragar o seu plano foi por água abaixo.

— Ele chacoalhou o frasquinho, espirrando nela as últimas gotas da poção do sono. Foram apenas duas gotinhas, que respigaram inofensivas na frente da fantasia de palhaço.

Fig. 39
A espada, finalmente

— Droga! — resmungou ele. — Pensei que tivesse mais.

Rosa Silvestre avançou e puxou a espada de Eríntia de dentro do balde.

— Não fique triste por ser um perdedor, Liam — disse ela. — Alegre-se por ter se casado com uma vencedora como eu. Agora podemos ir embora?

Então, a porta do cofre fechou de repente, trancando-os lá dentro.

← 27 →

O HERÓI CONVIDA O VILÃO PARA SE JUNTAR A ELE

Nunca se arrependa de nada. (Se isso se mostrar um mau conselho, peço desculpas.)
— O guia do herói para se tornar um herói

Lila estava pisando na alavanca no fundo do buraco escuro. Sussurrando consigo mesma. Tentando não entrar em pânico.

— É como se eu estivesse de olhos fechados — disse a si mesma e fechou os olhos. — Viu? Não tem nada de assustador em ficar de olhos fechados. — Então ela os abriu outra vez, viu que tudo estava escuro do mesmo jeito e quase chorou.

De repente, ela sentiu que estava sendo puxada para cima. A corda estava sendo enrolada lá no alto. Assim que seus pés se ergueram, a alavanca voltou para a posição original. Engrenagens giraram, polias foram acionadas e, cinco andares abaixo, a porta do cofre se fechou com um forte baque. Mas Lila não se importou. Finalmente, ela estava sendo tirada daquele buraco horrível.

— Obrigada, Duncan — ela agradeceu enquanto seus olhos tentavam se ajustar à luz do sol. — O que aconteceu com Ella e...

— Olá, minha pequena condutora de carroça — disse Vero. — Não esperava encontrar *você* na ponta desta longa corda.

Lila engoliu em seco. Ella, Gustavo e Duncan estavam com as mãos amarradas nas costas, encostados na cúpula, na mira da espada de Madu, Falco e dois outros bandidos. Deeb Rauber observava.

— Não se preocupe — gritou Ella. — Vai dar tudo certo.

— Feche a matraca, prima — disse Rauber, andando de um lado para outro diante de seus novos prisioneiros, com as mãos cruzadas para trás e o nariz empinado. — Sabe, Ella, nós somos parentes. Se queria visitar minha casa nova, era só pedir. Eu teria arrumado um quartinho legal para você... *na masmorra!*

Ele riu. Os dois bandidos riram junto. Mas Vero não; ele notara o modo como Madu e Falco reviraram os olhos para a piadinha boba de Rauber.

— Qual o problema, Vero? — perguntou Rauber, erguendo uma sobrancelha. — Perdeu o senso de humor?

— Ah, não, senhor — respondeu o espadachim. — Talvez algo tenha se perdido na tradução, sim?

— Esqueça. Amarre a garota — disse Rauber. Vero colocou as mãos de Lila para trás e as amarrou juntas.

— Por falar nisso, quem é a senhorita? — continuou Rauber.

— Meu nome é Lila, sou irmã de Liam. E espero que esteja ciente de que, se fizer qualquer coisa contra mim ou contra o meu irmão, Eríntia decretará guerra contra esse seu reininho fajuto.

— Eu não teria tanta certeza assim — replicou Rauber. — Isso vai depender de como os bardos vão contar a história. Sou um vilão muito popular. E a Liga dos Patetas não é composta por heróis muito populares.

◆◆◆

Branca de Neve ficou paralisada diante dos holofotes. Ela achou que estava indo tão bem. Mas isso foi antes de ter sido abandonada no picadeiro. O que ela ia fazer agora? Não estava acostumada a ter todas as atenções voltadas para ela.

A plateia vaiava.

— Uuuhhh! Tá ficando chato de novo — gritou um dos bandidos e atirou uma garrafa vazia em Branca de Neve.

Ela ergueu a mão e, com uma precisão surpreendente, pegou a garrafa no ar. Sem saber o que fazer, ela a atirou de volta para o bandido. A garrafa acertou bem na cara do homem, que caiu desacordado.

A multidão caiu na risada. Outro bandido gritou:

— Segura essa, palhaço. — E arremessou uma maçã contra Branca de Neve. Ela girou nos calcanhares e pegou a fruta com a maior facilidade, para então atirar de volta nele.

Fig. 40
Participação da plateia

Várias pessoas começaram a jogar vegetais, pratos e outras coisas em Branca de Neve, que — entre giros, pulos e saltos — apanhava tudo e atirava de volta.

Os bandidos riam e batiam palmas enquanto ela pulava de um lado para o outro do picadeiro, usando os braços habilidosos em um número de malabarismo com a participação de toda a plateia.

— Eu nem sabia que era boa nisso — ela riu descontroladamente. — Mas sou muito boa!

A única pessoa que não estava se divertindo era lorde Randark.

Frederico pensava na possibilidade de alcançar as chaves de Baltasar com o auxílio de uma meia quando ouviu o som de passos vindo em direção ao pavilhão de celas. Ele se preparou para o pior.

— Rapunzel?

— Frederico! — exclamou ela num sussurro desesperado enquanto corria na direção dele. Mas, ao ver Baltasar caído no chão, ela se deteve no meio do caminho. — É uma pessoa?

— Sim, é — disse Frederico. — Mas, por favor, não chore nele.

Os dois resumiram em poucas palavras tudo o que tinha acontecido com eles enquanto Rapunzel se agachava ao lado do carcereiro caído e soltava cuidadosamente o molho de chaves do cinto dele. Em seguida, ela correu até a cela de Frederico e testou cada uma das chaves, até que finalmente conseguiu abrir a grade e passou os braços em torno do príncipe. As bochechas dela marcaram a camisa de Frederico com manchas de amoras (não que, naquele instante, ele estivesse se importando).

— Rápido! — disse ele. — Precisamos alcançar Liam e Rosa Silvestre.

Juntos, os dois saíram correndo pelos corredores da masmorra até encontrar o cofre.

— Essa não! Está trancado — disse Frederico.

— Acho que a Lila não conseguiu abrir — comentou Rapunzel.

Então eles ouviram o som abafado de vozes vindo de trás da grossa porta de aço. Vozes nada felizes.

— Não — disse Frederico. — Ela conseguiu.

◄•►

— Não estaríamos nesta situação se você tivesse sido esperto o suficiente para não contratar o Espectro Cinzento — resmungou Rosa Silvestre, chutando uma pilha de moedas de ouro.

◄ 343 ►

— Eu teria conseguido tirar a espada do cofre a tempo se você não estivesse tão determinada a pegá-la antes de mim — replicou Liam.

— Quem você pensa que engana? Você teria sido reduzido a pó por aquele monstro se eu não tivesse aparecido.

— Eu preferia voltar para uma cela a ficar trancado aqui com você! Por que fizemos tudo isso, afinal? Como vamos saber se a pedra funciona mesmo?

Rosa Silvestre pousou o polegar sobre a enorme pedra laranja incrustada na base da lâmina.

— Dê um soco na sua cara — ela falou.

Liam deu um soco nele mesmo.

— Satisfeito? — perguntou a princesa. Ela estava prestes a tirar o dedo da gema, mas mudou de ideia. — Diga o que realmente pensa de mim.

— Você é a pessoa mais horrorosa do mundo — disse Liam. — Você acabou com a minha vida. Eu queria nunca ter te beijado e te despertado daquele encanto. Fiz muitas coisas erradas ao longo dos anos, mas essa foi a pior de todas. O mundo seria um lugar bem melhor sem você.

Rosa Silvestre escorregou o dedo da pedra. De repente, sentiu um gosto amargo na boca.

— Por que envolveu a mim e meus amigos nisso? — berrou Liam. — Por que pediu para pegarmos a espada para você?

— Porque eu achava que vocês não iriam conseguir! — confessou Rosa Silvestre. — Eu queria a Gema do Djinn. Mas não sabia direito o que faria com ela quando a conseguisse; talvez controlar o mundo, talvez usá-la para conseguir o marido que eu queria, talvez usá-la apenas para pregar peças nas pessoas de quem não gosto. Mas o que importa mesmo é que eu a *queria*. E não podia mandar qualquer um pegá-la. Se contratasse um ladrão profissional, até mesmo Rúfio, ele poderia pegar a pedra e usá-la em benefício próprio. Eu precisava me certificar de que seria eu mesma quem a roubaria. Mas eu não tinha como invadir o castelo do rei Bandido sozinha. Eu precisava de uma distração. E quem melhor do que a atrapalhada Liga dos Príncipes? Recrutei você para o trabalho, Liam, porque sabia que você faria alguma trapalhada. Pois é isso que a Liga faz. E, enquanto você e seus companheiros estivessem aprontando alguma confusão pelo castelo, eu poderia entrar sem ser notada e pegar a arma para mim.

— O tempo todo você quis nos sacrificar — murmurou Liam, decepcionado.

— Sim, eu *quis*; pretérito perfeito — confessou Rosa Silvestre. — Mas então você e seus amigos ficaram se pavoneando ao meu redor a semana toda, agindo de modo admirável e estranhamente respeitoso e exibindo seu valor como seres humanos. Me fazendo sentir culpada por enviá-los para a destruição. E me fazendo perceber que o que quer que eu pudesse fazer com a pedra seria brincadeira de criança comparado ao que Rauber ou, cruz-credo, os darianos poderiam fazer com ela.

— Você espera que eu acredite que algo mudou no seu coração? — indagou Liam, quase rindo.

— Eu espero que acredite que sou inteligente o bastante para reconhecer que estava errada. Não pense que não lutei contra isso. Não gosto de você, Liam. E é evidente que você e os seus amigos não me suportam. Mesmo assim não o abandonei à mercê daquele grandalhão maluco. Eu o salvei.

— Mas deixou Frederico para trás!

— Sabe de uma coisa? — Rosa Silvestre perdeu a paciência. — Você não acredita em mim? Tome! — Ela pegou a espada de Eríntia pela lâmina e a estendeu para Liam.

Liam a olhou surpreso.

— Tome — ela repetiu. — Pegue. Se acha mesmo que pretendo acabar com você, pegue a espada de mim.

Liam esticou o braço e segurou a espada pelo cabo. Rosa Silvestre a soltou.

— Está feliz agora? — perguntou ela. — Ande logo. Controle minha mente. Me faça correr e bater contra a parede, ou dar com a cabeça naquele vaso de ouro maciço.

— Não — disse Liam.

— Por que não? Você me odeia.

— Mas eu não sou como você.

Rosa Silvestre soltou um longo suspiro e se largou sobre um imenso saco de moedas como se fosse um pufe macio.

— Você é insuportável, sabia?

No telhado do castelo, Deeb Rauber ainda prosseguia com seu monólogo.

— ... e é por isso que os vilões sempre ficam com a glória. E é por isso que, de *todos os vilões*, eu fico com todas as glórias. E é por isso que eu, dentre os *dez melhores vilões mais jovens*...

— Sinto interrompê-lo, senhor — disse Vero, olhando adiante. — Mas acho que aquele troll com o qual o senhor disse para seus homens não se preocuparem acabou de subir na muralha.

— É melhor que você esteja enganado — disse Rauber. Vero estendeu a luneta, e ele espiou por ela. — Santa maldição! O troll está na minha muralha! Por que não o mataram? Ah, era só o que me faltava, pelo jeito ele está dando uma surra no meu pessoal! Grrrrr! Alguém vai ser colocado na máquina de surra por isso! Vero, venha aqui, agora!

Vero se apressou para o lado de Rauber. O rei Bandido começou a vociferar uma longa lista de ordens complexas, apontando aleatoriamente para todas as direções e dando uns pulinhos vez ou outra. Enquanto ele berrava furioso, Rúfio saiu de trás de uma barraca de tatuagem (depois de ter se livrado da peruca e da gravata-borboleta). Ele se aproximou silenciosamente de Lila e sacou sua espada.

— Por favor, não me mate — sussurrou Lila.

— E privar o mundo da jovem caçadora de recompensas mais promissora que vi em anos? — respondeu ele enquanto cortava as amarras que a prendiam.

— Eu sabia que você não era tão mau assim — Lila abriu um sorrisinho.

— Sabia nada — respondeu ele, puxando-a pela mão. — Venha. Vamos pela lateral.

Lila puxou a mão.

— Não tão rápido, Rufe. Não vou deixar meus amigos para trás.

— Você precisa ficar em segurança. E pare de me chamar assim.

— Escute, Rufe — disse Lila. — Você diz que não é um vilão. Então prove.

Rúfio bufou.

— Tá bom — disse ele. — Se esconda ali atrás e não saia de lá. — Ele empurrou Lila na direção de um barril de captação de água da chuva e avançou para cima dos homens de Rauber. Apanhando-os de surpresa, ele deu um pulo e acertou um chute no queixo dos dois bandidos insignificantes.

— Você! — gritou Ella. — Nunca imaginei que ficaria tão feliz em vê-lo. — Rúfio cortou as cordas de Ella e estendeu-lhe uma espada.

— Cuide dos seus amigos — ele disse para Ella e virou para se defender de um ataque de Falco.

Brandindo uma espada de lâmina larga, Madu entrou na briga. Ella se abaixou, e Gustavo acertou uma cabeçada poderosa entre os olhos do dariano tatuado.

— Solte as minhas mãos — disse Gustavo enquanto Madu caía no chão e começava a se transformar em cobra. Ella cortou as cordas e deu a Gustavo a espada de Madu, que estava ao chão, antes de se lançar para atacar Vero.

Enquanto a espada de Rúfio tilintava batendo contra as lâminas de três adversários, que ele estava enfrentando ao mesmo tempo, Gustavo foi libertar Duncan. Mas, antes que conseguisse, a cobra gigante se colocou entre eles, derrubando Duncan e se enrolando ao redor do corpo de Gustavo.

— Veja só! — exclamou Vero. — Em que situação você me colocou, hein? Nunca tive que duelar com uma dama antes. Isso não me parece correto, você não acha?

— É você quem deve me dizer — falou Ella. E o atacou.

— Estou impressionado — comentou Vero. — Você andou treinando?

— Sim, com Liam. Liam de Eríntia. — Ela deu uma estocada; Vero desviou.

— O sujeito que está na masmorra? Ah, então eu teria adorado duelar com ele. Pena que ele já deve estar morto.

O comentário apanhou Ella de surpresa, e com isso a espada de Vero passou de raspão em sua bochecha, deixando um rastro de sangue.

— Sinto muito por isso, querida — disse Vero. — Você gostaria de se render agora?

— De jeito nenhum — berrou Ella. E acertou um chute entre as pernas do bandido.

Lila não aguentou ficar ali agachada vendo os amigos lutando pela vida. Ela pegou sua corda e saiu de trás do barril para ajudar. Mas Deeb Rauber estava esperando por ela.

— Sabe, não costumo permitir a presença de meninas dentro do meu castelo — disse o rei Bandido. — Mas talvez eu abra uma exceção para você.

— Eca, você está me paquerando? — Lila fez careta.

— O que é paquerar? — perguntou Rauber. Ele nunca enrubescera antes, mas agora suas bochechas estavam ficando quentes, e ele não gostou nada daquilo. — Escuta aqui, só achei que você parecia muito corajosa para uma menina. Um elogio do rei Bandido é muito raro, sabia? Você deveria estar muito agradecida.

— Até parece! — disse Lila, irritada.

— Deixa pra lá! — revidou Rauber. — Eu nem devia ter perdido tempo falando com uma menina. — Ele sacou um punhal do cinto e apontou para ela.

Duncan estava caído no chão, tentando desesperadamente desatar as cordas que prendiam seus pulsos, quando de repente ouviu um chiado.

— Jerry, você voltou para me salvar! — gritou. O ratinho correu para trás do príncipe e roeu as cordas, libertando-o. — Uhu!

Duncan se enfiou dentro da barraca de tatuagem e, segundos depois, saiu com um punhado de agulhas compridas e pontudas. Ele avançou para cima da cobra gigante e espetou vinte de uma só vez no corpo escamoso. Surpresa, a cobra inclinou a cabeça para trás e, com isso, acabou relaxando o suficiente para Gustavo conseguir se livrar.

Antes que Duncan percebesse, era ele quem estava imobilizado. A cobra se ergueu e agitou a língua bifurcada na cara dele, enquanto Falco se aproximava por trás.

— Mergulhe! — gritou Gustavo.

E, surpreendentemente, Duncan não ficou esperando pela água do mar nem nada do tipo; ele se abaixou bem no momento em que Gustavo pegou a cobra pelo rabo e começou a girar o animal em círculos, como uma imensa hélice. Com um zunido, a cabeça de Madu passou raspando por cima de Duncan e acertou Falco como um taco, arremessando-o contra a barraca de doces. Gustavo soltou o bicho, que aterrissou atordoado.

— Como você conseguiu se soltar? — Gustavo perguntou para Duncan.

— Foi o Jerry.

— O rato? — indagou o príncipe grandalhão. — Como você conseguiu fazer isso?

Duncan sorriu e mostrou o pedaço de queijo em sua mão para Gustavo.

— Onde você arrumou esse queijo?

— Sempre trago queijo comigo — respondeu Duncan, como se tivesse acabado de responder à pergunta mais tola que já ouvira.

Vero atacava Ella com uma série de estocadas frenéticas, até finalmente conseguir derrubar a espada da mão da garota.

— Você é boa — disse. — Mas creio que será obrigada a concordar que sou melhor. — Ele sabia que tinha de derrotar aquela mulher fascinante, mas não resistiu à vontade de se exibir um pouco. Quando avançou para o golpe final, ele girou graciosamente, e seu longo rabo de cavalo flutuou em suas costas. Ella agarrou o punhado de cabelo esvoaçante e deu um puxão, fazendo Vero perder o equilíbrio. Enquanto o espadachim cambaleava, ela acertou seu rosto como uma joelhada.

— Capas, rabos de cavalo; é tudo igual. — Ella olhou para Vero, que estava de joelhos, massageando o nariz quebrado. — Nunca mais subestime uma mulher.

— Nunca mais fou fazer isso — murmurou Vero com a voz fanhosa.

◄•►

Deeb Rauber zombava de Lila, com o punhal reluzindo na cara dela.

— Belo canivete — caçoou Lila. — Acho que só *meninos grandes* podem brincar com espadas de verdade.

— Não é uma espada, é um punhal — queixou-se Rauber. — E eu tenho certeza de que você sabe disso. Só está tentando me irritar.

— Ah, e o que acontece quando você fica irritadinho? — disse Lila, jogando discretamente o rolo de corda diante de si. — Você vira um pirralho chorão? Porque, se for isso, acho que já aconteceu.

Rauber avançou um passo na direção dela. Assim que o pé dele pousou dentro do rolo, Lila puxou a ponta da corda. O rolo fechou como um laço ao redor do tornozelo de Rauber, e ele caiu estatelado de costas. Lila correu para o Buraco da Cobra, arrastando o rei Bandido atrás de si.

— Ai! Ai! Ei! Pare! — ele gritava enquanto era arrastado.

Fig. 41
Deeb, enfurecido

Usando toda a sua força, Lila puxou Rauber até a beirada do buraco e lhe deu um belo e certeiro pontapé. O rei Bandido caiu de cabeça dentro do Buraco da Cobra. Lila fechou a tampa de metal e olhou ao redor. Gustavo, Ella e Duncan estavam juntos e pareciam bem. Ela acenou para eles.

— Certo, Rufe — chamou Lila. — Podemos ir agora.

Rúfio derrubou o último bandido com facilidade, como se estivesse apenas aguardando o chamado de Lila para desferir o último golpe.

— Segure firme — disse ele, jogando-a sobre os ombros. Com Lila pendurada nas costas, ele correu para a beirada do telhado e pulou, deslizando rapidamente pela corda que o aguardava.

Vero cambaleava atordoado. Ella e os outros haviam desaparecido, mas ele ouviu um estranho barulho abafado: era a voz de seu chefe gritando das profundezas do Buraco da Cobra.

— Vero! Vero, me tira daqui!

Rauber estava preso nas profundezas do túnel escuro. De cabeça para baixo. Com o ombro pressionando dolorosamente a alavanca do cofre.

A porta do cofre estalou e abriu de repente, acertando o nariz de Frederico. Ele recuou atordoado enquanto Liam e Rosa Silvestre saíam correndo dali.

— Ainda bem — disse Liam, e então deu outra olhada. — Rapunzel?

— É uma longa história — disse ela.

— Liam, você está com a espada — empolgou-se Frederico.

— Sim, o grande herói ganhou o prêmio — disse Rosa Silvestre, impaciente. — Agora, podemos ir embora antes que alguém nos encontre aqui?

O quarteto saiu em disparada pelos corredores da masmorra, passou por uma porta com uma plaquinha em que se lia SALA DE ESFOLAR JOELHO e uma máquina esquisita identificada como PUXADOR DE PELOS DA AXILA. Em seguida, passaram por uma portinhola na parede do tamanho de um armário, e Frederico parou para espiar lá dentro.

— É um elevador para comida — disse. — Subir por aqui não vai ser nada fácil, mas duvido que toparemos com algum bandido no caminho.

— Vale a pena tentar — disse Liam.

Rosa Silvestre saiu empurrando todo mundo para ser a primeira da fila. Ela entrou engatinhando no fosso do elevador e começou a subir pelo cabo.

◄●►

— Precisamos arrumar um jeito de descer mais rápido — disse Ella, enquanto ela, Gustavo e Duncan contornavam a cúpula no alto do castelo.

— Que tal usarmos o elevador de comida? — sugeriu Duncan.

Ele correu para a cúpula e abriu a portinhola do elevador.

— Parece uma boa ideia — disse Gustavo, entrando no fosso. Ella entrou logo atrás, seguida por Duncan.

— Só espero que a corda aguente nosso peso.

Paf! Não aguentou.

◄●►

— Aaiiii! — Rosa Silvestre soltou um grito quando o traseiro cheio de mordidas de enguias de Gustavo caiu em cima dela. Numa cacofonia de gritos e gemidos, um corpo após o outro foi trombando, até todos caírem empilhados no fundo do fosso do elevador.

— Não fui eu — disse Duncan.

— Ah, maravilha — resmungou Rosa Silvestre. — É o palhaço.

— Rosa Silvestre? — perguntou Ella, enfurecida. — Você cortou a corda para nos derrubar?

— Sim, foi tudo parte do meu plano para fazer com que todos caíssem *em cima de mim* — respondeu Rosa Silvestre, sarcástica.

— Ella? — gritou Liam de algum lugar abaixo dela.

— Homem Capa? — perguntou Gustavo.

— Gustavo? — chamou Rapunzel.

— Rapunzel?! — berrou Gustavo em um tom agudo.

— Por que eu sempre acabo embaixo de todo mundo? — resmungou Frederico.

— Aguentem aí, pessoal — disse Liam. — Primeiro vamos dar um jeito de sair daqui e depois esclarecemos as coisas.

Lenta e dolorosamente, eles conseguiram sair um de cada vez no andar da masmorra.

— Você está bem, Loira? — perguntou Gustavo. — Você deveria estar em Avondell.

Rapunzel assentiu.

— Vou sobreviver. — Ela sorriu para ele. — Obrigada por perguntar.

— Bem, você sabe que está aqui para nos curar — disse ele. — Se *você* se ferir, quem vai curar *você*?

As bochechas de Gustavo ardiam, vermelhas. E, sem jeito, ele tentava olhar para todos os lados, menos para Rapunzel.

— Espere um pouco, onde está a Lila? — perguntou Liam, nervoso.

— Não se preocupe — respondeu Ella. — Ela está com Rúfio.

— Ah, bom — disse Liam. — Espere! Isso é bom?

— Onde está Alfaiade? — perguntou Duncan.

— Você nem vai querer saber — disse Liam.

— Eu também estou bem — berrou Rosa Silvestre. — Obrigada por perguntarem.

— Bem, e como vamos sair daqui agora? — perguntou Frederico.

— Ei, tive uma ideia *maluca* — comentou Rosa Silvestre, perdendo a paciência. — Por que não voltamos pelo mesmo lugar de onde viemos?

O grupo correu rumo à porta da escadaria.

— Ella, quando você cortou o cabelo? — perguntou Liam enquanto corriam.

— Espere! — gritou Rapunzel quando passaram pelo pavilhão de celas. Todos pararam. — Onde está aquele homem inacreditavelmente grande?

O chão em frente à antiga cela de Liam, onde Baltasar jazia inconsciente, agora estava vazio.

— Ah, isso não é nada bom — murmurou Frederico.

O carcereiro saiu das sombras.

— Se você acha que eu estava bravo antes — disse ele —, ainda não viu nada.

← 28 →

O VILÃO VENCE

Se seus seguidores não estiverem lhe dando ouvidos, é melhor que seja porque você cortou as orelhas deles.
— O CAMINHO DO GUERREIRO PARA ALCANÇAR O PODER: ANTIGO MANUSCRITO DE SABEDORIA DARIANA

Assim que avistou Baltasar, a primeira coisa que passou pela cabeça de Gustavo foi: *Preciso garantir que Rapunzel e Frederico saiam inteiros dessa*. Mas o que ele disse foi:

— Onde vocês estavam escondendo esse cara? Esta é a luta pela qual venho esperando!

Ele avançou um passo na direção do carcereiro, e Frederico tentou detê-lo.

— Gustavo, espere. Você não tem ideia de como ele é.

— Com base no que estou vendo, faço uma boa ideia — disse Gustavo. — Pessoal, caiam fora daqui. Eu cuido do Mascarado.

Ele sacou a espada e avançou para cima de Baltasar.

— Não — gritou Liam.

Mas era tarde demais. O carcereiro pegara a espada de Gustavo pela lâmina e a arrancara da mão dele. Em um segundo, a enorme mão de Baltasar já estava no pescoço de Gustavo.

Liam ergueu a espada de Eríntia.

— Pare! — gritou ele.

Baltasar continuou apertando.

— Por que... vocês... não... estão... indo... embora? — perguntou Gustavo aos amigos, gaguejando.

Liam tentou mais uma vez.

— Ordeno que você solte o Gustavo.

Baltasar ergueu o príncipe do chão pelo pescoço.

— Você está tocando na pedra? — Rosa Silvestre perguntou mais que depressa. — Você precisa tocar nela!

— Eu estou! — respondeu Liam, frustrado.

Gustavo começou a ficar sem ar.

— Desista, Liam. Não está funcionando — disse Ella, e pulou para cima de Baltasar com a espada em punho. Com as costas da mão, o carcereiro empurrou Ella contra a parede. A espada voou para longe enquanto a garota deslizava até o chão.

— Solte-o! — gritou Liam, girando a espada. — Vamos, solte-o!

O rosto de Gustavo ficou vermelho e depois azul-pálido.

— Você não está fazendo do jeito certo — disse Rosa Silvestre.

— Estou, sim — gritou Liam. — Mas não está funcionando!

Quando Gustavo ficou mole, primeiro Duncan soltou um grito desolado. Em seguida, ficou irado. Ergueu o punho diante do corpo e partiu para cima de Baltasar.

— Silll-vaaaa-riiiii-aaaa!

Baltasar acertou Duncan com um único dedo e mandou o pequeno príncipe rolando para dentro de uma cela vazia.

— Ele vai matar todos nós — Frederico apavorou-se.

— Me dê a espada, Liam — ordenou Rosa Silvestre.

— Não — Liam rebateu, sem tirar os olhos de Baltasar. O suor que lhe brotava da testa começou a se misturar às lágrimas que lhe escorriam dos olhos. Gustavo não estava se mexendo.

— Você estava certo, Liam — Rosa Silvestre se deu conta. — No cofre, quando você disse que não era como eu, você estava certo. Você é muito bom. Não consegue se conectar com o poder malévolo da pedra. Mas nós dois sabemos que *eu* consigo. Me dê a espada.

Liam desviou os olhos de Baltasar e encarou a princesa. Havia um olhar de súplica em seu rosto diferente de tudo que Liam já vira nela antes. Ela estendeu a mão.

— Confie em mim.

Ele entregou a espada.

Rosa Silvestre virou o rosto para Baltasar e esfregou o dedo sobre a estranha gema laranja, na base da lâmina. O corpo do carcereiro de repente ficou rígido. Ele abriu a mão e deixou Gustavo cair no chão.

— Ele não está respirando — gritou Frederico. Rapunzel correu até o príncipe caído e passou as mãos no peito dele. E então começou a chorar.

— Estou bem, estou bem — murmurou Gustavo, acenando com a mão para que ela saísse dali. — Pare com isso. Você está me molhando.

— Obrigado — Frederico agradeceu Rosa Silvestre.

Liam não disse nada. Ele correu para ajudar Ella e Duncan a se levantar.

Gustavo ficou surpreso com Baltasar, ainda parado no mesmo lugar.

— Você está controlando ele?

Rosa Silvestre sorriu maliciosamente. De repente, Baltasar começou a dançar.

— Humm. Ele tem mais ritmo do que eu imaginava — comentou Frederico.

Duncan se aproximou de Baltasar e começou a pular ao redor dele.

Os olhos de Liam se iluminaram.

— Ele é o nosso passaporte para a liberdade — disse Liam. — Rosa Silvestre, faça-o nos acompanhar até a saída. Só teremos de segui-lo como se fôssemos seus prisioneiros. Será que você consegue fazer isso?

— Querido, posso fazer o que quiser dele — falou Rosa Silvestre. — Com esta espada na mão, tenho todo o controle sobre esse brutamontes. Ele é minha marionete.

— A espada pode fazer *isso*? Legal! — gritou uma voz esganiçada atrás dela. Deeb Rauber surgiu da escadaria, acompanhado de Vero, Falco, Madu e mais uma dúzia de bandidos que conseguiu reunir enquanto descia. — E então, Bela Adormecida? — perguntou o rei Bandido, avaliando o grupo à sua frente. — Preciso confessar que, quando ouvi falar que os Príncipes Encantados estavam tramando um tipo de "roubo", nunca imaginei que você estivesse envolvida.

Ele e seus homens estavam bloqueando a saída da masmorra. Rosa Silvestre, Liam e os outros se juntaram atrás do paralisado Baltasar.

— Só estou reivindicando o que é meu de direito — disse Rosa Silvestre.

— Você quer dizer que está tentando roubar algo que pertence a mim — corrigiu Rauber.

— Na verdade, pertence a *mim* — recorrigiu Liam.

— Tecnicamente, é *nosso* — re-recorrigiu Rosa Silvestre.

— Já estou cansado disso — disse Rauber. — Rapazes, peguem a espada!

Vero e os bandidos correram na direção de Rosa Silvestre, mas não conseguiram chegar muito perto. Baltasar entrou em ação. Ele esticou um braço para cada lado, formando uma barreira, e saiu derrubando todos os bandidos entre ele e Rauber. O rei Bandido era pequenino o bastante para passar por baixo do braço do brutamontes hipnotizado, evitando o ataque.

— Santa confusão! — gritou Rauber.

Baltasar segurou o rei Bandido pelo colarinho e caminhou pelo pavilhão de celas com o garoto chutando e gritando.

— Socorro! — berrou Rauber.

Atordoado, Vero ficou de pé e saiu cambaleante para ajudar o chefe. Ele lutou para abrir os dedos de Baltasar.

— Vamos sair daqui antes que todos estejam de pé novamente — apressou Frederico.

Liam segurou Rosa Silvestre pelo braço e a puxou na direção da escadaria.

— Isto aqui para de funcionar se eu perder contato visual com ele — falou Rosa Silvestre.

— Você planeja ficar aqui embaixo com ele para sempre? — perguntou Liam.

— Me dê só um segundo — disse Rosa. *Destrua todos os bandidos*, pensou ela.

Baltasar teve um ataque de fúria. Ele jogou Rauber para o lado e saiu desferindo socos contra os seus antigos companheiros. Os bandidos não tiveram opção a não ser lutar para continuar vivos. E partiram para cima do carcereiro, na esperança de juntos conseguir derrubá-lo.

Os heróis não ficaram muito tempo por ali para ver o que aconteceu em seguida. Juntos, Frederico, Rapunzel, Gustavo, Ella, Duncan, Liam e Rosa Silvestre correram escada acima. Como esperado, no momento em que a porta da escadaria se fechou e Rosa Silvestre perdeu contato visual com Baltasar, seu domínio sobre ele se rompeu. Sua esperança era que os outros bandidos estivessem tão empenhados em lutar contra ele que nem se dessem conta de que não era mais preciso continuar, mas ela sabia que seria apenas questão de minutos até que Rauber e seus homens viessem atrás deles mais uma vez.

◄ ● ►

Durante toda a animada apresentação de Branca de Neve, lorde Randark permaneceu sentado, esperando pela "surpresa" final de Rauber, durante a qual ele planejava virar a mesa contra o garoto. Randark sabia que essa seria a melhor forma de assegurar a lealdade do exército bandido: primeiro mostrando a eles que as peças infantis de Rauber não o afetavam e depois acabando com o garoto na frente de todos. Tudo funcionaria perfeitamente — contanto que ele conseguisse esperar pacientemente até o fim do espetáculo. O que estava se mostrando muito difícil.

Quanto mais o chefe militar via o sorriso patético dos bandidos ao seu redor e mais ouvia suas gargalhadas desenfreadas, mais suas têmporas latejavam e seus dentes rangiam, enquanto seus dedos rasgavam o veludo dos braços de seu assento. O chefe militar era propenso a acessos de violência, mas costumava ouvir os conselhos de um fiel seguidor que sempre o acalmava e o impedia de passar dos limites. Infelizmente, o fiel seguidor era Camisa-Vermelha, que Randark atirara pela janela no dia anterior.

A plateia enlouqueceu quando Branca de Neve pegou uma rosquinha de canela com os dentes, e Randark não conseguiu mais se conter. Ele se levantou, passou por cima da grade e invadiu o picadeiro.

Um prato, que um dos bandidos jogara em Branca de Neve, veio voando na direção dele. O chefe militar agarrou o objeto e o lançou de volta, acertando em cheio o bandido que o atirara. As risadas pararam na hora.

— O espetáculo acabou! — berrou Randark. Ele segurou Branca de Neve antes que ela tivesse tempo de sair correndo.

— Solte-a! Ela é a melhor artista que já tivemos! — gritou um dos fortões do circo enquanto ele e seus três companheiros levantadores de peso corriam em defesa de Branca de Neve. À medida que cada um dos musculosos se aproximava, Randark batia, socava ou chutava um por um. Nenhum deles conseguiu parar em pé.

Branca de Neve olhou para o chefe militar e estremeceu.

— Vocês se consideram um exército de bandidos — Randark disse para a plateia. — Mas não passam de uma gangue de moleques desregrados. Mas eu vou mudar isso. Vou transformá-los em vilões de verdade. Chegou o momento de conhecerem o verdadeiro poder do mal.

Fig. 42
Randark, se rebelando

Com a espada de Eríntia ainda em mãos, Rosa Silvestre liderou o grupo pelos corredores ecoantes, em busca de uma saída.

— Ali está a saída — disse Gustavo assim que avistaram o saguão principal.

— Mas a Branca de Neve ainda está no circo — falou Duncan.

— Sigam-me — ordenou Rosa Silvestre, seguindo na direção oposta à da saída. Ela os conduziu por vários corredores largos, penetrando mais e mais no coração do castelo.

— Acho que o anfiteatro é por ali — Rapunzel apontou para um arco adornado com uma guirlanda de gárgulas.

— Não, é por lá — insistiu Rosa. — Eu me lembro daquelas portas. — Ela passou por Rapunzel e seguiu em direção a um par de imensas portas de madeira com imagens entalhadas de querubins sorridentes. Para sua surpresa, todos vieram atrás, e por um segundo ela pensou se não os estava controlando com a espada. *Não, não é isso*, pensou. *Eles confiam em mim.*

O grupo transpôs as portas duplas e correu para os bastidores. Todos os artistas estavam grudados nas cortinas, olhando apavorados para o picadeiro. Os heróis se apressaram para ver o que estava acontecendo. No centro do picadeiro, lorde Randark segurava Branca de Neve acima da cabeça, como se estivesse prestes a quebrá-la ao meio.

— Branca de Neve! — gritou Duncan.

Mas lorde Randark não fez nada com ela. Ele nem se moveu. Após uma longa e assustadora pausa, ele a colocou de volta no chão e a mandou ir para os bastidores.

— Vá depressa, minha jovem — disse Randark, dando um tapinha nas costas dela. — E obrigado por me deixar participar deste espetáculo maravilhoso.

Na plateia, seiscentos olhos saltaram ao mesmo tempo.

— Você pegou Randark? — Liam sussurrou para Rosa Silvestre enquanto Branca de Neve corria para os braços abertos de Duncan. Rosa Silvestre assentiu com a cabeça.

Lorde Randark começou a bater palmas.

— E assim termina o nosso espetáculo. Vamos aplaudir os Flimsham!

Alguns bandidos ensaiaram uma tentativa de aplauso.

— Agora o pessoal do circo vai deixar o castelo — continuou Randark. — E ninguém vai impedi-los.

— Legal — disse Ella. — Mas o que vai acontecer depois que tivermos saído daqui?

— Boa pergunta — falou Frederico. — O chefe militar terá de vir conosco.

— Obviamente — bufou Rosa Silvestre. Ela grudou a espada no peito, e Randark se dirigiu aos bastidores para juntar-se a eles. Os artistas do circo ficaram boquiabertos olhando Randark conduzir o grupo de heróis na direção da porta dos fundos. Lila e Rúfio se juntaram ao grupo.

— O que está acontecendo? — sussurrou Lila, segurando a mão de Liam. Ele pousou o dedo indicador sobre os lábios, e Lila decidiu que poderia deixar as perguntas para depois.

O caminho para a saída estava livre, exceto por uma coisa: El Stripo.

O tigre estava encolhido no chão, perto de uma bacia de água. Seu desbotado pelo alaranjado pendia sobre a figura magra e fraca, e ele continuava sem dentes. O animal mal conseguia ficar de olhos abertos.

Todos os olhares se voltaram para Frederico.

— Certo, agora estou me sentindo um pouco ridículo — disse ele, envergonhado. — Vamos em frente.

Do lado de fora do castelo, o grupo cruzou a ponte levadiça, passou pelas carroças vazias estacionadas no pátio e seguiu rumo à Muralha Sigilosa. Qualquer bandido que poderia tentar impedi-los abria caminho assim que batia os olhos no chefe militar.

— Acho que isso vai dar certo — sussurrou Frederico.

— Deem uma olhada no alto da muralha! — gritou Gustavo, apontando para Jezek e o sr. Troll, que ainda lutavam nos baluartes. — Precisamos dar um jeito para que o Peludão saia conosco.

— Ah, mas é claro — Rosa Silvestre revirou os olhos.

Lorde Randark também revirou os olhos.

— Ele faz parte do time — insistiu Gustavo.

O grupo todo parou.

— Ei, você aí em cima! — gritou o chefe militar.

— O nome do homem é Jezek — Frederico informou Rosa Silvestre.

— Ei, Jessie! — chamou lorde Randark.

— Jezek! — corrigiu Frederico.

— Jezek! — chamou Randark novamente. — Pare de brigar! Deixe essa criatura horrenda em paz!

— O senhor poderia repetir, por favor? — pediu o guarda-costas, segurando o sr. Troll com uma chave de braço.

— Você me ouviu, Jess — berrou Randark. — Solte o tapete ambulante.

— O senhor está estranho — comentou Jezek.

Droga, pensou Rosa Silvestre.

— Droga — disse lorde Randark.

— Tem algo errado — falou o bandido, soltando o troll e correndo até a escada que levava ao local onde eles estavam reunidos. Mas os trolls não gostam de ser ignorados. O sr. Troll deu um soco em Jezek por trás. O guarda-costas tombou para frente e desceu cem degraus de pedra se debatendo ruidosamente, até desfalecer aos pés da escada.

O sr. Troll desceu a escada, passou por cima do imóvel Jezek e se juntou a seus companheiros. Eles já estavam a uns cinquenta metros do portão quando ouviram um grito.

— Detenham eles, idiotas! — Deeb Rauber saiu correndo do castelo e parou sobre a ponte levadiça, com todo o exército de bandidos atrás de si. — Não deixem que escapem!

Os bandidos avançaram, mas Randark ergueu as mãos e gritou:

— Parem! Eu sou seu verdadeiro líder. Não interfiram.

Os bandidos pararam.

— Randark foi hipnotizado, seus idiotas! — berrou Rauber. — Corram atrás deles agora! Ou cada um de vocês sentará na cadeira de tachinhas!

Os bandidos dispararam em direção aos heróis.

— Parados! Todos vocês! — ordenou Randark.

Os bandidos pararam.

— Como ousam pensar que eu, o chefe militar de Dar, sou fraco a ponto de me deixar hipnotizar? — berrou ele. — Que estou sendo controlado como uma marionete?

— Não deem ouvidos a ele! — alertou o rei Bandido. — Eles estão fazendo com que Randark diga essas coisas! Escutem o que *eu* estou dizendo! Eu sou o líder de vocês!

— Ele é? — indagou Randark. — Esse pirralho babão é o líder de vocês? Recebem ordens de uma criança petulante? Ou obedecem a um líder como eu?

Um silêncio desconfortável se seguiu enquanto centenas de bandidos se entreolhavam, sem saber o que fazer.

— Detenham todos eles! — ordenou Rauber. — Incluindo Randark.

— Afastem-se e abram espaço — mandou Randark.

E o exército de bandidos fez sua escolha. Eles abaixaram as armas e permaneceram parados.

— Aaaaahrg! — gritou Rauber.

— Corram, agora! — disse Liam. E o grupo disparou rumo ao portão.

Então Vero e Madu surgiram na ponte levadiça. Não demorou muito para que eles entendessem o que estava acontecendo.

— Ninguém me escuta! — reclamava Rauber. Seu rosto estava roxo, e os olhos, lacrimejantes.

— Madu, pegue a espada — disse Vero.

Num piscar de olhos, Madu se transformou em uma cobra de nove metros de comprimento e serpenteou pelo pátio de pedra. Exatamente quando Rosa Silvestre alcançara o portão e estava cruzando a Muralha Sigilosa, a serpente a envolveu e a puxou para trás.

— Rosa! — gritou Liam. Ele mergulhou para tentar agarrar o rabo comprido de Madu. Mas a cobra serpenteou rapidamente de volta para o castelo, com Rosa Silvestre presa e arrastando Liam junto. — Use a pedra na cobra! — berrou Liam.

Rosa Silvestre balançou a cabeça.

— Vou perder Randark — ofegou ela.

Assim que a serpente passou pela ponte levadiça, Liam não aguentou mais segurar e saiu rolando até trombar com Vero, derrubando-o no chão.

— Me dê essa espada — berrou Rauber. Ele tentou arrancar a arma da mão de Rosa Silvestre, mas, apesar de estar envolta pela imensa cobra, ela ainda segurava a espada com uma força insana. Ela e o garoto puxavam a espada para frente e para trás, até que Madu finalmente pôs fim ao cabo de guerra. A cobra deu uma mordida na princesa, afundando suas longas presas no dorso da mão dela.

— Legal! — gritou Rauber, agitando a espada ao alto. — Eu ganhei!

Naquele momento, um pouco além do portão principal da Muralha Sigilosa, o chefe militar de Dar piscou; sua mente lhe pertencia de novo. E ele sabia exatamente o que lhe havia acontecido. Durante seus anos de batalhas e conquistas, ele desenvolvera um voraz apetite por saber e sangue. Leu todos os antigos pergaminhos e manuscritos históricos que conseguiu arrancar dos dedos enrijecidos de um defunto. Não havia uma única história de bruxaria ou magia negra que lorde Randark não conhecesse. E foi assim que ele facilmente reconheceu os efeitos da Perigosa Gema Jade do Djinn.

— Pessoal — disse Ella, observando o sorriso malévolo de Randark se abrir. — Ele está malvado de novo.

— Saia do meu caminho — rosnou o chefe militar, empurrando Ella para o lado e marchando como um rinoceronte de volta para o castelo.

Na ponte levadiça, Liam engoliu em seco quando viu Rosa Silvestre tonta envolvida pelo réptil gigantesco. Ele apanhou a espada caída de Vero e fincou-a com força na ponta do rabo da cobra, prendendo a criatura à ponte levadiça. Enquanto a serpente silvava de dor, o príncipe libertou Rosa Silvestre e a jogou sobre os ombros.

Rauber avistou Liam correndo na direção do portão e resolveu testar seu brinquedinho novo.

— Ei, pessoal! Vocês acham que Randark é mau? — berrou. — Vou mostrar o que é ser mau! Liam, parado!

Liam continuou correndo.

— Faça o que estou dizendo! Me obedeça! — gritou o rei Bandido, mas sem efeito. — Tem algum botão ou algo assim?

E então Liam finalmente parou. Mas parou porque lorde Randark o derrubou, assim como a Rosa Silvestre, e na mesma hora eles foram cercados por uma dúzia de bandidos. Liam olhou apavorado para Rosa Silvestre; seu rosto esverdeado estava inchado, e a respiração, fraca. O veneno da cobra se espalhava por suas veias.

— Você realmente pensou que pudesse me usurpar? — disse o chefe militar ao se aproximar de Rauber, na ponte levadiça. Ele fechou a mão ao redor da lâmina da espada de Eríntia. — Pelo jeito eu já venci. Seus homens me escolheram. E nem tive de matá-lo. Mas ainda assim o farei.

Rauber encarou Randark, tentando se concentrar completamente no homem.

— Ordeno que você pule no fosso — resmungou ele.

— Seu ignorante — falou Randark, arrancando com a maior facilidade a espada das mãos do rei Bandido. Então atirou o garoto no chão e pousou o pé sobre a sua cabeça, imobilizando-o. O chefe militar afundou o dedo ao redor da pedra laranja incrustada no cabo e a arrancou da órbita. — Só a gema importa. — E atirou com desdém a espada no fosso.

Liam segurou a mão largada de Rosa Silvestre e a apertou com força.

— E agora — disse lorde Randark, segurando a pedra — permitam que eu mostre como um chefe militar usa a Perigosa Gema Jade do Djinn.

Naquele exato momento:

— Stuuuuuuurrm-haaaa-gennnnn!

Gustavo surgiu no pátio montado em Dezessete. E Ella vinha ao seu lado, montada em seu cavalo. Duncan e Branca de Neve apareceram logo atrás, os dois sobre Papavia Jr. E o sr. Troll fechava a fila, agitando os longos braços. O grupo veio para cima do círculo de bandidos que rodeava Liam e os afastou dali. Ella puxou Liam para cima de seu cavalo, enquanto Gustavo pegou Rosa Silvestre. Com a mesma rapidez com que entraram, deram meia-volta e começaram a correr de volta, tirando do caminho todos os bandidos que tentavam detê-los.

Então, subitamente, Ella puxou as rédeas e parou seu animal.

— O que está fazendo? — perguntou Liam.

Sem dizer uma única palavra, Ella virou o cavalo e começou a trotar *na direção* do castelo novamente.

— É o Randark — gritou Liam. — Ele está usando a pedra nela! Ella, liberte-se disso!

Ella parou o cavalo pouco antes da ponte levadiça. Desceu e puxou Liam para baixo.

Randark umedeceu os lábios.

— Bandidos de Rauberia — gritou ele. — Permitam que eu mostre a vocês a verdadeira diferença entre heróis e vilões. Heróis têm limites que nunca ultrapassarão. Já um verdadeiro vilão, um vilão de sucesso, é capaz de fazer o que for preciso para vencer.

Ella sacou a espada.

— Ella, sou eu — implorou Liam. — Não faça isso.

Um bandido atirou uma espada para Liam. Ele a apanhou e encarou Ella, que estava em posição de combate, exatamente como ele lhe ensinara.

Os bandidos aplaudiram — e os heróis engoliram em seco — quando Ella avançou violentamente sobre Liam. Ele dançou ao redor para evitar os golpes, mas se recusava a erguer a espada contra ela.

— Revide — disse Randark de modo ameaçador. — Isso só vai dificultar ainda mais as coisas.

Os golpes de Ella contra Liam se tornavam cada vez mais rápidos e duros. Liam não teve opção senão se defender. As espadas voavam tão rapidamente que mal dava para vê-las. Até que finalmente os duelistas chegaram a um impasse — a ponta da espada de Liam estava apontada para o pescoço de Ella, a ponta da espada de Ella, para o dele. Ele procurou desesperadamente no fundo dos olhos da amiga, na esperança de encontrar algum resquício da verdadeira Ella.

— É melhor você desferir logo o golpe final, príncipe — interferiu Randark. — Pois, se não fizer isso, em três segundos *ela* fará.

Liam fechou os olhos.

De repente, Duncan ofegou e se virou para Branca de Neve.

— É preciso ser um herói, querida — disse ele.

— Um! — Randark iniciou a contagem.

Duncan enfiou a mão em seu alforje e entregou uma pedra de formato estranho para Branca de Neve.

— Dois!

— Essa pedra parece com Frank! — comentou ela.

— Eu sei — disse Duncan. — Ficarei triste em perdê-la. Mas é importante. Mostre-me seu truque.

— Três!

Branca de Neve contraiu os olhos, girou o braço para trás e atirou a pedra em formato de anão com toda a força. A pedra acertou em cheio a mão erguida de lorde Randark, derrubando a pedra mágica de seus dedos.

Ella piscou.

— Não! — gritou o chefe militar, enquanto a Gema do Djinn voava pelos ares, na direção do fosso. Numa tentativa desesperada de pegá-la antes que caísse na água, ele se esticou e ficou na beirada da ponte levadiça. Deeb Rauber se levantou. Bastaria apenas um dedinho seu para empurrar Randark para as águas infestadas de enguias assassinas. E foi exatamente o que o garoto fez.

Lorde Randark caiu no fosso e desapareceu nas profundezas sombrias. Todos ficaram olhando e esperando. Um segundo depois, o chefe militar reapareceu na superfície. Com um sorriso malévolo, ele ergueu o braço da água, exibindo a pedra laranja na mão.

Mas sua alegria durou pouco.

Abaixo da superfície, uma enguia-dentes-de-aço mordeu sua perna. E depois outra. E outra. O uivo de Randark foi se transformando em murmúrio à medida que os peixes carnívoros o cercavam e o arrastavam para as profundezas. Logo, apenas sua mão direita era visível, com a Perigosa Gema Jade do Djinn entre os dedos. E então uma enguia muito maior que as outras pulou da água e abocanhou a mão do chefe militar como se fosse uma luva — com pedra e tudo — antes de mergulhar de volta, levando consigo os últimos sinais de Randark. A movimentação foi diminuindo e então tudo silenciou.

Enquanto os bandidos olhavam impressionados, os heróis aproveitaram a oportunidade para passar pelos portões e galopar em busca de um lugar seguro.

— Muito bem — disse Deeb Rauber aos bandidos enquanto se firmava em pé. — Quem está pronto para me ouvir agora?

— Parem todos! — gritou Liam assim que o grupo estava seguro, distante do castelo. — Rosa Silvestre precisa de ajuda, rápido.

— É mesmo. Ela não parece nada bem — disse Gustavo, descendo do cavalo, com Rosa Silvestre desacordada nos braços. — Quer dizer, em um dia bom ela parece um zumbi, mas agora ela não parece nada bem.

— É o veneno da cobra — disse Liam. — Rapunzel!

Frederico e Rapunzel, que vinham montados juntos, correram até ela. Enquanto Gustavo colocava Rosa Silvestre no chão, Rapunzel se aproximou rápido.

— Espero que não seja tarde demais — disse ela.

Os outros se reuniram ao redor delas enquanto Rapunzel se agachava ao lado de Rosa Silvestre. Ella estava tão confusa que não sabia ao certo o que sentir. Ela olhou para os companheiros em busca de resposta. Duncan e Branca de Neve estavam abraçados, com os olhos fixos um no outro, em um apoio silencioso. Os olhos de Frederico estavam voltados para o alto, e Ella o conhecia o suficiente para saber que ele estava se sentindo culpado pelas palavras que usara no passado para descrever Rosa Silvestre. Os olhos marejados de Liam olhavam fixamente para sua esposa morrendo. E os de Rapunzel ficaram fechados, até que ela conseguiu espremer uma única lágrima.

Um zunido se seguiu, e o corpo de Rosa Silvestre começou a tremer. A coloração verde despareceu de seu rosto, dando lugar a sua tez pálida de sempre. Ela abriu os olhos e viu que o grupo todo olhava para ela.

— Argh! — resmungou. — Como se já não tivesse sido ruim o bastante quando acordei e me deparei com a cara feia de Liam. Afastem-se! Não acredito que tenho de respirar o mesmo ar que vocês, seus fracassados.

— Ela está bem — anunciou Liam.

— Vocês devem estar se perguntando como os nossos cavalos apareceram — disse Duncan, louquinho para explicar. — A resposta são eles. — E apontou para Frank, Flik e Frak, que esperavam em uma carroça não muito distante.

— Como eles ficaram sabendo que estávamos aqui? — perguntou Liam.

— Eu contei a eles, senhor, Vossa Alteza, senhor — anunciou Esmirno, que surgiu num piscar de olhos. — A princesa Rosa Silvestre me contratou esta manhã para levar a mensagem a eles.

Liam não sabia o que dizer. Ele se voltou para Rosa Silvestre, mas ela estava recostada em uma pedra com olhos fechados, exausta.

— Ei, e quanto à Mulher Gigante? — perguntou o sr. Troll, apontando para a clareira onde Maude estava deitada como uma montanha em frente ao Castelo von Deeb. — Não podemos deixar ela lá para Homens Flecha.

— Esmirno — chamou Frederico. — Tenho mais uma mensagem para você.

Ele despachou o garoto ligeiro, e pouco tempo depois a terra tremeu quando Reese pisou em Rauberia, ergueu cuidadosamente sua mãe e a carregou de volta para Jangleheim.

No entanto, quando isso aconteceu, todos os outros já estavam a caminho de seus respectivos lares.

— Nós vencemos? — perguntou Duncan. — Não conseguimos pegar a Gema do Djinn.

— Mas ninguém conseguiu também — disse Liam. — Isso provavelmente é a melhor coisa que poderia ter acontecido... — Ele parou quando sentiu algo para o qual não estava preparado.

Rosa Silvestre, sentada na garupa do cavalo dele, passou os braços ao redor de sua cintura e recostou a cabeça em seu ombro.

← 29 →

O HERÓI NÃO SABE PARA ONDE IR

*Quando estiver diante de um obstáculo intransponível,
imagine a si mesmo como um obstáculo intransponível.*
— O GUIA DO HERÓI PARA SE TORNAR UM HERÓI

Assim que deixaram Rauberia, o grupo se viu diante de uma encruzilhada. Todos pararam. Menos os anões, que passaram correndo com a carroça, afundando no assento (Branca de Neve prometera expulsar qualquer anão que *visse*, por isso Frank e sua turma se viram obrigados a fazer um tremendo esforço para se manter fora do campo de visão dela).

— Para onde vamos agora? — perguntou Frederico. Ninguém respondeu. — A pergunta não foi uma pegadinha, pessoal.

— Bem, *nós* estamos indo para nossa casa, em Avondell — disse Rosa Silvestre. E deu um cutucão no ombro de Liam. — Não estamos?

Liam olhou para Ella.

— Para onde está indo, Frederico? — perguntou Ella.

— Eu? — indagou Frederico, surpreso. — Não sei.

— Eu vou voltar para a minha cabana — Rapunzel tratou de dizer. — Por causa do meu trabalho. Tenho certeza de que meus pacientes estão me esperando.

— Ah. Bem, acho que talvez... — começou Frederico.

— Eu a acompanharei, Cachinhos Dourados — disse Gustavo a Rapunzel. — Estou indo na mesma direção, de qualquer forma.

— Ah — sussurrou Frederico. — Bem, como eu ia dizendo, eu, hum, estou indo para casa, em Harmonia. Acho.

— Vou com você — disse Ella. Ela deu uma olhada para Liam para ver se ele se manifestaria.

Ele não fez nada.

— Bem, Branca de Neve e eu também estamos indo para casa — adicionou Duncan com certa tristeza. — Então, acho que isso é um adeus. Por enquanto.

— Sim, por enquanto — disse Liam, tentando soar convincente.

O grupo se separou, seguindo em quatro direções opostas.

A primeira coisa que Liam fez assim que chegaram a Avondell foi mandar libertar Aldo Cremins e Vladimir Knoblock, os atores que tinham sido presos por engano. Em seguida, fez um pronunciamento aos súditos e revelou a verdade sobre suas origens. Ele imaginou que isso faria com que o povo voltasse a odiá-lo — e estava certo —, mas ao mesmo tempo sabia que era a coisa certa a fazer. Afinal, ele era um herói.

Mesmo que fosse um herói odiado por todos.

Você deve estar imaginando que as duas pessoas que mais odiavam Liam no mundo eram Cremins e Knoblock, mas, para surpresa de todos, os dois o perdoaram rapidinho. Graças à nova música de Reinaldo, o duque da Rima, a dupla ficou famosa, o que, no fim das contas, é tudo que um ator mais quer.

Mas Liam ainda se sentia um trapo depois de tudo. Ele passou dias sentado no palácio com a cabeça entre as mãos. Vez ou outra, chutava uma pedrinha ou puxava distraidamente um fio solto de sua capa, mas no geral não fazia muito mais que isso. Um dia, ele desceu até a prisão do palácio, entrou na cela 842 e fechou a grade às suas costas.

Fig. 43
Liam, na prisão novamente

⊰•⊱

Lila decidiu não voltar para casa.

— Meus pais nem vão notar que parti — ela contou a Rúfio.

O caçador de recompensas estava agachado ao lado de uma árvore no bosque, examinando marcas no tronco. Ele deixara de trabalhar para Rosa Silvestre e retomara a vida de profissional liberal. Até já tinha sido contratado por uma duquesa para localizar o ladrão que tinha fugido com uma bandeja de tortas assim que ela as retirara do forno.

— Você está exagerando — ele disse a Lila. — Certamente eles acabarão notando sua ausência.

— Não, é sério, eles não se importam comigo. Pedi a uma amiga arrumadeira que usasse um vestido meu e aparecesse sempre que meus pais oferecessem um jantar ou algo assim. Eles nem vão perceber que não sou eu.

— Isso ainda não explica por que está me seguindo enquanto estou tentando trabalhar.

— Sou sua aprendiz. Me ensine seus truques. O que está procurando nesse tronco de árvore? — Ela se agachou ao lado dele.

— Estes arranhões aqui foram feitos pela roda de uma carroça, que pode não ser necessariamente... Espere um pouco! Por que estou lhe dizendo isso? Você não é minha aprendiz. Não preciso de uma.

— Claro que precisa — disse Lila.

Rúfio estreitou os olhos.

— Por que você iria querer aprender a se tornar uma caçadora de recompensas?

— Porque você disse que sou boa nisso. Não costumo receber muitos elogios em casa.

Rúfio baixou a cabeça.

— Não consigo pensar em nada mais irresponsável que aceitar uma menina de doze anos como aprendiz.

— Na verdade, Rufe — Lila sorriu. — Tenho treze anos.

— Desde quando?

— Meu aniversário foi no dia do casamento do Liam. Todos acabaram esquecendo, mas eu entendo. Tinha muita coisa acontecendo.

Rúfio fitou os olhinhos ansiosos da menina. Por algum motivo, Lila o admirava, até gostava dele. E ela lembrava tanto sua filha — a única pessoa desaparecida que ele nunca conseguiu encontrar.

— Venha — disse ele, abandonando a cena do crime. — Tem uma coisa que você está precisando muito mais do que uma aula sobre como rastrear fugitivos.

— O que é? — perguntou Lila, desapontada.

— Um bolo.

◄ • ►

— Então, Ella — disse Frederico enquanto eles seguiam de volta para Harmonia. — Eu estive pensando sobre... nós.

— Frederico, você é uma pessoa maravilhosa — disse Ella, aparentemente desconfortável. — Gosto muito de você.

— Ah, eu sei disso. E, acredite, o sentimento é mútuo. Mas... quando o chefe militar a forçou a duelar com Liam, não pude deixar de pensar em quanto fiquei feliz por não ter sido comigo. Você teria me matado. Não de propósito, claro! É que, bem, o que estou tentando dizer é... Não sou o tipo de cara que pode se comparar a uma mulher como você. Você e o *Liam* combinam tanto. Você devia ficar com ele.

— Espere um pouco! Quem disse que quero ficar com o Liam?

As bochechas de Frederico ficaram vermelhas.

— Mas eu pensei... Quer dizer, *todo mundo* pensou...

— Escute, eu gosto do Liam. Muito. Mas ele e eu somos parecidos *até demais*. Não gosto de receber ordens o tempo todo; e, caso você não tenha percebido, o Liam às vezes é um pouco mandão. Ainda não o perdoei completamente pelo modo como ele tratou você antes da missão.

— Sério? — disse Frederico, admirado. — Porque ele e eu fizemos as pazes.

— Você está dizendo que devo perdoá-lo? — perguntou Ella diretamente. — Não acabei de dizer o que sinto sobre as pessoas me dizendo o que fazer?

Frederico se encolheu.

— Hum, bem, hum, é que...

— Relaxa, Frederico, estou brincando — riu ela.

Ele afrouxou o colarinho.

— Viu, é disso que estou falando sobre nós dois... Não somos totalmente compatíveis.

— Mas, mesmo que não nos tornemos marido e mulher, ainda podemos continuar sendo bons amigos, certo? — perguntou Ella sinceramente.

— Sempre. Certamente não vou expulsá-la. Você ficará no palácio comigo mesmo assim. Se quiser, claro. — Ele sorriu sem jeito.

— Eu quero. Obrigada.

Dias depois, eles finalmente chegaram ao palácio real de Harmonia. Assim que entraram, o rei Wilberforce veio correndo e lançou os braços ao redor de Frederico.

— Não acreditei quando me disseram que você tinha voltado — disse o rei. — Como está? Deixe-me dar uma olhada em você.

Frederico ficou comovido. Ele enxugou uma lágrima.

— É muito bom vê-lo novamente, pai — disse. — Sinto muito se o assustei. Honestamente, eu também fiquei com medo de não voltar mais.

— Aqui é o seu lugar — disse o rei Wilberforce.

— Estou muito feliz que pense assim — disse Frederico.

— Quanto a *você* — berrou Wilberforce, voltando-se para Ella. — Não posso acreditar que ainda tenha coragem de pisar no meu palácio!

— Senhor? — indagou Ella, em choque.

— Pai, o que está fazendo? — perguntou Frederico, horrorizado. Mas ele foi ignorado.

— É a segunda vez que você quase leva meu filho à morte — continuou o rei. — Você se acha tão corajosa. Ri do perigo. Você é igualzinha a...

O rei se deteve. Dava para ver as veias de suas têmporas pulsando.

— Igual a quem? — desafiou Ella. — A mãe de Frederico?

— Você é uma má influência para esta família! — gritou Wilberforce. — Para este *reino*! Eu a proíbo de ver meu filho! Saia imediatamente de Harmonia!

Frederico começou a tremer, se sentindo diminuído na presença do pai, exatamente como se sentia quando era uma criança insegura. Tudo que conseguiu fazer foi murmurar:

— Sinto muito.

Ella deixou o castelo pisando duro rumo ao estábulo, montou seu cavalo e saiu em disparada.

— E agora, filho — disse Wilberforce —, você finalmente poderá assumir a vida que seus pais sonharam para você.

Aquilo foi demais para Frederico.

— Meus *pais* não — disse ele rispidamente. — Você. Só você! Minha mãe teria adorado Ella, e você sabe disso. Ela teria adorado Liam também. E ela iria querer que eu fosse como eles. Ela iria querer que eu enfrentasse você! Acabei de decepcionar Ella. Mas nunca mais farei isso. Você precisa me ouvir agora e entender com clareza: todas as escolhas que fiz, fiz porque quis. Ella não me *fez* invadir o castelo do rei Bandido. Liam não me *fez* atacar uma bruxa má. Ninguém nunca me *forçou* a nada. Exceto você.

— Mas... mas... — gaguejou o rei. — Faço isso porque me preocupo com você.

— Você vai ter de superar isso — disse Frederico. — Estou indo embora. — Ele fez uma pausa. — Assim que pegar algumas coisas.

Frederico pegou alguns pertences essenciais — um saco de dinheiro, sua escova de cabelo, alguns ternos, talco de bebê — e deixou o palácio. Vislumbrou a paisagem do campo à sua frente. Ele poderia ir para qualquer lugar. Qualquer lugar que desejasse. E isso o deixou apavorado.

Duncan e Branca de Neve devolveram a propriedade de campo aos anões, que ficaram gratos por terem um espaço só deles novamente. Para mostrar quanto estavam agradecidos, Frank até permitiu que Duncan "passasse a mão em sua barba para dar sorte".

Os dois se mudaram de volta para o palácio real de Sylvaria, o que deixou a família de Duncan muito feliz. Tanto que até ofereceram um banquete para comemorar o retorno do filho (apesar de não terem servido nada além de caçarola de aspargos). Duncan foi convidado a ocupar o lugar de honra, na cabeceira da longa — mas praticamente vazia — mesa da sala de jantar sem decoração do castelo. Branca de Neve segurou a mão do marido, enquanto os pais sorriam radiantes para ele. Mavis e Marvella seguravam cartazes pintados à mão. No de Mavis estava escrito BEM-, e, no de Marvella, VINDO, DUNCAN! VOCÊ É NOSSO HERÓI!

— Por falar em heróis — disse Duncan —, acho que resolvi reescrever meu livro.

— Ah, mas, Dunky, você já trabalhou tanto nele — disse Branca de Neve.

— Eu sei. Mas acho que os conselhos que estão lá não são muito bons. Seguimos a maior parte deles durante a missão, e as coisas não deram muito certo.

— Talvez você só precise de mais algumas aventuras para aprender um pouco mais sobre heroísmo — sugeriu Branca de Neve.

Duncan arregalou os olhos.

— Isso significa que você *quer* que eu participe de mais aventuras?

Branca de Neve lançou um sorriso tímido para ele.

— Só se eu puder ir junto. E só se não forem *muito*, muito perigosas. Além do mais, você viu o que sou capaz de fazer. Sou demais!

O rei Rei deixou escapar um triste murmúrio.

— O que foi, pai? — perguntou Duncan.

O rei ergueu os olhos (durante seu súbito ataque de tristeza, ele acabou mergulhando a cara no prato).

— Você acabou de voltar e já está partindo novamente — disse.

— Ah, não é imediatamente — disse Duncan. — Acho que este castelo será nosso lar por uns tempos.

— Hurra! — comemorou o rei Rei.

A rainha Apricotta pulou no lugar. As gêmeas começaram a bater na mesa com talos de aspargos. Branca de Neve bagunçou os cabelos de Duncan, e ele enrubesceu. Havia cinco pessoas naquela sala que definitivamente o consideravam o herói delas.

O sr. Troll acabou ficando famoso graças à nova canção de Lero Lira: *O troll e a gigante*. A história falava de um troll corajoso que defendeu o castelo de um jovem rei contra os ataques de uma gigante malvada.

— Essa não é bem a verdade — contou o sr. Troll aos seus companheiros monstros, na terra dos trolls. — Mas pelo menos Troll ser o cara bom da história.

Os trolls dançaram e comemoraram. E então foram roubar mais vegetais de fazendas vizinhas.

— Aceita sopa de nabo? — Rapunzel ofereceu a panela de sopa para Gustavo, depois de ter separado uma porção para ela em sua única tigela.

— Você só come isso? — resmungou ele.

— Há dias que venho lhe dizendo que você não precisa ficar aqui — disse ela, enquanto acendia algumas velas. — Fico bem sozinha. Não precisa ficar cuidando de mim.

— Eu sei — disse Gustavo. Ele caminhou até a janela e fitou a chuva que caía. — Mas, sabe, você passou por um montão de situações difíceis durante a invasão. E parecia um pouco assustada depois de tudo. Por isso achei que precisaria de companhia.

Rapunzel riu.

— Você mal fala — disse ela. — Se fosse para me fazer companhia, não deveria ao menos tentar manter uma conversa?

Ele olhou para ela por cima do ombro.

— Sobre o que vamos falar? Nabos?

Frederico se aproximava lentamente da cabana, montado em seu cavalo, tentando inutilmente proteger a cabeça com o paletó encharcado. Então uma luz se acendeu, e ele viu a silhueta truculenta de Gustavo próxima à janela. *Eu sabia que era tolice vir para cá*, pensou, virando o cavalo e pegando o caminho de volta.

— Por que não falamos sobre o real motivo pelo qual está aqui, Gustavo? — disse Rapunzel. — Que talvez você se sinta perdido sem

Fig. 44
Frederico,
sozinho

a Liga dos Príncipes? Ou esteja com medo de ir para casa e encarar seus irmãos outra vez?

Ela estava certa com relação às duas coisas, mas Gustavo jamais admitiria.

— Ei, não estou com medo de *nada* — disse ele, virando-se para encará-la. — Muito menos dos meus irmãos! E quer saber? É exatamente por isso que não gosto de conversar com você. Você sempre pensa que sabe o que está passando na minha cabeça.

— Ah, nunca nem sequer fingi que entendo você, Gustavo. Só quis ajudá-lo. Essa é a minha natureza.

— É mesmo? Bem, essa também é a minha natureza... — Ele fez uma pausa e inclinou a cabeça para o lado, como um cãozinho curioso. — Bem, acho que eu também quero ajudar as pessoas, só que não chorando como você faz.

— Fico muito feliz que você aprecie meu trabalho — suspirou Rapunzel.

Gustavo sorriu.

— Isso foi sarcasmo, Loira? Acho que você tem convivido muito comigo. Mas você está certa: você não precisa da minha ajuda. Alguém lá fora deve estar precisando. O que é que estou esperando, então? — Ele pegou sua bolsa (que não tinha nada além de algumas facas e um pedaço de carne-seca) e seguiu em direção à porta da frente.

— Para onde você vai? O que vai fazer?

— Vou sair vagando pelo campo, eu acho — respondeu ele. — Lutar contra monstros, salvar famílias. Coisas de herói, você sabe.

— Mas vai sair bem no meio dessa tempestade? Quer dizer, eu quero que você vá, mas pode esperar a chuva passar.

— Não tenho medo de chuva — disse Gustavo, seus cabelos longos e molhados já lhe escorriam pela testa. Ele ergueu o punho e brincou: — Mostrem do que são capazes, nuvens!

O príncipe riu e olhou para Rapunzel da soleira da porta. Ela também estava rindo. E, estranhamente, o coração de Gustavo bateu um pouco mais acelerado.

— A propósito — disse ele. — Obrigado por salvar minha vida.

◂•▸

Uma hora depois de Liam ter se recolhido em uma das celas da prisão de Avondell, Rosa Silvestre o encontrou lá.

— O que está fazendo, seu idiota?

— Aqui é o meu lugar, não é? — disse Liam. — Além do mais, não gostamos um do outro. Este casamento é uma prisão, de qualquer forma.

— Ah, me poupe do drama. — Rosa Silvestre cruzou os braços. — Você vai fazer eu me arrepender do que acabei de fazer.

Liam olhou desconfiado para ela.

— O que você fez?

— Acabei de pedir ao arcebispo para anular nosso casamento. Você pode ir embora.

— Como assim?

— Limpe a cera dos ouvidos, Liam, o Soturno. Anulei nosso casamento. É como se nunca tivesse acontecido. Não estamos mais casados.

— Por que fez isso?

— Por que você se importa? Está feito. Nunca ouviu o ditado sobre cavalo dado? Se alguém lhe der um cavalo, monte nele e vá embora antes que lhe peçam de volta.

— O que deu em você? — perguntou Liam.

Rosa Silvestre escancarou a porta da cela (que, por sinal, nunca esteve trancada).

— Cansei de você, queridinho. Você não serve para mais nada mesmo. Na verdade, a esta altura do campeonato, ter você como marido é só um ponto negativo. Porque você não é muito popular. E quem sabe um dia eu acabe conhecendo um cara com quem eu *queira* ficar. Você sabe, que seja o oposto de você. Com quem não me importo. Nem um pouco. Só queria deixar isso bem claro. — Rosa Silvestre estava acostumada a ser *idolatrada,* por medo ou falsa admiração, mas ultimamente ela andava se perguntando qual seria a sensação de ser *querida*. Ou até mesmo *amada*. — Portanto caia fora daqui. — E com isso se foi.

— Espere — disse Liam. Mas Rosa Silvestre já tinha desaparecido. E ele nem sabia ao certo o que queria dizer para ela, de qualquer modo.

Ao longo das últimas semanas, tudo que ele mais queria era ter Rosa Silvestre fora de sua vida. Agora que ela lhe concedera esse desejo, por que aquela sensação de amargura? *Não perca seu tempo pensando nisso,* disse a si mesmo. *Vá logo. Antes que ela queira o cavalo de volta.*

Confuso (mas feliz), Liam deixou a prisão. Pegou algumas coisas — um saco de dinheiro, sua espada, uma capa extra — e saiu pelos portões do palácio para o sol da manhã. Ele não podia mais ficar em Avondell e também não voltaria para Eríntia. Ele não sabia para onde ir. Mas estava livre.

← 29½ →
O VILÃO DERRAMA UMA LÁGRIMA

Antes de fechar este livro, há mais uma série de acontecimentos sobre os quais você deveria ficar sabendo. Mas, para isso, teremos que voltar um pouquinho — para o momento em que os heróis estavam fugindo a cavalo pelo portão principal da Muralha Sigilosa e Deeb Rauber, na ponte levadiça, fazia seu discurso da vitória para centenas de bandidos atordoados.

— Muito bem — disse Deeb Rauber. — Quem está pronto para me ouvir agora?

Na verdade, nem todos os presentes estavam prestando atenção. Enquanto Rauber prosseguia com seu longo e imponente discurso sobre por que ele era o verdadeiro governante de Rauberia, nem notou quando três pessoas abandonaram a fala de fininho.

O primeiro foi Baltasar, o carcereiro, que saiu do castelo bem na hora em que o lorde Randark estava afundando no fosso. Baltasar se aproximou da beirada do fosso e deu uma olhada. Em silêncio, caminhou pela margem, procurando nas profundezas sombrias a cada metro. Com isso, acabou contornando a lateral do castelo e sumiu de vista.

Vero viu Baltasar indo embora e foi atrás dele; e Madu, que tinha retomado a forma humana, arrancou a espada espetada em seu pé e partiu junto também.

À sombra da lateral do castelo, Baltasar continuava olhando para o fosso, até que finalmente conseguiu encontrar o que procurava: uma bolha. O homem gigantesco ajoelhou para ver mais de perto. Mais bolhas.

Assim que fizeram a curva, Vero e Madu avistaram Baltasar afundando o braço nas águas perigosas e puxando o corpo do chefe militar carcomido pelas enguias. Randark estava tão acabado que é melhor nem tentar descrever. Mas, se você precisa mesmo saber, imagine o cesto de lixo da sua cozinha depois da ceia de Natal.

Vero e Madu se aproximaram.

— Ele está morto? — perguntou Madu.

— Quase — respondeu Baltasar. — Ainda resta um sopro de respiração. Está ouvindo? Mas não vai durar muito. Nem mesmo um homem como lorde Randark é capaz de se recuperar desse tipo de estrago.

— Isso significa que teremos de trabalhar para aquele garoto agora? — perguntou Madu, enjoado só de pensar.

— Talvez não — disse Vero, enfiando a mão no colete e tirando um frasquinho dali. — O rei Bandido não é capaz de conquistar o respeito de um exército de verdade. Percebi isso agora. Mas o chefe militar é outra história, não? Você perguntou quem vou seguir. Tomei minha decisão.

Ele abriu o frasquinho e despejou as lágrimas de Rapunzel sobre o corpo de Randark. Com um zunido baixo, o chefe militar começou a vibrar. Seus ferimentos desapareceram. Sua respiração voltou ao normal. E ele abriu os olhos.

Lorde Randark viu os três rostos voltados para ele, e seus lábios se curvaram em um sorriso malévolo. Ele ergueu a mão direita, com uma enguia ainda presa a ela. Então arrancou o animal e abriu os dedos. Na palma de sua mão estava a enorme e reluzente jade laranja.

Fig. 45
PGJD

⤙ AGRADECIMENTOS ⤚

Mais uma vez, meus sinceros agradecimentos a todos que me ajudaram durante a escrita deste livro. Obrigado à minha maravilhosa e talentosa esposa, Noelle Howey — sem seu apoio moral e editorial, esta história talvez nunca tivesse sido impressa. Agradeço também aos meus maiores fãs, Bryn e Dash — Bryn, suas colocações inteligentes são sempre bem-vindas; Dash, espero que aprecie o fato de esta continuação ter chegado bem mais perto de retratar ninjas de verdade. Agradeço a meu compreensivo e sempre entusiasmado editor, Jordan Brown, assim como a Kellie Celia, Deborah Kovacs, Casey McIntyre e toda a maravilhosa equipe da Walden Pond e da HarperCollins. Meu muito obrigado à minha incansável agente, Cheryl Pientka, e a todas as pessoas da Jill Grinberg Literary Agency; estou muito feliz por tê-los ao meu lado. Obrigado a Neil Sklar, Brad Barton e Christine Howey — suas sugestões foram essenciais no processo de criação desta história. Agradeço também à minha mãe, pai e irmão — a torcida de vocês significa muito para mim. Meus agradecimentos especiais a David Wagner, Erik Singer, Cori Lynn Peterson Campbell e Lulu French, que fizeram atuações geniais como Gustavo, Frederico, Ella e Zaubera, respectivamente, na primeira leitura encenada de *O guia do herói*, e também a Bronson Pinchot pela maravilhosa interpretação como *todo mundo* na versão em áudio. E um imenso e não menos importante obrigado a Milo Ruggiero, por ter sugerido o nome Esmirno, meu preferido. Também gostaria muito de agradecer a todos os blogueiros que promoveram *O guia do herói* e a todos os leitores que o recomendaram; vocês são demais! Por fim, obrigado Todd Harris — sou o autor mais sortudo do mundo por tê-lo dando vida aos meus personagens. E também aos meus muitos futuros colaboradores!